Estudo aprofundado da Doutrina Espírita

Estudo aprofundado da Doutrina Espírita

Orientações espíritas e sugestões didático-pedagógicas direcionadas ao estudo do aspecto religioso do Espiritismo

livro I
Cristianismo e Espiritismo

Organização
Marta Antunes de Oliveira de Moura

Copyright © 2013 *by*
FEDERAÇÃO ESPÍRITA BRASILEIRA – FEB

1ª edição – 14ª impressão – 1,5 mil exemplares – 1/2025

ISBN 978-85-7328-770-7

Todos os direitos reservados. Nenhuma parte desta publicação pode ser reproduzida, armazenada ou transmitida, total ou parcialmente, por quaisquer métodos ou processos, sem autorização do detentor do *copyright*.

FEDERAÇÃO ESPÍRITA BRASILEIRA – FEB
SGAN 603 – Conjunto F – Avenida L2 Norte
70830-106 – Brasília (DF) – Brasil
www.febeditora.com.br
editorial@febnet.org.br
+55 61 2101 6161

Pedidos de livros à FEB
Comercial
Tel.: (61) 2101 6161 – comercial@febnet.org.br

Adquirindo esta obra, você está colaborando com as ações de assistência e promoção social da FEB e com o Movimento Espírita na divulgação do Evangelho de Jesus à luz do Espiritismo.

Dados Internacionais de Catalogação na Publicação (CIP)
(Federação Espírita Brasileira – Biblioteca de Obras Raras)

M929e   Moura, Marta Antunes de Oliveira de (Org.), 1946–

              Estudo aprofundado da doutrina espírita: cristianismo e espiritismo. Orientações espíritas e sugestões didático-pedagógicas direcionadas ao estudo do aspecto religioso do espiritismo / organizado por Marta Antunes de Oliveira de Moura. – 1. ed. – 14. imp. – Brasília: FEB, 2025.

              V.1; 368 p.; 25 cm

              Inclui referências

              ISBN 978-85-7328-770-7

              1. Espiritismo. 2. Estudo e ensino. 3. Educação. I. Federação Espírita Brasileira. II. Título.

                                          CDD 133.9
                                          CDU 133.7
                                          CDE 60.04.00

SUMÁRIO

Apresentação 7
Esclarecimentos 9
Módulo I – Antecedentes do Cristianismo 13
    Roteiro 1 – Evolução do pensamento religioso 15
    Roteiro 2 – As religiões não cristãs (1) 23
    Roteiro 3 – As religiões não cristãs (2) 33
    Roteiro 4 – O Judaísmo 43
    Roteiro 5 – Moisés, o mensageiro da Primeira Revelação 57
Módulo II – O Cristianismo 67
    Roteiro 1 – Nascimento e infância de Jesus 69
    Roteiro 2 – Maria, mãe de Jesus 81
    Roteiro 3 – João Batista – o precursor 89
    Roteiro 4 – A missão de Jesus – guia e modelo da humanidade 97
    Roteiro 5 – Os apóstolos de Jesus. A missão dos doze apóstolos 113
    Roteiro 6 – A escritura dos Evangelhos. Os evangelistas 129
    Roteiro 7 – Fenômenos psíquicos no Evangelho 143
    Roteiro 8 – Os discípulos de Jesus 155
    Roteiro 9 – A última ceia 167
    Roteiro 10 – O calvário, a crucificação e a ressurreição de Jesus 179
    Roteiro 11 – Estêvão, o primeiro mártir do Cristianismo 191
    Roteiro 12 – Conversão e missão de Paulo de Tarso 199
    Roteiro 13 – As viagens missionárias do apóstolo Paulo 211

Roteiro 14 – As epístolas de Paulo (1) 223
Roteiro 15 – As epístolas de Paulo (2) 237
Roteiro 16 – As epístolas de Paulo (3) 251
Roteiro 17 – As epístolas de Tiago e de Pedro 265
Roteiro 18 – Epístolas de João e de Judas 275
Roteiro 19 – Atos dos apóstolos (1) 283
Roteiro 20 – Atos dos apóstolos (2) 291
Roteiro 21 – O apocalipse de João 299
Roteiro 22 – A igreja cristã primitiva 311
Roteiro 23 – Igreja Católica Apostólica Romana e Ortodoxa 321
Roteiro 24 – Islamismo 337
Roteiro 25 – A reforma protestante 353

APRESENTAÇÃO

Disponibilizamos ao Movimento Espírita a terceira edição de Cristianismo e Espiritismo, Livro I, que faz parte do Curso Aprofundado da Doutrina Espírita – EADE.

Esta nova edição, revista e ampliada, conta com 25 roteiros, resultado da inclusão de três novos temas (Maria, mãe de Jesus; João Batista, o precursor; Estêvão, o primeiro mártir do Cristianismo) e do desdobramento de outros.

Agradecemos as oportunas sugestões de aperfeiçoamento deste material e as expressivas manifestações de apoio enviadas por confrades espíritas.

Brasília (DF), janeiro de 2013.

ESCLARECIMENTOS

Organização e Objetivos do Curso

O Estudo Aprofundado da Doutrina Espírita (EADE) é um curso que tem como proposta enfatizar o tríplice aspecto da Doutrina Espírita, estudado de forma geral nos cursos de formação básica, usuais na Casa Espírita.

O estudo teórico da Doutrina Espírita desenvolvido no EADE está fundamentado nas obras da Codificação e nas complementares a estas, cujas ideias guardam fidelidade com as diretrizes morais e doutrinárias definidas, respectivamente por Jesus e por Allan Kardec.

Os conteúdos do EADE priorizam o conhecimento espírita e destaca a relevância da formação moral do ser humano. Contudo, sempre que necessário, tais as orientações são comparadas a conhecimentos universais, filosóficos, científicos e tecnológicos, presentes na cultura e na civilização da Humanidade, com o intuito de demonstrar a relevância e a atualidade da Doutrina Espírita.

Os objetivos do Curso podem ser resumidos em dois, assim especificados:

- » Propiciar o conhecimento aprofundado da Doutrina Espírita no seu tríplice aspecto: religioso, filosófico e científico.
- » Favorecer o desenvolvimento da consciência espírita, necessário ao aprimoramento moral do ser humano

O Estudo Aprofundado da Doutrina Espírita tem como público-alvo todos os espíritas que gostem de estudar, que desejam prosseguir nos seus estudos doutrinários básicos, realizando aprofundamentos de temas que conduzam à reflexão, moral e intelectual.

Neste sentido, o Curso é constituído por uma série de cinco tipos de conteúdos, assim especificados:

- » Livro I: Cristianismo e Espiritismo.
- » Livro II: Ensinos e Parábolas de Jesus – Parte 1
- » Livro III: Ensinos e Parábolas de Jesus – Parte 2

- » Livro IV: O Consolador prometido por Jesus
- » Livro V: Filosofia e Ciência Espíritas

Fundamentos espíritas do curso

- » A moral que os Espíritos ensinam é a do Cristo, pela razão de que não há outra melhor. [...]
- » O que o ensino dos Espíritos acrescenta à moral do Cristo é o conhecimento dos princípios que regem as relações entre os mortos e os vivos, princípios que completam as noções vagas que se tinham da alma, do seu passado e do seu futuro [...]. Allan Kardec: *A gênese*. Cap. I, item 56.
- » O Espiritismo é forte porque assenta sobre as próprias bases da religião: Deus, a alma, as penas e as recompensas futuras [...]. Allan Kardec: *O livro dos espíritos*. Conclusão V.
- » [...] O mais belo lado do Espiritismo é o lado moral. É por suas consequências morais que triunfará, pois aí está a sua força, pois aí é invulnerável. [...] Allan Kardec: *Revista espírita*, 1861, novembro, p. 495.
- » [...] Ainda uma vez [o Espiritismo], é uma filosofia que repousa sobre as bases fundamentais de toda religião e, na moral do Cristo [...]. Allan Kardec: *Revista espírita*, 1862, maio, p. 174-175.
- » Não, o Espiritismo não traz moral diferente da de Jesus. [...] Os Espíritos vêm não só confirmá-la, mas também mostrar-nos a sua utilidade prática. Tornam inteligíveis e patentes verdades que haviam sido ensinadas sob forma alegórica. E, justamente com a moral, trazem-nos a definição dos mais abstratos problemas da Psicologia. Allan Kardec: *O livro dos espíritos*. Conclusão VIII.
- » Podemos tomar o Espiritismo, simbolizado desse modo, como um triângulo de forças espirituais.
- » A Ciência e a Filosofia vinculam à Terra essa figura simbólica, porém, a Religião é o ângulo divino que a liga ao céu. No seu aspecto científico e filosófico, a Doutrina será sempre um campo de nobres investigações humanas, como outros movimentos coletivos, de natureza intelectual, que visam o aperfeiçoamento da Humanidade. No aspecto religioso, todavia, repousa a sua grandeza divina, por constituir a restauração do Evangelho de Jesus Cristo, estabelecendo a renovação definitiva do

homem, para a grandeza do seu imenso futuro espiritual. Emmanuel: *O consolador*. Definição, p. 13-14.

» A ciência espírita compreende duas partes: experimental uma, relativa às manifestações em geral; filosófica, outra, relativa às manifestações inteligentes. Allan Kardec: *O livro dos espíritos*. Introdução, item 17.

» Falsíssima ideia formaria do Espiritismo quem julgasse que a sua força lhe vem da prática das manifestações materiais [...]. Sua força está na sua filosofia, no apelo que dirige à razão, ao bom senso. [...] Fala uma linguagem clara, sem ambiguidades. Nada há nele de místico, nada de alegorias suscetíveis de falsas interpretações. Quer ser por todos compreendido, porque chegados são os tempos de fazer-se que os homens conheçam a verdade [...]. Não reclama crença cega; quer que o homem saiba por que crê. Apoiando-se na razão, será sempre mais forte do que os que se apoiam no nada. Allan Kardec: *O livro dos espíritos*. Conclusão VI.

» O Espiritismo é, ao mesmo tempo, uma ciência de observação e uma doutrina filosófica. Como ciência prática ele consiste nas relações que se estabelecem entre nós e os Espíritos; como filosofia, compreende todas as consequências morais que dimanam dessas mesmas relações. Allan Kardec: *O que é o espiritismo*. Preâmbulo.

» [...] o Espiritismo não traz moral diferente da de Jesus. [...] Os Espíritos vêm não só confirmá-la, mas também mostrar-nos a sua utilidade prática. Tornam inteligíveis e patentes verdades que haviam sido ensinadas sob a forma alegórica. E, justamente com a moral, trazem-nos a definição dos mais abstratos problemas da Psicologia. Allan Kardec: *O livro dos espíritos*. Conclusão VIII.

» O Espiritismo se apresenta sob três aspectos diferentes: o das manifestações, dos princípios e da filosofia que delas decorrem e o da aplicação esses princípios Allan Kardec: *O livro dos espíritos*. Conclusão VII.

Sugestão de Funcionamento do Curso

a) Requisitos de admissão: os participantes inscritos devem ter concluído cursos básicos e regulares da Doutrina Espírita, como o Estudo Sistematizado da Doutrina Espírita, ou ter conhecimento das obras codificadas por Allan Kardec.

b) Duração das reuniões de estudo: sugere-se o desenvolvimento de uma reunião semanal, de 1hora e 30 minutos a 2 horas.

Atividade extraclasse: é de fundamental importância que os participantes façam leitura prévia dos temas que serão estudados em cada reunião e, também, realizem pesquisas bibliográficas a fim de que o estudo, as análises, as correlações e reflexões, desenvolvidas no Curso, propiciem melhor entendimento dos conteúdos.

EADE LIVRO I | MÓDULO I

ANTECEDENTES DO CRISTIANISMO

EADE – LIVRO I | MÓDULO I

ANTECEDENTES DO CRISTIANISMO

Roteiro 1

EVOLUÇÃO DO PENSAMENTO RELIGIOSO

Objetivos

» Elaborar uma linha histórica da evolução da ideia de Deus na Humanidade.

» Explicar politeísmo e monoteísmo à luz do entendimento espírita.

Ideias principais

» O homem primitivo entendia Deus como um ser antropomórfico: [...] *Incapaz, pela sua ignorância, de conceber um ser imaterial, sem forma determinada, atuando sobre a matéria, conferiu-lhe o homem atributos da natureza corpórea, isto é, uma forma e um aspecto* [...]. Allan Kardec: *O livro dos espíritos*, questão 667.

» O politeísmo é a crença em vários deuses e o culto a eles prestado. Chamando [...] *"deus" a tudo o que era sobre-humano, os homens tinham por deuses os Espíritos. Daí veio que, quando um homem, pelas suas ações, pelo seu gênio, ou por um poder oculto que o vulgo não lograva compreender, se distinguia dos demais, faziam dele um deus e, por sua morte, lhe rendiam culto.* Allan Kardec: *O livro dos espíritos*, questão 668.

> [...] *Os hebreus foram os primeiros a praticar publicamente o monoteísmo; é a eles que Deus transmite a sua lei, primeiramente por via de Moisés, depois por intermédio de Jesus.* Allan Kardec: *O evangelho segundo o espiritismo.* Cap. XVIII, item 2.

Subsídios

O desenvolvimento da ideia de Deus e do processo religioso da Humanidade acompanha a evolução, intelectual e moral, do próprio ser humano. Uma conquista está inerente à outra.

Quando [...] os homens, fisicamente, pouco dessemelhavam dos antropopitecos, suas manifestações de religiosidade eram as mais bizarras, até que, transcorridos os anos, no labirinto dos séculos, vieram entre as populações do orbe os primeiros organizadores do pensamento religioso que, de acordo com a mentalidade geral, não conseguiram escapar das concepções de ferocidade que caracterizavam aqueles seres egressos do egoísmo animalesco da irracionalidade.[8]

As primeiras manifestações de religiosidade estão, pois, relacionadas à realização de sacrifícios que poderiam agradar a Deus.

Primeiramente, porque não compreendia Deus como a fonte da bondade. Nos povos primitivos a matéria sobrepuja o espírito; eles se entregam aos instintos do animal selvagem. Por isso é que, em geral, são cruéis; é que neles o senso moral ainda não se acha desenvolvido. Em segundo lugar, é natural que os homens primitivos acreditassem ter uma criatura animada muito mais valor, aos olhos de Deus, do que um corpo material. Foi isto que os levou a imolarem, primeiro, animais e, mais tarde, homens. De conformidade com a falsa crença que possuíam, pensavam que o valor do sacrifício era proporcional à importância da vítima.[4]

A ideia primitiva de Deus é de natureza antropomórfica. Isto é, Deus é concebido e descrito sob a forma humana ou com atributos humanos.

Incapaz, pela sua ignorância, de conceber um ser imaterial, sem forma determinada, atuando sobre a matéria, conferiu-lhe o homem atributos da natureza corpórea, isto é, uma forma e um aspecto e, desde então, tudo o que parecia ultrapassar os limites da inteligência comum era, para ele, uma divindade. Tudo o que não compreendia devia ser obra de uma potência sobrenatural. Daí a crer em tantas potências distintas quantos os efeitos que observava, não havia mais que um passo.[2]

A concepção de Deus único, criador do Universo, dos seres e coisas estava muito distante, em termos evolutivos, para ser cogitada pelos primeiros habitantes do Planeta. Tudo que lhes causavam impacto e extrapolava o seu entendimento era venerado como um deus.

Sem dúvida, porquanto, chamando deus a tudo o que era sobre--humano, os homens tinham por deuses os Espíritos. Daí veio que, quando um homem, pelas suas ações, pelo seu gênio, ou por um poder oculto que o vulgo não lograva compreender, se distinguia dos demais, faziam dele um deus e, por sua morte, lhe rendiam culto.[3]

O homem primitivo reverenciava os espíritos ("deuses"), simbolizados por animais, vegetais e seres inanimados. Encontrava-se diante de um processo de adoração rudimentar, anímico e antropomórfico.

O significado filosófico de *animismo* indica que alma é considerada como princípio e sustentação de todas as atividades orgânicas, especialmente das percepções, sentimentos e pensamentos. O antropólogo Tylor (1896–1980) demonstra em sua obra "Cultura primitiva" (*Primitive culture*), publicada em 1934, que o animismo é o primeiro estágio da evolução religiosa da Humanidade, no qual o homem primitivo crê que todas as coisas ou elementos da Natureza são animados porque possuem uma alma. De qualquer forma, o animismo caracteriza o estágio primordial da atividade racional e cognitiva da espécie humana. O termo animismo, na verdade, foi utilizado pelo médico e químico alemão Georg Ernst Stahl (1660–1734) para explicar o funcionamento do corpo humano.

O período anímico da evolução religiosa da humanidade terrestre, faz nascer diferentes tipos de adoração: *litolatria* (adoração de pedras, rochas e relevos dos solos); *fitolatria* (adoração dos vegetais); *zoolatria* (adoração de animais); *idolatria* (adoração de ídolos). A consequência natural da idolatria é o nascimento da mitologia, com a sua forma clássica de politeísmo. Mitologia é o conjunto dos mitos de um povo. Mito, por sua vez, é o relato fantástico da tradição oral, gerado e protagonizado por seres que encarnam, sob forma simbólica, as forças da Natureza e os aspectos gerais da condição humana, esclarece o *Dicionário Houaiss da língua portuguesa*.

As lendas e as fábulas constituem o acervo mitológico de um povo. Os mitos refletem a experiência vivida pelos nossos ancestrais, mas que nos alcançam na atualidade. São também símbolos que revelam os diferentes estágios evolutivos da caminhada humana. Por esse motivo, os mitos apresentam representações mentais diferentes na infância, na adolescência e na vida adulta.

Politeísmo

Por definição, *politeísmo* é um sistema de crença religiosa que admite mais de um deus. Em geral, as manifestações politeístas são acompanhadas de idolatrias, refletindo a visão fragmentária que o homem tem da vida e do mundo. A mitologia de cada povo adquire feição própria. A mitologia grega e os ensinamentos órficos — de grande impacto na civilização Ocidental — são desenvolvidos por mestres do saber os quais, no entanto, mantém-se isolados das massas populares.[9]

Importa considerar que o desenvolvimento da ideia de Deus acompanha outra: a da imortalidade do ser.

> Desde os pródromos da civilização a ideia da imortalidade é congênita no homem. Todas as concepções religiosas da mais remota antiguidade, se bem que embrionárias e grosseiras em suas exteriorizações, no-la atestam. Entre as raças bárbaras abundaram ideias terroristas de um Deus, cuja cólera destruidora se abrandaria à custa dos sacrifícios humanos e dos holocaustos de sangue, e, por toda parte, onde os homens primitivos deixaram os vestígios de sua passagem, vê-se o sinal de uma divindade a cuja providência e sabedoria as criaturas entregavam confiadamente os seus destinos.[10]

Merece destaque o fato de que nas religiões politeístas, do passado e do presente, exista uma hierarquia das divindades: um deus maior e mais poderoso que governa deuses menores, em poder, inteligência e moralidade. Indica uma forma de transição do politeísmo, propriamente dito, para o monoteísmo.

A palavra *deus* tinha, entre os antigos, acepção muito ampla. Não indicava, como presentemente, uma personificação do Senhor da Natureza. Era uma qualificação genérica, que se dava a todo ser existente fora das condições da Humanidade. Ora, tendo-lhes as manifestações espíritas revelado a existência de seres incorpóreos a atuarem como potência da Natureza, a esses seres deram eles o nome de deuses, como lhes damos atualmente o de *Espíritos*. Pura questão de palavras, com a única diferença de que, na ignorância em que se achavam, mantida intencionalmente pelos que nisso tinham interesse, eles erigiram templos e altares muito lucrativos a tais deuses, ao passo que hoje os consideramos simples criaturas como nós, mais ou menos perfeitas e despidas de seus invólucros terrestres. Se estudarmos atentamente os diversos atributos das divindades pagãs, reconheceremos, sem esforço, todos os de que vemos dotados os Espíritos nos diferentes graus da escala espírita, o estado físico em que se encontram nos mundos superiores, todas as propriedades do perispírito e os papéis que desempenham nas coisas da Terra.[3]

Monoteísmo

O monoteísmo, consequência natural, e oposta, do politeísmo é doutrina religiosa que defende a existência de uma única divindade, culto ou adoração de um único Deus, Pai e Criador supremo.

Antes da vinda do Cristo, com exceção dos hebreus, todos os povos eram idólatras e politeístas. Se alguns homens superiores ao vulgo conceberam a ideia da unidade de Deus, essa ideia permaneceu no estado de sistema pessoal, em parte nenhuma foi aceita como verdade fundamental, a não ser por alguns iniciados que ocultavam seus conhecimentos sob um véu de mistério, impenetrável para as massas populares. Os hebreus foram os primeiros a praticar publicamente o monoteísmo; é a eles que Deus transmite a sua lei, primeiramente por via de Moisés, depois por intermédio de Jesus. Foi daquele pequenino foco que partiu a luz destinada a espargir-se pelo mundo inteiro, a triunfar do paganismo e a dar a Abraão uma posteridade *espiritual* "tão numerosa quanto as estrelas do firmamento." Entretanto, abandonando de todo a idolatria, os judeus desprezaram a lei moral, para se aferrarem ao mais fácil: a prática do culto exterior.[1]

O monoteísmo representa o ápice da escala evolutiva religiosa da humanidade terrestre. Foi uma conquista lenta, seguida de estágios preparatórios, nascida no seio das próprias doutrinas politeístas.

Cabe ao povo judeu o mérito da implantação do monoteísmo na Terra.

Dos Espíritos degredados na Terra, foram os hebreus que constituíram a raça mais forte e mais homogênea, mantendo inalterados os seus caracteres através de todas as mutações. Examinando esse povo notável no seu passado longínquo, reconhecemos que, se grande era a sua certeza na existência de Deus, muito grande também era o seu orgulho, dentro de suas concepções da verdade e da vida. [...] Entretanto, em honra da verdade, somos obrigados a reconhecer que Israel, num paradoxo flagrante, antecipando-se às conquistas dos outros povos, ensinou de todos os tempos a fraternidade, a par de uma fé soberana e imorredoura.[5]

O monoteísmo é consolidado com os Dez Mandamentos, ou Decálogo, recebidos por Moisés, no monte Sinai.

O protegido de Termutis [irmã do faraó egípcio e mãe adotiva de Moisés], depois de se beneficiar com a cultura que o Egito lhe podia prodigalizar, foi inspirado a reunir todos os elementos úteis à sua grandiosa missão, vulgarizando o monoteísmo e estabelecendo o Decálogo, sob a inspiração divina, cujas determinações são até hoje a edificação basilar da Religião da Justiça e do Direito[...].[9]

Moisés, com a expressão rude da sua palavra primitiva, recebe do mundo espiritual as leis básicas do Sinai, construindo desse modo o grande alicerce do aperfeiçoamento moral do mundo; e Jesus, no Tabor, ensina a Humanidade a desferir, das sombras da Terra, o seu voo divino para as luzes do Céu.[6]

Independentemente das práticas indicadas pela legislação moisaica, algumas até desumanas, mas compatíveis com a mentalidade da época, Moisés teve o mérito de difundir à multidão que o seguia na árdua peregrinação no deserto, verdades espirituais acessíveis apenas aos indivíduos aceitos como "iniciados" nos diferentes templos religiosos do passado.

O grande legislador dos hebreus trouxera a determinação de Jesus, com respeito à simplificação das fórmulas iniciáticas, para compreensão geral do povo; a missão de Moisés foi tornar acessíveis ao sentimento popular as grandes lições que os demais iniciados eram compelidos a ocultar. E, de fato, no seio de todas as grandes figuras da antiguidade, destaca-se o seu vulto como o primeiro a rasgar a cortina que pesa sobre os mais elevados conhecimentos, filtrando a luz da verdade religiosa para a alma simples e generosa do povo.⁷

Referências

1. KARDEC, Allan. *O evangelho segundo o espiritismo*. Tradução de Guillon Ribeiro. 123. ed. Rio de Janeiro: FEB, 2004. Cap.18, item 2, p. 289.

2. _____. *O livro dos espíritos*. Tradução de Guillon Ribeiro. 86. ed. Rio de Janeiro: FEB, 2005, questão 667, p. 322-323.

3. _____._____. Questão 668, p. 323.

4. _____._____. Questão 669, p. 324.

5. XAVIER, Francisco Cândido. *A caminho da luz*. Pelo Espírito Emmanuel. 33. ed. Rio de Janeiro: FEB, 2006. Cap. 7 (O povo de Israel), p. 65-66.

6. _____._____. Item: O Judaísmo e o Cristianismo, p. 68.

7. _____._____. Item: O monoteísmo, p. 69.

8. _____. *Emmanuel*. Pelo Espírito Emmanuel. 25. ed. Rio de Janeiro: FEB, 2005. Cap. 2 (A ascendência do Evangelho), p. 25.

9. _____._____. Cap. 2 (A ascendência do Evangelho), item: A lei moisaica, p. 27.

10. _____._____. Cap. 15 (A ideia da imortalidade), item: A ideia de Deus, p. 86.

Orientações ao monitor

Elaborar uma linha história, em conjunto com a turma, que contenha os principais marcos evolutivos da ideia de Deus na Humanidade. Analisar, em seguida, as ideias que efetivamente, os caracterizaram.

ANTECEDENTES DO CRISTIANISMO

Roteiro 2

AS RELIGIÕES NÃO CRISTÃS (1)

Objetivos

» Identificar nos mensageiros das diferentes religiões os porta-vozes de Jesus no Planeta.

» Apresentar as principais características do Hinduísmo e do Budismo.

Ideias principais

» *Todas as religiões houveram de ser em sua origem relativas ao grau de adiantamento moral e intelectual dos homens: estes, assaz materializados para compreenderem o mérito das coisas puramente espirituais, fizeram consistir a maior parte dos deveres religiosos no cumprimento de fórmulas exteriores.* Allan Kardec: O céu e o inferno. Primeira parte, cap. I, item 12.

» O Hinduísmo abrange várias expressões religiosas desenvolvidas na Índia, há três ou quatro mil anos que apresentam manifestações tipicamente politeístas, monolatristas, panteístas e animistas. Não existe um fundador do Hinduísmo. Os seus livros sagrados são os *Vedas* e os *Upanishads*.

» O fundador do Budismo foi *Sidarta Gautama* (560–480 a.C.), o Buda, que significa "o iluminado". O Budismo tem como base doutrinária a lei do carma ou dos renascimentos sucessivos, e tem como meta alcançar o estado de plenitude espiritual ou *nirvana*.

Subsídios

Deus jamais deixou de revelar suas leis. A orientação divina chega à Humanidade em todas as épocas, utilizando todos os meios, direta ou indiretamente pelo trabalho dos missionários, ou porta-vozes do Senhor.

Esses gênios, que aparecem através dos séculos como estrelas brilhantes, deixando longo traço luminoso sobre a Humanidade, são missionários ou, se o quiserem, *messias*. O que de novo ensinam aos homens, quer na ordem física, quer na ordem filosófica, são *revelações*. Se Deus suscita reveladores para as verdades científicas, pode, com mais forte razão, suscitá-los para as verdades morais, que constituem elementos essenciais do progresso.[1]

Percebemos então que todas as revelações religiosas foram transmitidas de acordo com o nível de entendimento e de moralidade dos habitantes do Planeta. Estes, "[...] assaz materializados para compreenderem o mérito das coisas puramente espirituais, fizeram consistir a maior parte dos deveres religiosos no cumprimento de fórmulas exteriores."[2]

Cada coisa acontece no tempo propício, pois o processo evolutivo é lento, sobretudo no homem primitivo ou de pouca evolução moral e intelectual. "A verdade é como a luz: o homem precisa habituar-se a ela, pouco a pouco; do contrário, fica deslumbrado."[3]

Importa considerar que o sentimento religioso é inerente ao ser humano, ainda que rejeitado por algumas correntes filosóficas e científicas, de natureza materialista.

A religião é o sentimento divino que prende o homem ao Criador. As religiões são organizações dos homens, falíveis e imperfeitas como eles próprios; dignas de todo acatamento pelo sopro de inspiração superior que as faz surgir, são como gotas de orvalho celeste, misturadas com os elementos da terra em que caíram.[15]

O desenvolvimento da consciência religiosa está claramente identificada na história de cada povo.

Vamos encontrar, historicamente, as concepções mais remotas da organização religiosa na civilização chinesa, nas tradições da Índia védica e bramânica, de onde também se irradiaram as primeiras lições do Budismo, no antigo Egito, com os mistérios do culto dos mortos, na civilização resplandecente dos faraós, na Grécia com os ensinamentos órficos e com a simbologia mitológica, existindo já grandes mestres, isolados intelectualmente das massas, a quem ofereciam os seus ensinos exóticos, conservando o seu saber de iniciados no círculo restrito daqueles que os poderiam compreender devidamente.[13]

Entendemos que essas tradições não surgiram por acaso no Planeta. Há um plano divino que direciona todo o processo de melhoria da humanidade terrestre. Sob a supervisão de Jesus, missionários renascem para transmitir aos encarnados não somente lições de progresso científico ou filosófico, mas também ensinamentos morais e religiosos.

Fo-Hi, os compiladores dos Vedas, Confúcio, Hermes, Pitágoras, Gautama, os seguidores dos mestres da antiguidade, todos foram mensageiros de sabedoria que, encarnando em ambientes diversos, trouxeram ao mundo a ideia de Deus e das leis morais a que os homens se devem submeter para a obtenção de todos os primores da evolução espiritual. Todos foram mensageiros daquele que era o Verbo do Princípio, emissários da sua doutrina de amor. Em afinidade com as características da civilização e dos costumes de cada povo, cada um deles foi portador de uma expressão do "amai-vos uns aos outros". Compelidos, em razão do obscurantismo dos tempos, a revestir seus pensamentos com os véus misteriosos dos símbolos, como os que se conheciam dentro dos rigores iniciáticos, foram os missionários do Cristo preparadores dos seus gloriosos caminhos.[14]

Num esforço de síntese, apresentaremos as principais manifestações religiosas não cristãs, neste roteiro e no próximo.

1. Hinduísmo

O Hinduísmo, palavra que significa *indiano*, não possui um fundador, propriamente dito, nem um credo fixo. Projeta-se na história como uma religião atemporal, pela capacidade de incorporar novos pensamentos e novas práticas religiosas. Na verdade, o Hinduísmo abrange várias expressões religiosas que se desenvolveram na Índia, há três ou quatro mil anos.[4] Nesse caldo religioso, encontramos manifestações tipicamente politeístas, monolatristas, panteístas e animistas. No monolatrismo encontramos práticas religiosas situadas entre o politeísmo e o monoteísmo: adora-se um deus único, considerado o mais importante, mas sem negar a existência de outros deuses. O panteísmo tem como princípio a crença de que todas as coisas e seres são uma partícula de Deus. O animismo ensina que os elementos da natureza são animados por espíritos que devam ser cultuados.

As diferentes formas de expressão do Hinduísmo atual abrange uma variedade de cultos e rituais, existindo, em comum, a aceitação do sistema de castas, dos princípios do *carma* (ou *karma*) e a adoração da vaca como animal sagrado. O regime de castas define a existência de quatro classes sociais básicas ou *varna*, que significa "cor": 1. sacerdotes (brâmanes); 2. guerreiros; 3. agricultores, comerciantes e artesãos; 4. servos (párias). Essa classificação deu origem a especificações tão detalhadas que, surpreendentemente, no início do século vinte existiam cerca de três mil castas.[5]

> As organizações hindus são de origem anterior à própria civilização egípcia e antecederam de muito os agrupamentos israelitas, de onde sairiam mais tarde personalidades notáveis, como as de Abraão e Moisés. As almas exiladas naquela parte do Oriente muito haviam recebido da misericórdia do Cristo, de cuja palavra de amor e de cuja figura luminosa guardaram as mais comovedoras recordações, traduzidas na beleza dos Vedas e dos Upanishads. Foram elas as primeiras vozes da filosofia e da religião no mundo terrestre, como provindo de uma raça de profetas, de mestres e iniciados, em cujas tradições iam beber a verdade os homens e os povos do porvir [...].[12]

Segundo o entendimento hinduísta, carma (*karma* = ato) é uma lei natural, fundamentada na crença de que todas as ações do homem têm consequências e que serão expressas numa próxima reencarnação.

A adoração da vaca como animal sagrado é outra concepção universal das tradições hindus, visto que são animais que suprem todas as necessidades de manutenção da vida biológica. Essa adoração é claramente manifestada durante as festividades religiosas da Índia, existindo até nos *Vedas* hinos para as vacas.[6]

Há pontos concordantes entre as diferentes seitas hindus, como é natural. Entretanto as discordâncias são maiores, em razão da natureza de cada tipo de interpretação religiosa: politeísta, monolatrista, anímica, panteísta ou monoteísta. Entre os monoteístas hindus temos os que abraçam concepções cristãs e os que seguem a orientação islâmica.

Em geral, as manifestações religiosas hinduístas tem como base o livro sagrado *Veda* (ou *Vedas*). A palavra "Veda" significa *saber* ou *conhecimento*.

Trata-se de uma sabedoria transmitida de forma oral, cujas raízes remontam de 1500 a 1000 a.C. Assim, quando se faz citações dos Vedas se afirma: "está ouvido" (representa uma forma sacra do "ouvir dizer"). Em oposição, se a referência provém de um texto religioso escrito, tendo ou não como base a tradição oral, se expressa: "está escrito". As tradições védicas estão anotadas em livros, daí a utilização da forma plural "Vedas". O livro védico *Rig-Veda* é o mais antigo, sendo considerado a bíblia mais antiga da Humanidade.

O Hinduísmo apresenta um sistema de adoração a diferentes entidades espirituais, denominados deuses. Os mais populares são *Civa* (ou *Shiva*) e *Vishnu*, os quais já encarnaram, respectivamente, como *Rama* e *Krishna*, de acordo com a tradição hindu. No Hinduísmo existe também um grande número de divindades menores, uma variedade de animais, árvores e rios sagrados, animados por Espíritos. O rio sagrado mais conhecido é o Ganges.

No período védico tardio, entre 1000 e 500 a.C., ocorreu na Índia uma reforma religiosa que recebeu o nome de *Bramanismo*. O Bramanismo é uma religião ortodoxa, praticada por iniciados em práticas védicas, os *brâmanes*, conhecidos como "sacerdotes-mágicos". Os livros sagrados do Bramanismo são os *Bramanas* e os *Upanishads*. Ambos são considerados como revelações de *Brama* ou *Brahman* (Deus supremo).

Os *Upanishads*, livros hinduístas mais lidos pelos indianos, estão escritos sob a forma de diálogos entre o mestre e o discípulo. Transmitem a noção de ser Brahman a força espiritual essencial em que se baseia todo o universo. "Todos os seres vivos nascem do Brahman, retornam no Brahman e ao morrer voltam ao Brahman".[4] O carma é um conceito-chave da filosofia religiosa dos *Upanishads* que, considerando o homem como ser imortal, pode renascer numa casta mais alta ou mais baixa, ou, também, habitar o corpo de um animal.[6] Os *Upanishads* trazem, segundo a interpretação hindu, a síntese da moral universal.

Outro texto religioso de grande valor para as religiões hindus é o *Bhagavad Gita* ("A Canção do Senhor"). Faz parte da obra épica

Mahabharata (em sânscrito, "grande Índia") que, segundo a tradição, foi ditado por Krishnna-Dwaipayana Vyasa, o compilador, possivelmente no século IV a.C. O *Bhagavad Gita* foi incluído no *Mahabharata* possivelmente no século VIII a.C.[17]

O *Bhagavad Gita*, escrito em sânscrito, relata o diálogo de Krishna, uma das encarnações do deus Vishnu, com Arjuna, seu discípulo guerreiro, em pleno campo de batalha. Arjuna representa o papel de uma alma confusa sobre seu dever, e recebe iluminação diretamente de Krishna. No desenrolar da conversa são inseridos pontos importantes da filosofia indiana oriundos dos Vedas e do Bramanismo. A obra é uma das principais escrituras sagradas da cultura da Índia, e compõe a principal obra da religião Vaishnava, popularmente conhecida como movimento *Hare Krishna*.[17]

Hare Krishna (ou, mais apropriadamente, Sociedade Internacional para a Consciência de Krishna) é uma cultura monoteísta hindu oriunda da tradição védica e que tem por base os ensinamentos do guru Sri Krishna Chaitanya Mahaprabhu (1486–1534). Esse movimento foi introduzido no Ocidente em 1965 por Bhaktivedanta Swamo Prabhupada. Os membros da Sociedade *Hare Krishna* participam dos serviços nos templos e realizam suas práticas (chamadas de *bhakti-yoga* ou yoga da devoção), em casa, ou se dedicam inteiramente ao serviço de devoção à "Suprema Personalidade de Deus", que é Krishna, levando uma vida monástica. Krishna é um nome de Deus e significa o *Todo-Atraente*, em sânscrito. O seus membros não podem consumir álcool, fumar e usar outras drogas, seguindo uma dieta lacto-vegetariana. Dedicam-se ao estudo das escrituras védicas e à entoação de mantras. Os mantras são considerados sons transcendentais, cantados repetidamente como auxílio à meditação e autorrealização. Durante o canto, podem manifestar estados de êxtase transcendental, que resultarão na libertação da alma do corpo.[16]

Posteriormente à reforma bramânica, surgiram dois movimentos religiosos, por volta do século VI a.C., opostos ao Bramanismo: o *Janaísmo* — mantido circunscrito à Índia e que persiste nos dias atuais — e o *Budismo*, que se difundiu pela Ásia. Essas duas manifestações religiosas são semelhantes: repudiam o ritual indicado pelo Bramanismo, são indiferentes às tradições védicas e às suas divindades. São também contrárias ao regime das castas. Seus fundadores apresentam-se como homens comuns, não aceitando como a reencarnação de qualquer divindade.

O Janaísmo tem como fundador *Mahâvîra Jina* (*Mahâvîra* = "o grande herói"; *Jina* ="o vitorioso"). *Mahâvîra Jina* era descendente da família dos *Kshatryas* (de guerreiros e de príncipes) e teve uma vida de asceta, não usando nem mesmo roupa. Difundiu a sua doutrina no meio da nobreza a que pertencia. O Janaísmo admite a ideia da transmigração das almas, tendo como primeira proposta moral: *não fazer o mal a qualquer ser vivo*.

O religioso hindu, independentemente da seita a que pertença, tem um altar doméstico onde cultua os deuses de sua devoção e procura seguir o caminho sagrado indicado pelo Bhagavad Gita: cumprimento dos deveres para com a família, os membros da sua casta e da comunidade associados às virtudes da compreensão e da adoração.[7]

É importante assinalar que a tradição hinduísta representa a base da formação religiosa e social da humanidade terrestre.

> Dos Espíritos degredados no ambiente da Terra, os que se gruparam nas margens do Ganges foram os primeiros a formar os pródomos de uma sociedade organizada, cujos núcleos representariam a grande percentagem de ascendentes das coletividades do porvir. As organizações hindus são de origem anterior à própria civilização egípcia e antecederam de muito os agrupamentos israelitas [...].[12]

2. Budismo

O fundador do Budismo foi *Sidarta Gautama* (560–480 a.C.), o *Buda*, que significa "o iluminado". Gautama era filho de um rajá indiano e até a idade adulta viveu no palácio compartilhando as vantagens materiais destinadas à nobreza. O Budismo apareceu na mesma época que o Janaísmo, mas sempre teve papel mais significativo.

Conta-se que Buda, ao percorrer o país, em certa ocasião, encontrou "[...] os mendigos, os enfermos, os desditosos. Confrangeu-se-lhe o coração, e, certa noite, deixou o seu palácio, no esplendor de uma festa, para compartir a sorte dos desgraçados."[9]

Foi no trato com as pessoas sofredoras e vivendo em contato com a natureza que Buda encontrou a inspiração para organizar a sua doutrina.

Começou por combater as superstições e os sacrifícios. A seus discípulos nada ensinou sobre Deus, porque eles não podiam formar de Deus uma ideia justa e precisa. Mas declarou que a alma renascia constantemente até a completa depuração de suas impurezas. Liberta do cárcere corporal, iria para o nirvana, que é a completa tranquilidade do Espírito.[11]

Ensinava que a miséria humana tem origem nas ambições egoísticas.

O Hinduísmo e o Budismo têm como pontos comuns: a reencarnação, o carma e a salvação. Para Buda, o ser humano está preso a uma série de renascimentos, e, como todas as ações têm consequências, o que determina o carma são os pensamentos, palavras e atos. Para o Budismo, o homem colhe o que plantou, não existindo um "destino cego" nem uma "divina providência": uma existência está inexoravelmente presa à outra. No entanto, ao longo de uma série de renascimentos encontra o homem a passagem (porta) para a salvação, para a perfeição ou nirvana (palavra que significa "apagar").

A busca pelo *nirvana* é meta primordial budista, uma vez que essa doutrina ensina que durante a reencarnação não há uma verdadeira autonomia: tudo é transitório e pleno de sofrimento. Com o nirvana, a pessoa alcança uma vida sem sofrimento, de iluminação espiritual (*bodhi*), em que o carma e a necessidade de renascimento já não mais existiriam.[8]

Com a morte de Buda surgiram divergências entre os discípulos a respeito da interpretação dos ensinamentos búdicos. Assim, por volta de 380 a.C., realizou-se um concílio que provocou uma cisão entre os monges conservadores e os monges liberais, constituindo-se em diferentes correntes de organização religiosa.

Os ensinamentos de Buda podem ser resumidos no seguinte:[10]

» *A Lei do Carma* — para Buda, enquanto a pessoa não atingir o nirvana, estará escravizada à necessidade da reencarnação. Como todas as ações humanas têm consequências, é preciso que a pessoa aprenda a se depurar, pelos renascimentos sucessivos.

» *Visão da Humanidade* — o Budismo não aceita a ideia de uma alma individual e eterna, como é difundida nas tradições hindus. O fato de o ser humano achar que é um "eu", ou que tem uma alma, reflete ignorância, e essa ignorância pode lhe trazer graves consequências, uma vez "que cria o desejo, e é o desejo que cria o carma". A alma, para o Budismo, é algo tão fugaz como qualquer coisa que existe no mundo.

» *As quatro nobres verdades do sofrimento* — fazem parte do sermão de Benares, proferido por Buda. As quatro nobres verdades são: tudo é sofrimento; a causa do sofrimento é o desejo; o sofrimento cessa quando cessa o desejo; só assim se segue o caminho das oito vias: perfeita compreensão, perfeita aspiração, perfeita fala, perfeita conduta, perfeito meio de subsistência, perfeito esforço, perfeita atenção e perfeita contemplação.

O Budismo mantém atualmente duas tendências principais: *Theravada* ("a escola dos antigos monges") que enfatiza a salvação individual pela meditação, sendo predominante no sul da Ásia (Birmânia, Tailândia, Sri Lanka, Laos e Camboja); *Mahayana* ("o grande veículo") que ensina ser possível a salvação das pessoas. Essa escola é mais encontrada no norte da Ásia (China, Japão, Mongólia, Tibet, Coreia e Vietnã). Na China surgiu o *Zen-budismo*, uma derivação da escola Mahayana, que dá ênfase à meditação como forma para alcançar a iluminação e, consequentemente, alcançar o nirvana. Atualmente, o Zen-budismo é mais praticado no Japão, onde existem cerca de vinte mil templos e cinco milhões de adeptos.[9]

Referências

1. KARDEC, Allan. *A gênese*. Tradução de Guillon Ribeiro. 50. ed. Rio de Janeiro: FEB, 2006. Cap. 1, item 6, p. 24.

2. _____. *O céu e o inferno*. Tradução de Manuel Justiniano Quintão. 59. ed. Rio de Janeiro: FEB, 2006. Primeira parte, cap. 1, item 12, p. 19.

3. _____. *O livro dos espíritos*. Tradução de Guillon Ribeiro. 88. ed. Rio de Janeiro: FEB, 2006, questão 628, p. 348.

4. HELLERN, Victor; NOTAKER, Henry; GAARDER, Jostein. *O livro das religiões*. Tradução de Isa Mara Lando. 9. ed. São Paulo: Companhia das Letras, 2001, p. 40-41.

5. _____._____. p. 41-42.

6. _____._____. p. 43.

7. _____._____. p. 49-51.

8. _____._____. Item: Budismo, p. 59.

9. _____._____. Item: A difusão do Budismo, p. 67-68.

10. _____._____. Os ensinamentos de Buda, p. 54-57.

11. IMBASSAHY, Carlos. *Religião*. 4. ed. Rio de Janeiro: FEB, 1990. Item: O Buda, p. 185.

12. XAVIER, Francisco Cândido. *A caminho da luz*. Pelo Espírito Emmanuel. 33. ed. Rio de Janeiro: FEB, 2006. Cap. 5 (A Índia. A organização hindu), p. 49.

13._____. *Emmanuel*. Pelo Espírito Emmanuel. 25. ed. Rio de Janeiro: FEB, 2005. Cap. 2 (A ascendência do Evangelho), item: As tradições religiosas, p. 26.

14._____._____. Item: Os missionários do Cristo p. 26-27.

15._____._____. Cap. 4 (A base religiosa), item: Religião e religiões p. 37.

16. http://pt.wikipedia.org/wiki/Movimento_Hare_Krishna

17. http://pt.wikipedia.org/wiki/Bhagavad_Gita

Orientações ao monitor

Dividir a turma em grupos para estudar os itens: Hinduísmo e Budismo. Após o trabalho, realizar amplo debate sobre o assunto, em plenária, destacando as principais características dessas diferentes interpretações religiosas não cristãs e os pontos que lhes são comuns.

ANTECEDENTES DO CRISTIANISMO

Roteiro 3

AS RELIGIÕES NÃO CRISTÃS (2)

Objetivos

» Apresentar as principais características do Taoísmo e do Confucionismo; do Islamismo e do Zoroastrismo; do Xintoísmo e das religiões primais.

Ideias principais

» O *Taoísmo* é uma doutrina elaborada por Lao Tsé. *Tao te King* é o livro básico do Taoísmo que define a existência do Tao ou caminho, manifesto sob três formas: caminho da realidade íntima que é o Criador supremo, caminho do universo, da norma, do ritmo da Natureza e o caminho da existência humana.

» *Confucionismo* é o sistema filosófico chinês, de natureza moral e religiosa, criado por Kung-Fu-Tzu (Confúcio), que se fundamenta no Taoísmo. Valoriza a educação, uma vida reta, o culto dos antepassados, a ideia do aperfeiçoamento contínuo, entre outros.

» O *Xintoísmo* é uma integração religiosa nascida no Japão, no século VI d.C. É de natureza anímica miscigenada com totemismo. Tem como princípio o culto dos mortos e a educação da família.

> As religiões tribais, ainda existentes em várias partes do Planeta, não possuem textos escritos, mas uma tradição oral que se modifica à medida que as gerações se sucedem.

Subsídios

1. Taoísmo

A palavra *Taoísmo* (ou *Daoísmo*) é geralmente empregada para traduzir dois termos chineses distintos: "Daojiao" que se refere aos "ensinamentos ou à religião do Dao" e "Daojia", que se refere à "escola do Dao", uma linha de pensamento filosófico chinês.

Segundo a tradição, o Taoísmo (Tao = caminho) teve origem nas ideias do mestre chinês Lao Tsé (ou "velho mestre"), nascido entre 550 e 604 a.C., contemporâneo de Confúcio, outro sábio chinês que iria desenvolver uma doutrina chamada Confucionismo. Lao Tsé pregava a necessidade de bondade no coração humano como condição de felicidade. A bíblia do Taoísmo é *Tao te King*, que prega a existência de três caminhos: a) o Tao como caminho da realidade íntima (refere-se ao Criador, de onde brota a vida e ao qual toda a vida retorna); b) o Tao como caminho do universo, da norma, do ritmo da Natureza, enfim; c) o Tao como caminho da vida humana. No contexto taoísta, "Tao" pode ser entendido como o caminho, inserido no espaço-tempo da vida, isto é, o local ou a ordem em que as coisas acontecem. Pode referir-se, também, ao mundo real em que a história humana se desenvolve — daí ser, algumas vezes, nomeado como o "grande Tao". Neste aspecto teria, talvez, o sentido de existência humana com as conotações morais que lhe são peculiares.[16]

O Taoísmo é um sistema filosófico de crenças politeístas em que se procura unir elementos místicos do culto dos antepassados com rituais do exorcismo, alquimia e magia. Entretanto, antes de Lao Tsé outros missionários, enviados ao Planeta por Jesus, lançaram as bases da organização religiosa da civilização chinesa.

As raças adâmicas ainda não haviam chegado ao orbe terrestre e entre aqueles povos já se ouviam grandes ensinamentos do plano espiritual, de sumo interesse para a direção e solução de todos os problemas da vida. A História não vos fala de outros, antes do grande Fo-Hi, que foi o compilador de suas ciências religiosas, nos seus trigramas duplos, que passaram do pretérito remotíssimo aos estudos posteriores. Fo-Hi refere-se, no seu "Y-King", aos grandes sábios que o antecederam no penoso caminho das aquisições de conhecimento espiritual. Seus símbolos representam os característicos de uma ciência altamente evolutiva, revelando ensinamentos de grande pureza e da mais avançada metafísica. Em seguida a esse grande missionário do povo chinês, o divino Mestre envia-lhe a palavra de Confúcio ou Kong-Fo-Tsé, cinco séculos antes da sua vinda, preparando os caminhos do Evangelho no mundo, tal como procedera com a Grécia, Roma e outros centros adiantados do planeta, enviando-lhes elevados Espíritos da ciência, da religião e da filosofia [...].[8]

Lao Tsé foi um elevado mensageiro do Senhor para os povos da raça amarela. Suas lições estão cheias do perfume de requintada sabedoria moral. No *Kang-Ing*, Lao Tsé oferece inúmeras lições, como esta: "O Senhor dos Céus é bom e generoso, e o homem sábio é um pouco de suas manifestações. Na estrada da inspiração, eles caminham juntos e o sábio lhe recebe as ideias, que enchem a vida de alegria e de bens."[20]

Como um dos porta-vozes de Jesus, desenvolveu uma filosofia religiosa, avançada e superior, preparando o caminho do Senhor que, seis séculos depois, iria trazer o seu Evangelho à Humanidade.[10]

À medida em que o Taoísmo se espalhou pela população da China, seus ensinamentos se misturaram a algumas crenças preexistentes, como a teoria dos cinco elementos, a alquimia e o culto aos ancestrais. Os seus sacerdotes trabalhavam com feitiços e poções com a finalidade de obterem maior longevidade. Algumas ideias taoístas foram também absorvidas pelo Confucionismo e pelo Budismo. Muitas práticas da antiga medicina tradicional chinesa foram enraizadas no pensamento taoísta. A medicina chinesa moderna, assim como as artes marciais chinesas, se fundamentam em conceitos taoístas, como o Tao, o Qi, e o equilíbrio entre o yin e o yang.[16]

O Taoísmo forma um corpo de doutrina que tem origem nas seguintes fontes primordiais:

Máximas morais e orientações do "Imperador Amarelo" ou Huang Di. Trata-se de um dos cinco imperadores chineses, reis lendários sábios e moralmente perfeitos, que teriam governado a China. O Imperador Amarelo teria reinado de 2698 a.C. a 2599 a.C.

É considerado o ancestral de todos os chineses da etnia Han. Conta a tradição que desde criança Huang Di era muito perspicaz, dotado de uma inteligência fora do comum e capaz de estabelecer raciocínios avançados sobre os mais variados temas. Durante o seu reinado Huang Di interessou-se especialmente pela saúde e pela condição humana, questionando os seus médicos sobre como a medicina era praticada.[17]

» Livro de aforismos místicos, o *Dao De Jing* (*Tao Te Ching*), cuja escrita é atribuída a Lao Zi (Lao Tsé). *Tao Te Ching* ou *Dao de Jing*, comumente traduzido pelo nome de *O livro do caminho e da sua virtude*, é um dos escritos chineses mais antigos e conhecidos. A tradição diz que o livro foi escrito em cerca de 600 a.C. por um sábio que viveu na dinastia Zhou, Lao Tsé. É um livro de provérbios relacionados ao Tao, mas que acabou servindo de obra inspiradora para diversas religiões e filosofias, em especial o Taoísmo e o Budismo Chan, ou chinês, e sua versão japonesa (Zen Budismo).[18]

» Trabalhos do maior filósofo chinês Zhuang Zi (*Chuang Tsé*), literalmente denominado "Mestre Zhuang", que viveu no século IV a.C. Ele era da Cidade de Meng, no Estado de Song, hoje Shângqiû. A sua filosofia influenciou o desenvolvimento do Budismo Chan (chinês) e do Budismo Zen (japonês).[19]

» Antigo *I Ching*, ou *O livro das mudanças* (ou das *Mutações*), que é tido como uma fonte extra do Taoísmo, assim como de práticas de divinação da China antiga. O *I Ching* é um texto clássico chinês composto de várias camadas que foram superpostas ao longo dos tempos. É um dos mais antigos e um dos únicos textos chineses que chegaram até os nossos dias. *Ching*, significando "clássico," foi o nome dado por Confúcio à sua edição. Antes de Confúcio era chamado apenas de I, que tem origem no ideograma e é traduzido de muitas formas. No século XX, ficou conhecido no Ocidente como "mudança" ou "mutação". O *I Ching* pode ser compreendido e estudado como um oráculo ou como um livro de sabedoria. Na própria China é alvo de estudos diferenciados, realizados por religiosos, eruditos e praticantes da filosofia de vida taoísta.[9]

O Taoísmo tem significados diferentes no Ocidente: a) pode ser entendido como uma escola de pensamento filosófico chinês fundamentada nos textos do *Tao Te Ching* atribuídos a Lao Tsé e nos escritos de Chuang Tsé; b) é aceito como movimento religioso chinês que tem sua origem nos ensinos de *Zhang Daoling*, no final da dinastia Han, estruturado em seitas como a *Zhengyi* (ou "Ortodoxa") e *Quanzhen* (ou "realidade completa"); c) visto como manifestação da tradição religiosa chinesa, mas de caráter popular, em que se integram elementos do Taoísmo, do Confucionismo e do Budismo.

O Taoísmo é de natureza politeísta, daí as igrejas taoístas possuírem panteões de divindades, incluindo Lao Zi, Zhang Daoling, o Imperador Amarelo, o Imperador Jade, Lei Gong ("O Deus do Trovão") e outros. As duas maiores igrejas taoístas da atualidade pertencem à seita *Zhengyi* (evoluída de uma seita fundada por Zhang Daoling) e o *Taoísmo Quanzhen* (fundado por Wang Chongyang).

2. Confucionismo

Confucionismo é um sistema filosófico chinês, de natureza moral e religiosa, criado por Kung-Fu-Tzu (Confúcio) e que tem por base os princípios ensinados por Lao Tsé. Entre as preocupações do Confucionismo estão a moral, a política, a educação e a religião. São conhecidas pelos chineses como *Junchaio* (ensinamentos dos sábios). O Confucionismo se tornaria a doutrina oficial do império chinês durante a dinastia Han (séculos III a. C. – III d. C.). Vários seguidores dessa doutrina moral deram continuidade aos ensinamentos de Confúcio, após esse período.

Donz Zhong Shu, por exemplo, fez uma reforma no Confucionismo, fundamentando-se na teoria cosmológica dos cinco elementos. O pensamento taoístico ensina que existem na Natureza cinco elementos, os quais se interagem e se relacionam, sendo necessários à manutenção da vida: metal, madeira, terra, água e fogo.

Tais elementos não devem ser vistos apenas como representações materiais, mas como símbolos e metáforas. A interação desses cinco elementos é feita por meio de dois ciclos: da produção e do controle.[21]

Wang Chong utilizou-se de um ceticismo lógico para criticar as crenças infundadas e os mitos religiosos. Meng Zi (Mêncio ou Mâncio) e Xun Zi desenvolveram e expandiram o Confucionismo na sociedade chinesa, ensinando a doutrina dentro de uma perspectiva mais naturalista. Essa renovação doutrinária foi denominada de *neoconfucionismo*. Mêncio, em particular, acreditava na importância da educação para modificar a natureza humana, que se transvia em função dos conflitos e das necessidades impostas pela vida. Acreditava que, a despeito do ser humano possuir instintos naturais comuns aos animais, como o de preservação, a inteligência educada poderia conduzir o ser humano ao bem. Xun Zi, ao contrário, via na natureza perversa do homem uma herança ancestral dos instintos de preservação dos animais. Entretanto, entendia que no interior do homem há uma inteligência capaz de articular meios pelos quais se poderia evitar a manifestação da natureza instintiva.

O Confucionismo foi uma filosofia moral de profundo impacto na estrutura social e cotidiana da sociedade existente na Antiguidade. O valor ao estudo, à disciplina, à ordem, à consciência política e ao trabalho são lemas que o Confucionismo implantou na mentalidade chinesa.

> A história da China remonta a épocas remotíssimas, no seu passado multimilenário, e esse povo, que deixa agora entrever uma certa estagnação nos seus valores evolutivos, sempre foi igualmente acompanhado na sua marcha por aquela misericórdia infinita que, do céu, envolve todos os corações que latejam na Terra. [...] A cristalização das ideias chinesas advém, simplesmente, desse insulamento voluntário que prejudicou, nas mesmas circunstâncias, o espírito da Índia, apesar de fascinante beleza das suas tradições e dos ensinos. É que a civilização e o progresso, como a própria vida, dependem das trocas incessantes.[6]

"Confúcio, na qualidade de missionário do Cristo, teve de saturar-se de todas as tradições chinesas, aceitar as circunstâncias imperiosas do meio, de modo a beneficiar o país na medida de suas possibilidades de compreensão."[20] A doutrina de Confúcio foi dirigida à razão humana, rejeitando o misticismo e as prerrogativas dos poderes sobrenaturais. Segundo os historiadores, por se ocupar com o homem e com as coisas humanas, Confúcio ficou conhecido como o "Sócrates chinês", preparando o solo da China, no começo da Era Cristã, para a penetração do Budismo que iria introduzir novos conhecimentos aos que foram ensinados pelos missionários chineses.

> De um modo geral, é o culto dos antepassados o princípio da sua fé [do Budismo]. Esse culto, cotidiano e perseverante, é a base da crença na imortalidade, porquanto de suas manifestações ressaltam as provas diárias da sobrevivência. [...] A ideia da necessidade de aperfeiçoamento espiritual é latente em todos os corações, mas o desvio inerente à compreensão do Nirvana é aí, como em numerosas correntes do Budismo, um obstáculo ao progresso geral. O Nirvana,

examinado em suas expressões mais profundas, deve ser considerado como a união permanente da alma com Deus, finalidade de todos os caminhos evolutivos; nunca, porém, como sinônimo de imperturbável quietude ou beatífica realização do não ser. A vida é a harmonia dos movimentos, resultante das trocas incessantes no seio da natureza visível e invisível. Sua manutenção depende da atividade de todos os mundos e de todos os seres.[11]

3. Xintoísmo

Religião surgida no Japão, oriunda de prática anímica ancestral miscigenada com o totemismo. A palavra *Xintó* ("via dos deuses" ou "caminho divino"), utilizada no século VI d.C., substituiu o termo búdico *Butsudo* ("caminho de Buda").

O Xintoísmo tem sua base no culto dos mortos, chamados de *Kami*. Os *Kami* são Espíritos divinizados que adquiriram poderes sobrenaturais, após a morte. Circulam entre os encarnados, participando de suas alegrias e de suas dores, vigiando-lhes a conduta.

Os historiadores informam que o Xintoísmo é uma religião que não comporta um código moral ou um decálogo, propriamente dito, porque os seus seguidores consideram o povo japonês uma raça divina, daí não existir a necessidade de um código moral.

O Xintoísmo prescreve, na veneração dos seus mortos, os deveres religiosos de: a) purificar o coração — por meio do arrependimento das ofensas praticadas contra os Espíritos; e b) o de tornar puro o corpo pela higiene física.

No início da Era Cristã, chega ao Japão o Confucionismo, trazido da China. Sua influência, limitada aos círculos cultos, alcança o século XVII. O livro de lendas confucianas, denominado *Os vinte e quatro modelos de piedade filial*, exerceu forte influência na educação japonesa, por retratarem uma moral familiar e conservadora, compatíveis com as tradições xintoístas, as quais, por sua vez, têm como princípios o amor à família e o respeito aos ancestrais.

Com a introdução do Budismo no Japão, feita por coreanos, surgiram divergências entre os xintoístas e os budistas, tais como: a) o Xintoísmo admite vários deuses: o Budismo, em sua origem, não admite qualquer deus; b) o Xintoísmo prega a sobrevivência definitiva, sem reencarnação dos Espíritos dos mortos, não existindo, para os mortos, punição ou recompensa, independentemente da vida que aqui levaram; o Budismo prega a transmigração das almas (reencarnação) até que estas se purifiquem e atinjam o nirvana. Somente a partir desse estágio é que a reencarnação não mais ocorre.

4. Islamismo e Zoroastrismo

De todas as religiões não cristãs, o Islamismo é a mais próxima das do Ocidente, em termos geográficos e religiosos, pois, como religião, tem origem judaica e, como filosofia, sofreu influência helênica.

O Islamismo foi fundado pelo profeta Maomé, da tribo *Koreish*, nascido em Meca, há aproximadamente 570 anos d.C. No roteiro 29 estudaremos com maiores detalhes a doutrina do Islã.

O *Masdeísmo*, ou *Zoroastrismo*, é uma religião fundada na Pérsia por Zoroastro, ou Zaratustra, cujas origens se perderam no tempo, mas que foi inspirada no deserto e na solidão.

A base de sua doutrina era a grande luta entre o bem e o mal, vivendo as criaturas influenciadas por bons e maus Espíritos. O homem é livre em suas ações — já Zoroastro pregava o livre-arbítrio — o homem é livre, mas se vê sujeito às influências das forças do mal. Conservando a ação, a palavra e pensamento puros, afastava-se do mau Espírito e se aproximava do bom. Devia conservar limpos o corpo e a alma. [...] Na morte, cabia-lhe um lugar que estava em relação com o que praticara em vida. Os atos do homem, na vida, iam determinar a sua situação na morte. A religião de Zoroastro, afirmam os historiadores e mitólogos, tinha leis morais de extraordinária elevação.[2]

Há quem afirme que Zoroastro nunca existiu; mas pela leitura do Zend Avesta e dos hinos antiqüíssimos temos notícias que ele não foi a um mito, mas um homem que, à semelhança dos grandes profetas ou de pessoas de maior envergadura moral, muito lutou e sofreu: "Segui o bem, fazei o bem, pensai no bem, assim falou Zaratustra."[3]

5. Religiões primais

As religiões primais, ou tribais, são manifestações primitivas da religiosidade humana. São encontradas em várias partes do mundo, como África, Austrália, sudeste Asiático, Ilhas do Pacífico, Sibéria e entre os índios da América do Norte, Centro e do Sul. Em geral, tais religiões não possuem textos escritos. Os mitos representam a sua base religiosa, tendo sobrevivido em razão da tradição oral. Como toda religião tribal, sofre influência de fatores externos, sendo as suas histórias alteradas ao longo das gerações. As religiões tribais africanas acreditam na existência de um Deus supremo, apresentando-o sob diversos nomes, como criador de todas as coisas e seres. Acreditam também em outros deuses menores, ou Espíritos, encontrados nas florestas, planícies e montanhas, lagos , rios e no céu. Esses deuses estão intimamente associados aos fenômenos da natureza (chuva, raios, trovões etc.). Outra característica das religiões primitivas diz respeito ao culto dos antepassados. Acreditam que os antepassados se mantêm invisíveis, guardando a mesma aparência que tinham em vida. Atualmente, muitas das religiões tribais da África adotam práticas cristãs e islâmicas em seus rituais.

> Os milênios, com as suas experiências consecutivas e dolorosas, prepararam os caminhos daquele que vinha, não somente com a sua palavra, mas, principalmente, com sua exemplificação salvadora. Cada emissário trouxe uma das modalidades da grande lição de que foi teatro a região humilde da Galileia. É por esse motivo que numerosas coletividades asiáticas não conhecem a lição direta do Mestre, mas sabem do conteúdo da sua palavra, em virtude das próprias revelações do seu ambiente, e, se a Boa Nova não se dilatou no curso dos tempos, pelas estradas dos povos, é que os pretensos missionários do Cristo, nos séculos posteriores aos seus ensinos, não souberam cultivar a flor da vida e da verdade, do amor e da esperança, que os seus exemplos haviam implantado no mundo: abafando-a nos templos de uma falsa religiosidade, ou encarcerando-a no silêncio dos claustros, a planta maravilhosa do Evangelho foi sacrificada no seu desenvolvimento e contrariada nos seus mais lídimos objetivos.[12]

Referências

1. IMBASSAHY, Carlos. *Religião*. 5. ed. Rio de Janeiro: FEB, 1990. Item: Brama, p. 178-179.
2. _____._____. Item: Zoroastro, p. 181.
3. _____._____. p. 182.
4. XAVIER, Francisco Cândido. *A caminho da luz*. Pelo Espírito Emmanuel. 33. ed. Rio de Janeiro: FEB, 2006. Cap. 8 (A China milenária), item: A China, p. 73.
5. _____._____. p. 74.

EADE • Livro I • Módulo I • Roteiro 3

6. _____._____. Item: A cristalização das ideias chinesas, p. 74.

7. _____._____. p. 75 (Fo-Hi).

8. _____._____. p. 75-76.

9. _____._____. Item: Confúcio e Lao Tsé, p. 76-77.

10. _____._____. p. 77.

11. _____._____. p. 77-78.

12. _____._____. p. 85-86 (As revelações gradativas).

13. _____. *Emmanuel*. Pelo Espírito Emmanuel. 25. ed. Rio de Janeiro: FEB, 2005. Cap. 2 (A ascendência do Evangelho), item: As tradições religiosas, p. 26.

14. _____._____. Item: Os missionários do Cristo p. 26.

15. _____._____. cap. 4 (Religião e religiões), p. 37.

16. http://pt.wikipedia.org/wiki/Tao%C3%ADsmo

17. http://pt.wikipedia.org/wiki/Imperador_Amarelo

18. http://pt.wikipedia.org/wiki/Dao_De_Jing

19. http://pt.wikipedia.org/wiki/Chuang_Tse

20. http://pt.wikipedia.org/wiki/I_Ching

21. http://pt.wikipedia.org/wiki/teoria_dos_cinco_elementos

Orientações ao monitor

Dividir a turma em grupos para estudo e debate das religiões não cristãs inseridas neste Roteiro. Concluído o trabalho, destacar as principais características dessas religiões, registrando-as em cartazes que deverão ser afixados no mural da sala.

EADE – LIVRO I | MÓDULO I

ANTECEDENTES DO CRISTIANISMO

Roteiro 4

O JUDAÍSMO

Objetivos

» Destacar as principais características do Judaísmo.

Ideias principais

» Segundo as tradições, o patriarca Abraão, considerado o pai do povo judeu, partiu de Ur, sua cidade natal, porque recebera de Deus as seguintes instruções: Ora, o Senhor disse a Abraão: *Sai-te da tua terra, e da tua parentela, e da casa de teu pai, para a terra que eu te mostrarei. E far-te-ei uma grande nação, e abençoar-te-ei, e engrandecerei o teu nome, e tu serás uma bênção. E abençoarei os que te abençoarem e amaldiçoarei os que te amaldiçoarem; e em ti serão benditas todas as famílias da terra.* (GÊNESIS, 12:1-3.)

» A religião judaica tem como princípio a ideia de Deus único. Trata-se de sua pedra fundamental. *A lei moisaica foi a precursora direta do Evangelho de Jesus. O protegido de Termutis (mãe adotiva de Moisés) [...], foi inspirado a reunir todos os elementos úteis à sua grandiosa missão, vulgarizando o monoteísmo e estabelecendo o Decálogo, sob a inspiração divina, cujas determinações são até hoje a edificação basilar da Religião da Justiça e do Direito.* Emmanuel: *Emmanuel*. Cap. 2.

» Na lei moisaica, há duas partes distintas: a Lei de Deus, promulgada no monte Sinai, e a lei civil ou disciplinar, decretada por Moisés.

Uma é invariável; a outra, apropriada aos costumes e ao caráter do povo, se modifica com o tempo. Allan Kardec: *O evangelho segundo o espiritismo.* Cap. I, item 2.

Subsídios

1. Informações históricas

É surpreendente a influência exercida pelos judeus na cultura ocidental, quando se considera a simplicidade de suas origens e o tamanho minúsculo do território onde se fixaram: cerca de 250 quilômetros de extensão e 80 quilômetros de largura na parte mais ampla.

A palavra judeu deriva de Judeia, nome de uma parte do antigo reino de Israel. A religião é também chamada de moisaica, já que considera Moisés um dos seus fundadores. O Estado de Israel define o judeu como alguém cuja mãe é judia, e que não pratica nenhuma outra fé. Aos poucos, porém, esta definição foi ampliada para incluir o cônjuge. O Judaísmo não é apenas uma comunidade religiosa, mas também étnica.[10]

O povo de Israel acredita-se descendente dos patriarcas Abraão, Isaac (Isaque) e Jacob (ou Jacó), e das matriarcas Sarah (Sarai ou Sara), Rebeca, Raquel e Lia, os quais teriam moldado os caracteres da raça pela aliança que fizeram com Deus.

Segundo as tradições, Abraão, um habitante da alta Mesopotâmia, deixou a cidade de Ur, em Harã — atualmente situada no sul do Iraque —, partindo com sua esposa Sara e Ló, um sobrinho e demais pessoas do seu clã, em busca da terra habitada pelos cananeus, onde criaria os seus filhos. Abraão teria recebido de Deus a inspiração de estabelecer-se nesse país, fundando ali uma descendência, cumulada de favores por Deus e objeto de sua especial predileção. (GÊNESIS, 12) O local onde Abraão foi viver recebeu o nome de Canaã ou Terra Prometida. O poder patriarcal de Abraão foi, com a sua morte, transferido ao seu filho Isaque e deste para Jacó, que, por sua vez, o passou para seus doze filhos.[7] (GÊNESIS, 35)

Sabe-se, porém, que o primeiro filho de Abraão não foi Isaque, este era filho que teve com Sara, sua esposa (GÊNESIS, 21:1-8), gerado após o nascimento do primogênito Ismael com a escrava egípcia Hagar ou Agar (GÊNESIS, 16:1-16). Após a morte de Sara, Abraão casa com

Quetura que lhe geraram seis filhos: Zinrã, Jocsã, Meda, Mídia, Isbaque e Suá (GÊNESIS, 25: 1-7). Abraão, entretanto, considerou o seu herdeiro legítimo apenas Isaque (GÊNESIS, 25: 5).

Os doze filhos de Jacó, considerados os legítimos descendentes de Abraão formam as doze tribos judaicas. Um dos filhos de Jacó com Raquel (Gênesis, 30:22-26), chamado José, foi vendido como escravo ao faraó egípcio, mas, em razão da fama e autoridade por ele conquistadas, tornou-se vice-rei do Egito.

Por volta de 1700 a.C., o povo judeu migra para o Egito em razão da fome, onde é escravizado por aproxidamamente 400 anos (ÊXODO, 1:1-14). A libertação do povo judeu ocorre por volta de 1300 a.C., seguida da fuga do Egito, comandada por Moisés — um judeu, criado por Termutis, irmã do faraó, após tê-lo recolhido das águas do rio Nilo. (ÊXODO, 2:1-20) Saindo do Egito, os ex-cativos atravessam o Mar Vermelho, vivendo 40 anos no deserto e submetendo-se a todo tipo de dificuldades, próprias da vida nômade. O grande êxodo dos israelitas foi, segundo a *Bíblia*, de 603.550 homens[19] (NÚMEROS, 1:46).

Durante a peregrinação pelo deserto, Moisés recebe as *Tábuas da Lei*, também chamadas *Decálogo* ou *Dez Mandamentos*, no monte Sinai, cadeia montanhosa de Horeb, fundando, efetivamente, a religião judaica (ÊXODO, 20:1-17; 34:1-4; DEUTERONÔMIO, 5:1-21).

As Tábuas da Lei foram guardadas em uma arca — *Arca da Aliança* —, especialmente construída para abrigá-las. (ÊXODO, 25: 10-16; 37: 1-5); haveria ainda um tabernáculo para a arca (ÊXODO, 25:1-9); um propiciatório de ouro que deveria ser colocado acima da Arca (ÊXODO, 25: 17-22). e uma mesa de madeira de lei, coberta de ouro, contendo castiçais, também de ouro, e outros objetos necessários ao cerimonial religioso (ÊXODO, 25: 23-40). A Arca e os Dez Mandamentos acompanharam os judeus durante o tempo em que permaneceram no deserto com Moisés. Antes de morrer, logo após ter localizado Canaã, Moisés nomeou Josué, filho de Num, seu sucessor, cumprindo, assim, a profecia de que encontraria a Terra Prometida antes de sua morte (DEUTERONÔMIO, 34:1-5).

Josué foi inspirado a atravessar o rio Jordão, levando consigo os filhos de Israel à terra que lhe foi prometida por Deus, segundo relatos de suas escrituras (I SAMUEL, 1:20-28; 2:18-26). Do deserto, rio Jordão até o Líbano, daí até o rio Eufrates, abrangendo o território dos heteus, estendendo-se até o mar, em direção ao poente (JOSUÉ, 1: 4). Acontece que essa terra já era habitada por diferentes povos (cananeus, heteus, heveus, ferezeus, girgaseus, amorreus e os jebuseus), que foram dominados pelos judeus (JOSUÉ, 3:10; 5:1). Tudo isso aconteceu no século XIII a.C., aproximadamente. As terras conquistadas são divididas em doze partes e entregues a cada uma das tribos judaicas. Os cananeus e outros povos continuaram em luta com os judeus conquistadores por algum tempo, até serem contidos pelo representante da tribo de Judá (JUÍZES, 1:1-36).

Após a morte de Josué, cada tribo é governada por juízes, como Samuel (I SAMUEL, 20-28; 2:18-26). Os juizes passaram a governar as tribos porque os judeus, abandonando o culto a Deus, passaram a adorar outros deuses, como Baal e Astarote (JUÍZES, 2:11-16). Posteriormente, os juizes foram substituídos por reis (I Samuel, 8: 1-6; 9-12) como Saul, da tribo de Benjamin (I SAMUEL, 10: 1-27), Davi (I SAMUEL, 16: 1; 10-13; II SAMUEL, 5: 1-4. I REIS, 2: 11) e Salomão (I REIS, 1:46-48), filho de Davi (II SAMUEL, 5:13-14; II CRÔNICAS, 9: 30-31), que constrói o primeiro templo de Jerusalém, entre 970 e 931 a.C. Com a morte de Salomão, Roboão, seu filho, torna-se rei, mas no seu reinado acontece a revolta das tribos de Israel (II CRÔNICAS, 10), separando-se a tribo de Davi (ou de Israel) das demais (II CRÔNICAS, 10:18-19), definitivamente.

As tribos se organizam em dois reinos: o de *Judá* e o de *Israel*.

> O reino de [...] Judá manteve a antiga capital do rei Davi (Jerusalém) e com ela o templo histórico do rei Salomão, o que lhe acarretou ascendência religiosa, embora a cidade de Jerusalém viesse a ser conquistada pelo babilônio Nabucodonosor [em 586 a.C.] e mais tarde pelo romano Pompeu.[16]

Nabucodonosor, então rei da Babilônia, destrói o templo de Salomão e deporta a maioria do povo de Judá. A partir desse exílio na Babilônia é que se pode falar de Judaísmo ou religião judaica, propriamente dita. O reino de Israel, na Samaria, é destruído em 721 a.C. No ano 586 a.C., mantendo-se a divisão das tribos judaicas em dois reinos, nascem a esperança e a fé no advento de um messias, o enviado de Deus, capaz de restaurar a unidade do povo, garantindo-lhe soberania divina sobre a humanidade.[9]

Os judeus voltam à Palestina em 538 a.C. Reconstroem aí o templo de Salomão, vivendo breves períodos de independência, interrompidos pelas constantes invasões das potências estrangeiras. Entre os séculos II e IV a.C., migrações voluntárias difundem a religião e a cultura judaicas por todo o Oriente Médio. Em 63 a.C., Jerusalém é conquistada pelos romanos, sob o comando de Pompeu.

> Jerusalém [...] figurou como capital do reino da Judeia, sob a dinastia de Herodes. Em consequência de sublevação dos judeus, foi [Jerusalém] novamente cercada e incendiada por tropas romanas, sob o comando do general e futuro imperador Tito. Reduzida a colônia no tempo do imperador Adriano (sob o nome de Élia Capitolina), restaurou-lhe a denominação tradicional (Jerusalém) o imperador Constantino.[15]

No ano 6 d.C., a Judeia torna-se uma província de Roma. Em 70 d.C. os romanos destroem o templo e, em 135, Jerusalém é arrasada. Com a destruição do templo de Jerusalém pela segunda vez, e da própria cidade, inicia-se o período da grande dispersão do povo judeu, conhecida como *Diáspora*.

Espalhados por todos os continentes, os judeus mantêm sua unidade cultural e religiosa. A Diáspora termina em 1948, com a criação do Estado de Israel.[9] Existem atualmente cerca de 13 milhões de judeus em todo o mundo; 4,5 milhões vivem no Estado de Israel.

2. A religião judaica

O Judaísmo é a primeira religião monoteísta da Humanidade. Fundamenta-se na revelação dos Dez Mandamentos transmitidos por Deus (*Yaweh*) a Moisés. O Decálogo é considerado o evento fundador da religião de Israel. Religião que tem como princípio a ideia da existência de Deus único, Criador supremo.

> Dos Espíritos degredados na Terra, foram os hebreus que constituíram a raça mais forte e mais homogênea, mantendo inalterados os seus caracteres através de todas as mutações. Examinando esse povo notável no seu passado longínquo, reconhecemos que, se grande era a sua certeza na existência de Deus, muito grande também era o seu orgulho, dentro de suas concepções da verdade e da vida. Conscientes da superioridade de seus valores, nunca perdeu a oportunidade de demonstrar a sua vaidosa aristocracia espiritual, mantendo-se pouco acessível à comunhão perfeita com as demais raças do orbe. Entretanto,

[...] antecipando-se às conquistas dos outros povos, ensinou de todos os tempos a fraternidade, a par de uma fé soberana e imorredoura.[20]

Um dos maiores teólogos do Judaísmo, Moses Maimônides (1135-1204), desenvolveu treze artigos de fé, intrinsecamente fundamentados na crença em Deus único, e que são aceitos como o referencial da religião pelo Judaísmo tradicional.

O Judaísmo possui uma unidade doutrinária simbolizada: a) na *Torá* (ou *Torah*), ou lei judaica — revelação representada pelo Pentateuco de Moisés (não possuindo, durante séculos, um país considerado como próprio, os judeus mantiveram a coesão religiosa pelo estudo dos livros *Gênesis*, *Êxodo*, *Levítico*, *Números* e *Deuteronômio*); b) na conquista da liberdade, obtida pela retirada do Egito, travessia do Mar Vermelho e conquista de Canaã; c) libertação do cativeiro egípcio, conhecida como *Páscoa judaica*; d) no conceito de nação, constituído durante a peregrinação de quarenta anos no deserto, e na chegada à Terra Prometida (Canaã); e) na crença de serem os judeus o povo eleito por Deus (entendem que, ao serem escolhidos por Deus, eles assumiram o fardo de ser povo antes de experimentar os prazeres e a segurança da nacionalidade).[14]

A noção de povo escolhido pela Divindade é uma tradição religiosa que passa, de geração a geração, como artigo de fé.

Era [...] crença comum aos judeus de então (época do Cristo) que a nação deles tinha de alcançar supremacia sobre todas as outras. Deus, com efeito, não prometera a Abraão que a sua posteridade cobriria toda a Terra? Mas, como sempre, atendo-se à forma, sem atentarem ao fundo, eles acreditavam tratar-se de uma dominação efetiva e material. [...] Entretanto [...], os judeus desprezaram a lei moral, para se aferrarem ao mais fácil: a prática do culto exterior. O mal chegara ao cúmulo; a nação, além de escravizada, era esfacelada pelas facções e dividida pelas seitas [...].[3]

Um ponto doutrinário fundamental da religião judaica é que não é a fé nem a contemplação que solidificam a relação entre o homem e Deus, mas a ação: isto é, Deus determina, o homem cumpre a sua vontade. Sendo assim, o judeu deve conhecer Deus não por meio da especulação mística ou filosófica, mas pelo estudo de sua palavra escrita — a *Torá* —, pela prece, pela prática da caridade, e pelas ações que promovem a harmonia.[8]

A lei moisaica foi a precursora direta do Evangelho de Jesus. O protegido de Termutis [...] foi inspirado a reunir todos os elementos úteis à sua grandiosa missão, vulgarizando o monoteísmo e estabelecendo o Decálogo, sob a inspiração divina, cujas determinações são até hoje a edificação basilar da Religião da Justiça e do Direito. Moisés [...] foi o primeiro a tornar acessíveis às massas populares os ensinamentos somente conseguidos à custa de longa e penosa iniciação, com a síntese luminosa de grandes verdades.[24]

Para a fé judaica, Deus é uma presença ativa no mundo, de forma abrangente, e na vida de cada pessoa, isoladamente. Deus não criou simplesmente a Humanidade e dela se afastou, deixando-a entregue a si mesma. Ao contrário, a Humanidade é totalmente dependente de Deus para evoluir e para ser feliz. Como Deus é também pessoal, está envolvido diretamente em todos os aspectos da vida de cada pessoa, podendo responder, em particular, às aspirações individuais durante a prece. Por este motivo, os judeus oram três vezes ao dia (manhã, tarde e noite), nas práticas do *Shabat* (sétimo dia da semana, reservado ao descanso) e nas festas religiosas.

Os judeus não aceitam o dogma do pecado original, defendido pelos católicos e protestantes. Analisam que esses religiosos fizeram interpretação literal do livro *Gênesis*. Os rabinos escreveram no *Talmud*, item 31: "O sentimento profundo de nossa liberdade moral se recusa a essa assimilação fatal, que tiraria a nossa iniciativa, que nos acorrentaria [...] num pecado distante, misterioso, do qual não temos consciência [...]. Se Adão e Eva pecaram, só a eles cabe a responsabilidade de seu erro."[6]

A reencarnação fazia parte dos dogmas dos judeus, sob o nome de ressurreição. Só os saduceus, cuja crença era a de que tudo acaba com a morte, não acreditavam nisso. As ideias dos judeus sobre esse ponto, como sobre muitos outros não eram claramente definidas, porque apenas tinham vagas e incompletas noções acerca da alma e da sua ligação com o corpo. Criam eles que um homem que vivera podia reviver, sem saberem precisamente de que maneira o fato poderia dar-se. Designavam pelo termo ressurreição o que o Espiritismo, mais judiciosamente, chama reencarnação.[2]

É importante assinalar que, a despeito de os judeus representarem uma raça de profetas e médiuns notáveis, em DEUTERONÔMIO, 18:9-12, existe a proibição moisaica de evocar os mortos.

"A proibição feita por Moisés tinha então a sua razão de ser, porque o legislador hebreu queria que o seu povo rompesse com todos os hábitos trazidos do Egito, e de entre os quais o de que tratamos era objeto de abusos."[4]

Haja vista que se "Moisés proibiu evocar os Espíritos dos mortos, é uma prova de que eles podem vir; do contrário, essa interdição seria inútil."[5]

É importante não confundir a lei civil, estabelecida por Moisés para administrar o povo judeu, nos distantes tempos da sua organização, com a Lei divina, inserida nos Dez Mandamentos, recebidos mediunicamente por ele. "Na lei moisaica, há duas partes distintas: a Lei de Deus, promulgada no monte Sinai, e a lei civil ou disciplinar, decretada por Moisés. Uma é invariável; a outra, apropriada aos costumes e ao caráter do povo, se modifica com o tempo."[1]

Há, na atualidade, uma corrente do Judaísmo — denominada *Judaísmo Messiânico* — que procura unir o Judaísmo com o Cristianismo, conscientes de que Jesus é o Messias do povo judeu.

3. Os livros sagrados do Judaísmo

Os ensinamentos religiosos do Judaísmo estão consolidados nas obras que se seguem, consideradas sagradas.

Torah – A palavra *Torah* significa a *correta direção* e, por extensão, "ensinamento", "doutrina" ou "lei". A base da *Torah* é o pentateuco moisaico, existente no Velho Testamento, e que representa a Lei escrita de Deus, cujo núcleo central é o Decálogo. O primeiro livro é *Gênesis* (*Bereshit*), que trata da origem do mundo e do homem; o segundo é *Êxodo* (*Shemot*), que narra a fuga dos judeus do cativeiro do Egito; o terceiro é *Levítico* (*Vayikra*), que trata das práticas sacerdotais; o quarto é *Números* (*Bamidbar*), que traz o recenseamento do povo judeu; o quinto livro é *Deuteronômio* (*Devarim*), com discursos de Moisés e o código de leis familiares, civis e militares. Existe também a *Torah oral* (Lei oral ou *Mishnah*), que explica o Pentateuco moisaico. A *Torah* é um rolo de pele de animal *Kosher* (diz-se de animais ruminantes que possuem pata fendida, tais como: boi, cervo e ovelha/carneiro), contendo os cinco primeiros livros bíblicos. As cópias da *Torah*, existentes em todas as sinagogas do mundo, têm exatamente o mesmo texto.[9]

Os Profetas (Neviim)

Trata-se da mais antiga história escrita de que há registro no mundo. Esses livros surgiram muito antes de haver algo como a história comparada ou a análise de fontes. No entanto, o objetivo dos livros históricos do Antigo Testamento não era propriamente registrar a história, e sim dar a ela uma interpretação religiosa. Dois dos livros históricos receberam nomes de mulher. Os livros de *Rute* e de *Ester* são histórias curtas e belas, com mulheres no papel principal. Os livros proféticos são *Isaías*, *Jeremias*, *Ezequiel* e os *Doze Profetas Menores*, assim chamados por causa da brevidade de suas obras: Oséas, Joel, Amós, Abdias, Jonas, Miqueias, Naum, Habacuc, Sofonias, Ageu, Zacarias e Malaquias. Segundo seu próprio testemunho, os profetas foram chamados para proclamar a vontade de Deus. Muitas vezes eles usam a fórmula: "Diz o Senhor".[11]

Escritos poéticos – Entre estes, há os 150 *Salmos*, que representam os escritos de maior significado histórico e religioso do Velho Testamento. Surgiram, possivelmente, em 587 a.C., antes da destruição de Jerusalém. Foram elaborados para os serviços do templo e para a comemoração das festas judaicas. Cerca de metade dos salmos é de Davi, significando isto que muitos foram escritos por este ou para este rei. Outro escrito poético, reconhecidamente de notável beleza, é o *Livro de Jó*, que aborda o significado do sofrimento e a justiça de Deus.[12]

Talmud/Talmute ou "estudo", é a principal obra do Judaísmo rabínico, porque, segundo a tradição, Moisés não recebeu apenas a Lei escrita de Deus (Torah), mas também a Lei falada, que deveria ser transmitida oralmente para complementar o entendimento do que está escrito. Essa é a forma que os rabinos orientam os seus fiéis e estudam os ensinamentos do Judaísmo. Do Talmute originam-se todas as normas *haláquicas* (fundamentos das leis judaicas) e as orientações não haláquicas (*aggaadah*): ensinos éticos e interpretação de textos bíblicos. O Talmute expressa a essência da cultura e da religião judaicas, assim como o caminho espiritual que o povo judeu deve seguir. Há dois tipos de Talmute: o da Babilônia e o de Jerusalém. O *Talmud Babilônico* consiste na compilação das leis, inclusive a Torah, tradições, preceitos morais, comentários, interpretações e debates registrados nas academias rabínicas da Babilônia e de Israel, por volta do século quinto, abrangendo um período de mil anos (do século V a.C. ao V d.C.), aproximadamente. O *Talmud de Jerusalém* foi publicado um século antes do Babilônico.[13, 7]

4. A cabala judaica. O calendário religioso

A Cabala é uma das correntes místicas do Judaísmo. O termo significa literalmente recepção e, por extensão, *tradição*. Também pode ser traduzido como *recebimento*, e *transmissão de ensinamentos*, porque os judeus místicos afirmam que a Lei escrita só poderia ser explicada pela Lei oral, ensinada de acordo com as pessoas e circunstâncias, secretamente. Essa tradição oral é transmitida de geração a geração durante milênios. Trata-se de um tema tão misterioso que, durante séculos, só homens casados e com mais de quarenta anos eram autorizados a estudá-lo. Esta regra já não é totalmente aceita e, hoje, homens e mulheres estudam os princípios básicos da Cabala.[17]

Exige-se um certo grau de sabedoria e de maturidade espirituais para um judeu aprender "interpretá-lo fielmente, nas épocas remotas. [...] Os livros dos profetas israelitas estão saturados de palavras enigmáticas e simbólicas, constituindo um monumento parcialmente decifrado da ciência secreta dos hebreus."[21]

Poucos judeus conhecem ou conheceram profundamente a Cabala. Moisés foi um deles. Para os místicos judeus, somente através da Cabala conseguiremos eliminar definitivamente a guerra, as destruições e as maldades existentes no mundo. O primeiro cabalista teria sido o patriarca Abraão. Ele teria visto as maravilhas da existência humana e dos mundos mais elevados. O conhecimento adquirido por Abraão teria sido transmitido oralmente aos seus descendentes. O primeiro trabalho sobre a Cabala, o *Sefer Yetzirah*, ou *Livro da criação*, é atribuído a Abraão. Esse texto básico da Cabala ensina que existem *trinta e dois caminhos da sabedoria* organizados, por sua vez, em dez itens denominados *Sefirot* ou *Luzes divinas*. Estas luzes divinas, representadas nas 22 letras do alfabeto hebraico, são canais que o Criador utilizou na obra da criação. As letras são consideradas os alicerces ou vasos da criação, e incluem todas as combinações e permutações através das quais Deus criou o mundo com palavras. A Cabala procura, essencialmente, descobrir a origem de tudo o que existe: o Universo e a Terra; o ser humano, sua vida e morte; o mal; a senda do bem; o poder da prece etc.[18]

O Antigo Testamento é um repositório de conhecimentos secretos, dos iniciados do povo judeu, e somente os grandes mestres da raça poderiam. A grande contradição do Judaísmo é, sem dúvida, a não aceitação do Cristo como o seu Messias.

A verdade, porém, é que Jesus, chegando ao mundo, não foi absolutamente entendido pelo povo judeu. Os sacerdotes não esperavam que o Redentor procurasse a hora mais escura da noite para surgir na paisagem terrestre. Segundo a sua concepção, o Senhor deveria chegar no carro magnificente de suas glórias divinas, trazido do Céu à Terra pela legião dos seus tronos e anjos; deveria humilhar todos os reis do mundo, conferindo a Israel o cetro supremo da direção de todos os povos do planeta; deveria operar todos os prodígios, ofuscando a glórias dos Césares.[22]

Para os judeus, a vinda do Messias à Terra, surgindo sobre nuvens, com grande majestade, cercado de seus anjos e ao som de trombetas, tinha um significado muito maior do que a simples vinda de uma entidade investida apenas de poder moral. Por isso mesmo, os judeus, que esperavam no Messias um rei terreno, mais poderoso do que todos os outros reis, destinado a colocar-lhes a nação à frente de todas as demais e a reerguer o trono de Davi e o de Salomão, não quiseram reconhecê-lo no humilde filho de um carpinteiro, sem autoridade material. No entanto, estejamos certos:

> Jesus acompanha-lhe a marcha dolorosa através dos séculos de lutas expiatórias regeneradoras. Novos conhecimentos dimanam do Céu para o coração dos seus patriarcas e não tardará muito tempo para que vejamos os judeus compreendendo integralmente a missão sublime do verdadeiro Cristianismo e aliando-se a todos os povos da Terra para a caminhada salvadora, em busca da edificação de um mundo melhor.[23]

O Judaísmo possui um calendário litúrgico ou religioso, conhecido como Círculo Sagrado, cujas festas principais são:[9]

» *Rosh Hashaná*: Ano-novo (mais ou menos em setembro). É o dia da comemoração do aniversário da criação do mundo e o dia em que o eterno abre o livro da vida e da morte, escrevendo nele os atos que todos os viventes realizaram durante o ano.

» *Yom Kippur*: Dia da Expiação (também em setembro). Esse é o dia mais sagrado do ano. Os judeus adultos passam-no na Sinagoga, em orações e súplicas, observando um rigoroso jejum de 25 horas, buscando o perdão divino para os seus pecados. Reza a tradição que neste dia Deus fecha o livro da vida e da morte, selando o destino de cada indivíduo para o ano seguinte.

» *Pessach*: Páscoa. É celebrada aproximadamente em 14 de abril, no início da primavera. Comemorando-se a libertação do povo de Israel da escravidão no Egito. São oito dias de comemoração.

» *Shavuot*: Festa das Semanas (mais ou menos em maio). É a festa máxima do Judaísmo, pois comemora a entrega da Torá (feita por Deus) a Moisés, no monte Sinai. Ela também é conhecida como *Hag ha Bicurim* (Festa das Primícias).

Referências

1. KARDEC, Allan. *O evangelho segundo o espiritismo*. Tradução de Guillon Ribeiro. 125. ed. Rio de Janeiro: FEB, 2006. Cap. 1, item 2, p. 55.

2. _____._____. Cap. 4, item 4, p. 90-91.

3. _____._____. Cap. 18, item 2, p. 325-326.

4. _____. *O que é o espiritismo*. 53. ed. Rio de Janeiro: FEB, 2005. Cap. 1, p. 139 (Terceiro diálogo – o padre).

5. _____._____. p. 140.

6. _____. *Revista espírita:* jornal de estudos psicológicos. Ano XI, 1868/publicada sob a direção de Allan Kardec. Tradução de Evandro Noleto Bezerra (poesias traduzidas por Inaldo Lacerda Lima). Rio de Janeiro: FEB, 2005. Novembro de 1868. Nº 11, p. 456-459 (Do pecado original segundo o Judaísmo).

7. ALGAZ, Isaac. *Síntese da história judaica*. http://www.tryte.com.br/judaismo/ coleção/ br/livro2/sintese.htm.

8. BRIAN, Lancaster. *Elementos do judaísmo*. Tradução de Marli Berg. 1.ed. Rio de Janeiro: Ediouro, 1995, p. 15-16.

9. http://www.conhecimentosgerais.com.br. Acessar os itens: Religiões reveladas e Judaísmo.

10. HELLERN, V. Notaker, H. GAARDER, J. *O livro das religiões*. Tradução de Isa Maria Lando. 9. ed. São Paulo: Companhia das Letras, 2001.Cap. (Religiões surgidas no oriente médio:monoteísmo), item: Judaísmo, p. 98.

11. _____._____. p. 105-106.

12. _____._____. p. 106-107.

13. _____._____. p. 108.

14. LAMM, Maurice. *Judaísmo*. Tradução de Dagoberto Mensch. 1.ed. São Paulo: Sefer, 1999, p. 256.

15. MACEDO, Roberto. *Vocabulário histórico-geográfico dos romances de Emmanuel*. 2. ed. Rio de Janeiro: FEB, 1994. Vervete: Jerusalém, p. 122.

16. _____._____. p. 123 (Judá).

17. PROPHET, Elisabeth Clare. *Cabala: o caminho da sabedoria*. Tradução de Urbana Rutherford. ed. Rio de Janeiro, Record-Nova Era, 2002. Contracapa.

18. _____. _____. Cap. 1, 3, 6, 7 e 8.

19. http://www.suapesquisa.com/judaismo/

20. XAVIER, Francisco Cândido. *A caminho da luz*. Pelo Espírito Emmanuel. 33. ed. Rio de Janeiro: FEB, 2006. Cap. 7 (O povo de Israel), item: Israel, p. 65-66.

21. _____. _____. Item: O Judaísmo e o Cristianismo, p. 67.

22. _____. _____. Item: A incompreensão do Judaísmo, p. 70.

23. _____. _____. Item: No porvir, p. 72.

24. _____. *Emmanuel*. Pelo Espírito Emmanuel. 25. ed. Rio de Janeiro: FEB, 2005. Cap. 2, (A ascendência do evangelho), item: A lei moisaica, p. 27.

Orientações ao monitor

Realizar uma exposição ilustrativa sobre o contexto histórico da formação do povo judeu, destacando fatos significativos. Dividir a turma em grupos para troca de ideias sobre as principais características do Judaísmo.

ANTECEDENTES DO CRISTIANISMO

Roteiro 5

MOISÉS, O MENSAGEIRO DA PRIMEIRA REVELAÇÃO

Objetivos

» Esclarecer, em linhas gerais, a missão desempenhada por Moisés.
» Justificar a importância do Decálogo para a Humanidade.

Ideias principais

» Moisés foi um judeu criado na casa real do faraó egípcio. Estando Moisés com 40 anos fugiu para o deserto, após ter agredido um egípcio que maltratou um judeu (Êxodo, 2:11-12. Atos dos Apóstolos, 7:23-24).

» *Na lei mosaica há duas partes distintas: a Lei de Deus, promulgada no monte Sinai, e a lei civil ou disciplinar, decretada por Moisés. Uma é invariável; a outra, apropriada aos costumes e ao caráter do povo, se modifica com o tempo. A Lei de Deus está formulada nos Dez Mandamentos.* Allan Kardec: *O evangelho segundo o espiritismo*. Cap. I, item 2.

» Moisés [...] *foi inspirado a reunir todos os elementos úteis à sua grandiosa missão, vulgarizando o monoteísmo e estabelecendo o Decálogo, sob a inspiração divina* [...]. Emmanuel: *Emmanuel*. Cap. 2.

Subsídios

1. Informações históricas

A *Bíblia* nos relata que Abraão teve dois filhos: Isaque, nascido de sua esposa Sara, e Ismael, de sua escrava egípcia, Hagar. (GÊNESIS, 21:1-21; ATOS DOS APÓSTOLOS, 7: 2-8) Isaque, considerado o legítimo herdeiro, casou-se com Rebeca (GÊNESIS, 24) e teve dois filhos: Esaú e Jacó. Este, cuja progenitura ganhou do irmão em troca de um prato de lentilhas, casou-se com Raquel, com quem teve dois filhos: José e Benjamim. No entanto, Jacó teve mais dez filhos, cinco de Lia, irmã de Raquel, com quem se casara primeiro, e cinco de escravas. (GÊNESIS, 35: 23-26).

Os hebreus, descendentes de Jacó, chamavam a si próprios de *filhos de Israel* ou *israelitas*, e formaram as doze tribos de Israel. Os irmãos de José venderam-no como escravo ao faraó egípcio, mas, em razão de sua sabedoria e influência, tornou-se vice-rei do Egito (GÊNESIS, 37:1-36. ATOS DOS APÓSTOLOS, 7:8-10).

Devido à fome reinante, os judeus foram viver no Egito, inclusive os irmãos de José (GÊNESIS, 42 a 50). Por influência deste, os judeus se tornaram numerosos no Egito. No entanto, ocorrendo substituição no trono egípcio, o novo faraó temendo que os filhos de Israel se tornassem demasiadamente poderosos, como estava acontecendo, tornou-os escravos (ATOS DOS APÓSTOLOS, 7:11-18).

O povo hebreu esteve cativo no Egito por cerca de 400 anos, oprimido por penosos trabalhos de construção e de cultivo de cereais. Mais tarde, o faraó determinou que se lançassem ao Nilo todos os meninos hebreus, recém-nascidos para que não se mantivesse a progenitura racial judaíca (ÊXODO, 1:15-22; ATOS DOS APÓSTOLOS, 7).

Uma das mães israelitas, da casa de Levi (um dos filhos de Jacó), teve um filho, escondendo-o durante três meses. Porém, não podendo conservá-lo oculto por mais tempo, tomou um cesto de junco betumado com resina e pez, acomodou dentro o menino e deixou o cesto boiar entre os canaviais, à margem do rio Nilo. A irmã do menino conservou-se escondida a alguma distância para ver o que aconteceria. Chegou a filha do faraó e, vendo o cesto no meio do canavial, mandou uma criada buscá-lo. Abriu-o e viu o menino chorando. Ficou cheia de pena e disse: "É um filho de hebreus". A irmã da criança aproximou-se e perguntou: "Quereis que vá chamar uma mulher israelita para amamentar esse menino?" Ela respondeu: "Vai, sim". A menina foi chamar a própria mãe, que, sob a proteção da filha do faraó, amamentou o menino e acompanhou de perto sua educação, sem revelar o parentesco que havia entre ambos. A mãe adotiva de Moisés deu-lhe este nome porque das águas o tinha tirado (ÊXODO, 2:1-10).

Moisés, judeu de nascimento, foi, portanto, educado por uma egípcia da casa real (Atos dos Apóstolos, 7:20-22) Estando Moisés com aproximadamente 40 anos, não suportava mais ver a aflição dos israelitas, cativos do rei do Egito. Certa vez, ao ver um judeu sendo maltratado, Moisés defendeu o irmão de raça, matando ou ferindo o egípcio (ÊXODO, 2:11-12. ATOS DOS APÓSTOLOS, 7:23-24).

Sentenciado à morte pelo faraó, Moisés fugiu para a terra de Midian (ou Madian), vivendo com a família de Jetro, um sacerdote. Moisés casa-se, então com Zípora, uma das seis filha do sacerdote, com quem teve um filho chamado Gérson (ÊXODO, 2:15-22) e, mais tarde, outro de nome Elieser.

Na solidão do deserto, cuidando de ovelhas, Moisés meditava a respeito de tudo o que lhe tinha ocorrido, desde o nascimento. Elaborou então um plano que serviria, no futuro, de base para a constituição da fé judaica. O sofrimento e a solidão do deserto fizeram Moisés entender que os deuses egípcios jamais ajudariam os hebreus, cujas práticas devocionais eram muito simples, se comparadas com os rituais egípcios. Percebeu, assim que todos os descendentes de Jacó adoravam ídolos caseiros, os *therafins* tribais, e os obscuros deuses da natureza, os *elohins*. Moisés concluiu, por inspiração, que, na verdade, existia apenas um único e poderoso Deus, capaz de agir sobre os demais e sobre todas as coisas, tal como um século antes afirmara o faraó Amenotep IV, que pregava a existência de um único Deus (a divindade solar *Athen/Athon*)[4] (ÊXODO, 3 e 4).

2. Moisés: o mensageiro da primeira revelação divina

Certo dia, andando pelo deserto com suas ovelhas, perto do monte Sinai, pertencente à cadeia montanhosa do Horeb, Moisés viu um anjo, que surgiu numa chama de fogo, dentro de uma sarça. Reparou que o fogo ardia, mas a sarça não se consumia. Então, o anjo disse:

Moisés, Moisés! Eu sou o Deus de teu pai, o Deus de Abraão, o Deus de Isaque, e o Deus de Jacó! Certamente vi a aflição do meu povo, que está no Egito, e ouvi o seu clamor. Conheço-lhe o sofrimento. [...] Vem, agora, e eu te enviarei a faraó, para que tires o meu povo, os filhos de Israel, do Egito. Então disse Moisés a Deus: Quem sou eu para ir ao faraó e tirar do Egito os filhos de Israel? Deus lhe respondeu: Eu serei contigo; e este será o sinal de que eu te enviei: depois de haver tirado o povo do Egito, servireis a Deus neste monte. (ÊXODO, 3:1-22)

Conta a tradição judaica que, a partir daquele instante, Deus concedeu poderes a Moisés, permitindo, com o auxílio de seu irmão Aarão, o resgate dos judeus das terras egípcias. A retirada dos judeus ocorreu após árduas lutas, entremeadas com as manifestações da prodigiosa mediunidade de Moisés, que culminaram no surgimento das dez pragas, a saber: transformação das águas dos reservatórios naturais e dos utensílios em sangue; invasão de rãs; disseminação de piolhos; invasão de enxames de moscas; peste nos animais; úlceras e tumores nos homens e animais; chuva de pedras; invasão de gafanhotos; surgimento das trevas, transformando o dia em noite; condenação à morte de todos os filhos primogênitos dos egípcios, inclusive o filho de faraó (ÊXODO, 4-14).

Ao sair do Egito, transportando uma multidão de judeus, os exércitos de faraó fazem a última tentativa de mantê-los prisioneiros, mas Moisés consegue, pela sua mediunidade, o prodígio de abrir caminho nas águas do Mar Vermelho (ÊXODO, 14: 1-31).

Contam, ainda, as tradições do Judaísmo que Moisés conduziu os israelitas pelo deserto, durante 40 anos, antes de localizarem a Canaã, a terra prometida por Deus a Abraão (ÊXODO, 17 a 40). A vida dos judeus no deserto foi dura, repleta de grandes e pequenos obstáculos, antes de se organizarem como nação e de se unirem em torno de uma única religião, fundada com o recebimento do Decálogo ou Dez Mandamentos, no monte Sinai (ÊXODO, 20: 1-26).

Consta que, para suprir a fome de milhares de judeus (cerca de 600 mil), Deus teria concedido o *manah*, alimento que caía do céu em forma de chuva (ÊXODO, 16:4-5). Estando Moisés com o povo num lugar sem água, viu-se em extrema dificuldade, já que as pessoas ameaçavam apedrejá-lo. Ele, então, recorre a Deus no sentido de solucionar o problema. O Senhor orienta Moisés a ir até a pedra de Horeb e feri-la com a mesma vara com a qual ele tocara o rio.

Moisés segue as orientações dadas pelo Senhor, e a água surge para saciar a sede do povo (ÊXODO, 15: 23-27; 17).

No terceiro mês após a saída do Egito, diz a tradição, que os israelitas chegaram ao pé do Sinai, armaram suas tendas e Moisés subiu até o cimo, onde o Senhor lhe disse: "Manda que lavem as vestes e estejam prontos para o terceiro dia. Nesse dia, quando soar a trombeta, que todos se aproximem do monte". Moisés obedeceu ao Senhor e, na madrugada do terceiro dia, houve trovões e relâmpagos, e uma espessa nuvem envolveu o Sinai. Ouviu-se o som estridente de trombetas. Todos se atemorizaram (ÊXODO, 19).

Moisés levou os israelitas para perto da montanha, e o Senhor promulgou, então, o *Decálogo*, pelas mãos de Moisés, em duas tábuas de pedra (ÊXODO, 20: 1-21; DEUTERONÔMIO, 5:6-21).

Na lei mosaica há duas partes distintas: a Lei de Deus, promulgada no monte Sinai, e a lei civil ou disciplinar, decretada por Moisés. Uma é invariável; a outra, apropriada aos costumes e ao caráter do povo, se modifica com o tempo.

A Lei de Deus está formulada nos dez mandamentos seguintes:

I. Eu sou o Senhor, vosso Deus, que vos tirei do Egito, da casa da servidão. Não tereis, diante de mim, outros deuses estrangeiros. Não fareis imagem esculpida, nem figura alguma do que está em cima do céu, nem embaixo na Terra, nem do que quer que esteja nas *águas* sob a terra. Não os adorareis e não lhes prestareis culto soberano.

II. Não pronunciareis em vão o nome do Senhor, vosso Deus.

III. Lembrai-vos de santificar o dia do sábado.

IV. Honrai a vosso pai e a vossa mãe, a fim de viverdes longo tempo na terra que o Senhor vosso Deus vos dará.

V. Não mateis.

VI. Não cometais adultério.

VII. Não roubeis.

VIII. Não presteis testemunho falso contra o vosso próximo.

IX. Não desejeis a mulher do vosso próximo.

X. Não cobiceis a casa do vosso próximo, nem o seu servo, nem a sua serva, nem o seu boi, nem o seu asno, nem qualquer das coisas que lhe pertençam.¹

Esclarecem, ainda, os Espíritos da Codificação:

É de todos os tempos e de todos os países essa lei e tem, por isso mesmo, caráter divino. Todas as outras são leis que Moisés decretou, obrigado que se via a conter, pelo temor, um povo de seu natural turbulento e indisciplinado, no qual tinha ele de combater arraigados abusos e preconceitos, adquiridos durante a escravidão do Egito. Para imprimir autoridade às suas leis, houve de lhes atribuir origem divina, conforme o fizeram todos os legisladores dos povos primitivos. A autoridade do homem precisava apoiar-se na autoridade de Deus; mas só a ideia de um Deus terrível podia impressionar criaturas ignorantes, nas quais ainda pouco desenvolvidos se encontravam o senso moral e o sentimento de uma justiça reta.¹

Com o Decálogo inicia-se verdadeiramente a religião judaica, organizada por Moisés, ficando estabelecidas as bases da teocracia do Judaísmo.

Além de médium, Moisés era legislador e homem como os demais. A grande lei, diz ele, foi transmitida diretamente por Deus. Mas conhecidos como hoje se conhecem, os fenômenos psíquicos, logo se percebe que um Espírito elevado foi o mensageiro daqueles mandamentos, que o profeta transmitiu à posteridade com as falhas infalíveis do crivo humano e os acréscimos que a época impunha.³

Devemos considerar que, devido ao nível evolutivo de Moisés, é improvável que ele conversasse diretamente com Deus.

A [...] Lei ou a base da Lei, nos dez mandamentos, foi-lhe ditada pelos emissários de Jesus, porquanto todos os movimentos de evolução material e espiritual do orbe se processaram, como até hoje se processam, sob o seu augusto e misericordioso patrocínio.⁸

É importante destacar também o seguinte:

As [...] seitas religiosas, de todos os tempos, pela influenciação dos seus sacerdotes, procuram modificar os textos sagrados; todavia, apesar das alterações transitórias, os dez mandamentos, transmitidos à Terra por intermédio de Moisés, voltam sempre a ressurgir na sua pureza primitiva, como base de todo o direito no mundo, sustentáculo de todos os códigos da justiça terrestre.[7]

Moisés possuía uma mediunidade prodigiosa, desenvolvida na intimidade do templo egípcio. Todavia, o seu Espírito ainda tinha muito o que evoluir.

Por esse motivo há discrepâncias entre o que ensinava, tendo como base o Decálogo, e o que exemplificava.

A legislação de Moisés está cheia de lendas e de crueldades compatíveis com a época, mas, escoimada de todos os comentários fabulosos a seu respeito, a sua figura é, de fato, a de um homem extraordinário, revestido dos mais elevados poderes espirituais. Foi o primeiro a tornar acessíveis às massas populares os ensinamentos somente conseguidos à custa de longa e penosa iniciação, com a síntese luminosa de grandes verdades.[6]

A saída do Egito é comemorada como a Páscoa judaica. É uma das tradições primitivas mais festejadas, mas sem o cerimonial e a concepção extremista do passado. A tradição transmitida às gerações futuras diz que essa festa foi, até a morte de Moisés, comandada por Miriam, sua irmã (a que ficou vigiando-o quando, em criança, foi colocado numa cesta no Nilo), e se caracterizava por danças e cânticos alegres, animados pelos sons de tamborins.[4]

Moisés era possuidor de uma personalidade magnética, dominadora, hábil manipulador das massas e grande líder. Sabia incutir nas almas supersticiosas e ignorantes os temores animistas de um Deus vingador e zeloso. A sua prodigiosa mediunidade de efeitos físicos, associada à de outros auxiliares diretos, sobretudo a do seu irmão Aarão, que tinha o dom da fala e do convencimento, foram fatores que contribuíram para organizar a nação e a religião judaicas. Contudo, Moisés era um produto do meio onde fora criado em que o conhecimento espiritual era usado para obter domínio junto às mentes vacilantes. Outro costume herdado da sua educação egípcia está relacionado à infidelidade conjugal, incomum entre os judeus, mas difundida entre os não hebreus. Acredita-se que Moisés desentendeu vezes sem conta com a sua irmã Miriam a este respeito, pois, é sabido que o missionário teve outras esposas, além de Zipporah [Zípora][4] (NÚMEROS, 12:1-16; JUÍZES, 4:11).

Acredita-se que Moisés, educado na cultura egípcia, teria sido um sacerdote de Osíris.[2] Ele julgava o ritual da religião faraônica muito complicado e que merecia ser simplificado. Para ele os rituais mais significativos estavam diretamente relacionados aos números, fazendo surgir, assim, as bases da Cabala judaica.

Este foi o ponto inicial da cisão ocorrida entre Moisés e os egípcios. Dessa forma, rompe com a tradição dos chamados iniciados. Ele ensinou, a todos, os mistérios da Cabala, mas sob o véu do simbolismo, de forma que somente os Espíritos mais adiantados ou argutos conseguiram entendê-la. Por essa razão é que muitos livros de Moisés podem parecer infantis aos que desconhecem o lado oculto dos ensinamentos, transmitidos de forma oral.[2, 4 e 5]

A tradição ora da Cabala não é repassada a qualquer adepto do Judaismo. É, antes, confiada a 70 discípulos escolhidos segundo as ideias existentes em NÚMEROS, 11:16-17 e 25. A esotérica iniciação judaica acontece com a compreensão do *Livro da criação*, ou *Sepher Jersirah*, e do *Livro dos princípios*, ou *Zohah*. São obras de leitura e entendimento difíceis, uma vez que a linguagem abstrata é incompreensível para quem não tem a chave da iniciação (transmitida oralmente). Um dos mestres do pensamento esotérico moderno, Eduardo Schuré, não tem dúvidas de que Moisés teria escrito o livro *Gênesis* em hieróglifos, em três sentidos diferentes, confiando a chave da interpretação e a explicação dos mesmos, oralmente, aos seus sucessores.

A chave e as explicações estariam relacionadas não apenas aos números, mas à sonoridade da pronúncia das palavras que, parece, induziriam a um estado de transe e ligação com Espíritos. Ainda segundo este estudioso, na época de Salomão o livro *Gênesis* teria sido traduzido em caracteres fenícios e, quando em cativeiro na Babilônia, Esdras o teria redigido em caracteres arianos caldaicos. Os tradutores gregos da *Bíblia* tinham uma informação superficial da chave e explicações de Moisés. São Jerônimo, que fez a versão da Bíblia para o latim, nada sabia das tradições. Foi assim que se perdeu, pelo menos para os religiosos não-judeus, o entendimento esotérico dos ensinamentos de Moisés.[2, 4 e 5]

> Até agora, a Humanidade da Era Cristã recebeu a grande Revelação em três aspectos essenciais: Moisés trouxe a missão de Justiça; o Evangelho, a revelação de insuperável Amor, e o Espiritismo, em sua feição de Cristianismo Redivivo, traz, por sua vez, a sublime tarefa da Verdade.

No centro das três revelações encontra-se Jesus Cristo, como o fundamento de toda a luz e de toda a sabedoria. É que, com o Amor, a Lei manifestou-se na Terra no seu esplendor máximo; a Justiça e a Verdade nada mais são que os instrumentos divinos de sua exteriorização, com aquele Cordeiro de Deus, alma da redenção de toda a Humanidade. A Justiça, portanto, lhe aplainou os caminhos, e a Verdade, conseguintemente, esclarece os seus divinos ensinamentos [...].[9]

Referências

1. KARDEC, Allan. *O evangelho segundo o espiritismo*. Tradução de Guillon Ribeiro. 124. ed. Rio de Janeiro, FEB, 2005. Cap. 1, item 2, p. 53-55.

2. DURVILLE, Henri. *A ciência secreta*. Tradução. de um membro do círculo esotérico. São Paulo: O Pensamento, s/d, p. 293-340.

3. IMBASSAHY, Carlos. *Religião*. 5. ed. Rio de Janeiro: FEB, 2002. Cap. O Espiritismo entre as religiões, item Moisés, p. 173.

4. POTTER, Charles. *História das religiões*. Tradução de J. Sampaio Ferraz. São Paulo: Ed. Universitária. 1994. Cap. 1 (Moisés), p. 41-80.

5. SMITH, Huston. *As religiões do mundo*. Tradução de Merle Scoss. São Paulo, Editora Cultrix, 2002. Cap. 7 (Judaísmo), p. 261-301.

6. XAVIER, Francisco Cândido. *Emmanuel*. Pelo Espírito Emmanuel. 25. ed. Rio de Janeiro: FEB, 2005. Cap. 2 (A ascendência do evangelho), item: A lei moisaica, p. 27.

7. _____. *O consolador*. Pelo Espírito Emmanuel. 26. ed. Rio de Janeiro: FEB, 2006, questão 268, p. 161.

8. _____._____. Questão 269, p. 161.

9. _____._____. Questão 271, p. 162.

Orientações ao monitor

Dinamizar o estudo por meio de pequenos grupos que deverão ser orientados a ler, analisar e debater a missão desempenhada por Moisés e a importância do Decálogo.

EADE LIVRO I | MÓDULO II

O CRISTIANISMO

O CRISTIANISMO

Roteiro 1

NASCIMENTO E INFÂNCIA DE JESUS

Objetivos

» Elaborar uma síntese histórica a respeito das previsões da vinda do Cristo, do seu nascimento e da sua infância.

Ideias principais

» *Além das afirmações de Jesus e da opinião dos apóstolos, há um testemunho cujo valor os crentes mais ortodoxos não poderiam contestar, pois que o apontam constantemente como artigo de fé: é o próprio Deus, isto é, o dos profetas falando por inspiração e anunciando a vinda do Messias.* Allan Kardec, Obras póstumas. Primeira parte. Item 7, Predição dos profetas com relação a Jesus.

» *E o anjo lhes disse: Não temais, porque eis aqui vos trago novas de grande alegria, que será para todo o povo, pois, na cidade de Davi, vos nasceu hoje o Salvador, que é Cristo, o Senhor. E isto vos será por sinal: achareis, o menino envolto em panos e deitado numa manjedoura. E no mesmo instante, apareceu com o anjo uma multidão de exércitos celestiais, louvando a Deus e dizendo: "Glória a Deus nas alturas, paz na Terra, boa vontade para com os homens!"* (LUCAS, 2:10-14.)

» *E o menino crescia e se fortalecia em espírito, cheio de sabedoria; e a graça de Deus estava sobre Ele* (LUCAS, 2:40).

Subsídios

1. Previsões sobre a vinda de Jesus

O estudo dos fatos históricos, relacionados às previsões da vinda do Cristo, tem como base as afirmações de Jesus e a opinião dos apóstolos. Há, porém, "[...] um testemunho cujo valor os crentes mais ortodoxos não poderiam contestar, pois que o apontam constantemente como artigo de fé: é o do próprio Deus, isto é, o dos profetas falando por inspiração e anunciando a vinda do Messias".[1]

No Velho Testamento encontramos algumas profecias que anunciam o advento do Cristo. Citaremos algumas:

» Alegra-te muito, ó filha de Sião; exulta, ó filha de Jerusalém; eis que o teu rei virá a ti, justo e Salvador, pobre e montado sobre um jumento, sobre um asninho, filho de jumenta; [...] e Ele anunciará paz às nações; e o seu domínio se estenderá de um mar a outro mar e desde o rio até às extremidades da terra (ZACARIAS, 9:9-10).

» Vê-lo-ei, mas não agora; contemplá-lo-ei, mas não de perto; uma estrela procederá de Jacó, de Israel subirá um cetro que ferirá as têmporas de Moabe e destruirá todos os filhos de Sete (NÚMEROS, 24:17).

» Portanto, o Senhor mesmo vos dará um sinal: eis que a virgem conceberá e dará à luz um filho e lhe chamará Emanuel (ISAÍAS, 7:14).

» Porque um menino nos nasceu, um filho se nos deu; o governo está sobre os seus ombros; e o seu nome será: Maravilhoso conselheiro, Deus forte, Pai da eternidade, Príncipe da paz; para que se aumente o seu governo, e venha paz sem-fim sobre o trono de Davi e sobre o seu reino, para o estabelecer e o firmar mediante o juízo e a justiça, desde agora e para sempre. O zelo do Senhor dos exércitos fará isto (ISAÍAS, 9:6-7).

> Dele asseveraram os profetas de Israel, muito tempo antes da manjedoura e do calvário: "levantar-se-á como arbusto verde, vivendo na ingratidão de um solo árido, onde não haverá graça nem beleza. Carregado de opróbrios e desprezado dos homens, todos lhe voltarão o rosto. Coberto de ignomínias, não merecerá consideração. É que Ele carregará o fardo pesado de nossas culpas e de nossos sofrimentos, tomando

sobre si todas as nossas dores. Presumireis na sua figura um homem vergando ao peso da cólera de Deus, mas serão os nossos pecados que o cobrirão de chagas sanguinolentas e as sua feridas hão de ser a nossa redenção. Somos um imenso rebanho desgarrado, mas, para nos reunir no caminho de Deus, Ele sofrerá o peso das nossas iniqüidades" [...].[10]

Confirmando as profecias, Jesus nasceu na Terra, em um ambiente de lutas e conspirações. Viveu na Palestina durante o reinado de Herodes Antipas (4 a.C.–37 d.C.) — filho de Herodes, o Grande, e de Maltace —, era também irmão de Arquelau, nomeado tetrarca da Galileia e da Pereia, em 4 a.C. Depois que Arquelau foi deposto, "[...] Antipas recebeu o título dinástico Herodes, que tinha grande significação internamente e em Roma."[2]

O nascimento de Jesus está também previsto no Novo Testamento.

E, no sexto mês [de gravidez de Isabel, mãe de João Batista e prima de Maria santíssima], foi o anjo Gabriel enviado por Deus a uma cidade da Galileia, chamada Nazaré, a uma virgem desposada com um varão cujo nome era José, da casa de Davi; e o nome da virgem era Maria. E, entrando o anjo onde ela estava, disse: Salve, agraciada; o Senhor é contigo; bendita és tu entre as mulheres. E, vendo-o ela, turbou-se muito com aquelas palavras e considerava que saudação seria esta. Disse-lhe, então, o anjo: Maria, não temas, porque achaste graça diante de Deus. E eis que em teu ventre conceberás, e darás à luz um filho, e pôr-lhe-ás o nome de Jesus. Este será grande e será chamado Filho do Altíssimo; e o Senhor Deus lhe dará o trono de Davi, seu pai, e reinará eternamente na casa de Jacó, e o seu Reino não terá fim. E disse Maria ao anjo: Como se fará isso, visto que não conheço varão? E, respondendo o anjo, disse-lhe: Descerá sobre ti o Espírito Santo, e a virtude do Altíssimo te cobrirá com a sua sombra; pelo que também o Santo, que de ti há de nascer, será chamado Filho de Deus. E eis que também Isabel, tua prima, concebeu um filho em sua velhice; e é este o sexto mês para aquela que era chamada estéril. Porque para Deus nada é impossível. Disse, então, Maria: Eis aqui a serva do Senhor; cumpra-se em mim segundo a tua palavra. E o anjo ausentou-se dela (LUCAS, 1:26-38).

Os textos evangélicos informam que confirmada a gravidez de Maria, ela resolve fazer uma visita à sua prima Isabel, que também estava grávida no segundo trimestre de gestação.

> E, naqueles dias, levantando-se Maria, foi apressada às montanhas, a uma cidade de Judá, e entrou em casa de Zacarias, e saudou a Isabel. E aconteceu que, ao ouvir Isabel a saudação de Maria, a criancinha saltou no seu ventre; e Isabel foi cheia do Espírito Santo, e exclamou com grande voz, e disse: Bendita és tu entre as mulheres, e é bendito o fruto do teu ventre! E de onde me provém isso a mim, que venha visitar-me a mãe do meu Senhor? Pois eis que, ao chegar aos meus ouvidos a voz da tua saudação, a criancinha saltou de alegria no meu ventre (LUCAS, 1:39-44).

2. O nascimento de Jesus

A gestação de Maria aproximava-se do final quando o imperador César Augusto ordenou se realizasse o recenseamento do povo judeu.

> E aconteceu, naqueles dias, que saiu um decreto da parte de César Augusto, para que todo o mundo se alistasse. (Este primeiro alistamento foi feito sendo Cirênio governador da Síria). E todos iam alistar-se, cada um à sua própria cidade. E subiu da Galileia também José, da cidade de Nazaré, à Judeia, à cidade de Davi chamada Belém (porque era da casa e família de Davi), a fim de alistar-se com Maria, sua mulher, que estava grávida. E aconteceu que, estando eles ali, se cumpriram os dias em que ela havia de dar à luz. E deu à luz o seu filho primogênito, e envolveu-o em panos, e deitou-o numa manjedoura, porque não havia lugar para eles na estalagem (LUCAS, 2:1-7).

O momento do nascimento de Jesus foi percebido por pastores que se encontravam nas proximidades de Belém.

> Ora, havia, naquela mesma comarca, pastores que estavam no campo e guardavam durante as vigílias da noite o seu rebanho. E eis que um anjo do Senhor veio sobre eles, e a glória do Senhor os cercou de resplendor, e tiveram grande temor. E o anjo lhes disse: Não temais, porque eis aqui vos trago novas de grande alegria, que será para todo o povo, pois, na cidade de Davi, vos nasceu hoje o Salvador, que é Cristo, o Senhor. E isto vos será por sinal: achareis o menino envolto em panos e deitado numa manjedoura. E, no mesmo instante, apareceu com o anjo uma multidão dos exércitos celestiais, louvando a Deus e dizendo: Glória a Deus nas alturas, paz na terra, boa vontade para com os homens! E aconteceu que, ausentando-se deles os anjos para o céu, disseram os pastores uns aos outros: Vamos, pois, até Belém e vejamos isso que aconteceu e que o

Senhor nos fez saber. E foram apressadamente e acharam Maria, e José, e o menino deitado na manjedoura. E, vendo-o, divulgaram a palavra que acerca do menino lhes fora dita (LUCAS, 2:8-17).

Jesus nos fornece inestimável lição quando escolhe a manjedoura como local do seu nascimento.

A manjedoura assinalava o ponto inicial da lição salvadora do Cristo, como a dizer que a humildade representa a chave de todas as virtudes. Começava a era definitiva da maioridade da humanidade terrestre, de vez que Jesus, com a sua exemplificação divina, entregaria o código da fraternidade e do amor a todos os corações.[8]

Os textos sagrados nos relatam como ocorreu o nascimento de Jesus e as primeiras implicações daí decorrentes.

E, tendo nascido Jesus em Belém da Judeia, no tempo do rei Herodes, eis que uns magos vieram do Oriente a Jerusalém, e perguntaram: Onde está aquele que é nascido rei dos judeus? Porque vimos a sua estrela no Oriente e viemos a adorá-lo. E o rei Herodes, ouvindo isso, perturbou-se, e toda a Jerusalém, com ele. E, congregados todos os príncipes dos sacerdotes e os escribas do povo, perguntou-lhes onde havia de nascer o Cristo. E eles lhe disseram: Em Belém da Judeia, porque assim está escrito pelo profeta: E tu, Belém, terra de Judá, de modo nenhum és a menor entre as capitais de Judá, porque de ti sairá o Guia que há de apascentar o meu povo de Israel (MATEUS, 2:1-6)

A presença dos magos em Jerusalém, à procura do Messias aguardado, provocou temor ao rei Herodes, supondo que poderia ser despojado do cargo.

"Com isto, Herodes, tendo chamado secretamente os magos, inquiriu deles com precisão quanto ao tempo em que a estrela aparecera. E, enviando-os a Belém, disse-lhes: Ide informar-vos cuidadosamente a respeito do menino; e, quando o tiverdes encontrado, avisai-me, para eu também ir adorá-lo" (MATEUS, 2:7-8).

Os magos seguiram, então, para Belém.

E, tendo eles ouvido o rei, partiram; e eis que a estrela que tinham visto no Oriente ia adiante deles, até que, chegando, se deteve sobre o *lugar* onde estava o menino. E, vendo eles a estrela, alegraram-se muito com grande júbilo. E, entrando na casa, acharam o menino com Maria, sua mãe, e, prostrando-se, o adoraram; e, abrindo os seus tesouros, lhe ofertaram dádivas: ouro, incenso e mirra. E, sendo por divina revelação avisados em sonhos para que não voltassem para junto de Herodes, partiram para a sua terra por outro caminho (MATEUS, 2:9-12).

Percebe-se claramente que os sábios do Oriente, ou magos, desconheciam as profecias no Velho Testamento sobre a vinda e local de nascimento de Jesus.

A tradição da existência dos três magos baseia-se em seus três presentes: ouro, olíbano (espécie de incenso feito de resina aromática) e mirra (unguento usado como balsâmico e em perfumes). Como são guiados por uma estrela, os magos parecem ter sido astrólogos, possivelmente da Pérsia. Magos, como são chamados, é o plural de *magus*, palavra grega para feiticeiro ou mágico. Só muito tempo depois, foram os sábios chamados de reis e receberam os nomes de Gaspar, Melquior e Baltazar.[4]

Após a partida dos magos, José recebe em sonho a visita do anjo do Senhor, que lhe adverte:

Levanta-te, e toma o menino e sua mãe, e foge para o Egito, e demora-te lá até que eu te diga, porque Herodes há de procurar o menino para o matar. E, levantando-se ele, tomou o menino e sua mãe, de noite, e foi para o Egito. E esteve lá até à morte de Herodes, para que se cumprisse o que foi dito da parte do Senhor pelo profeta, que diz: Do Egito chamei o meu Filho. Então, Herodes, vendo que tinha sido iludido pelos magos, irritou-se muito e mandou matar todos os meninos que havia em Belém e em todos os seus contornos, de dois anos para baixo, segundo o tempo que diligentemente inquirira dos magos (MATEUS, 2:13-16).

A matança das crianças foi uma entre muitas atitudes insanas de Herodes. Ávido pelo poder e pelos benefícios materiais, não vacilou em praticar ações criminosas, ignorando que, em consequência, enfrentaria nas futuras reencarnações dolorosos processos reparadores, assinalados pela lei de causa e efeito.

Em relação às origens familiares de Jesus, o evangelista Mateus elaborou uma genealogia que, partindo de Abraão, soma-se 42 gerações até José.

Mateus começa afirmando que Jesus é o Messias, ou Cristo, um título que significa "o ungido". Este refere-se à acalentada esperança dos judeus de que um dia enviaria um rei ungido, descendente do rei Davi, para restaurar Israel como nação e cumprir a promessa feita por Deus de que a dinastia de Davi "será firme para sempre" (2 SAMUEL, 7:16). A primeira afirmação do Evangelho de Mateus é que na verdade Jesus cumpre essa promessa feita há longa data: Ele é o Messias.

Mateus teve que sacrificar um pouco a exatidão de sua genealogia, omitindo várias gerações e incluindo alguns nomes duas vezes. Mas para o autor a importância simbólica do padrão, expressando a verdade de que Deus se envolveu nos acontecimentos que levaram ao nascimento de Jesus, era mais significativa do que a lista exata de nomes, que, em sua maioria, qualquer pessoa poderia consultar nas genealogias do *Primeiro Livro das Crônicas*.[5]

Fato curioso é que as genealogias da época eram elaboradas a partir de ancestrais do sexo masculino. Mateus, entretanto, introduz uma inovação quando inclui na sua lista nomes das mulheres Tamar, Raab, Rute e Betsabée, esposa de Urias. Tal fato se revela especialmente singular porque essas mulheres não eram israelitas.[5]

Lucas refere-se às particularidades que rodearam o seu nascimento [de Jesus] em Belém de Judá, num estábulo abandonado, tendo por berço tosca e rude manjedoura. Marcos apresenta o Mestre já em contato com o Batista, iniciando a sua missão exemplificadora. João deixa de parte tudo o que se liga à parte material com que o Messias se apresenta no cenário do mundo, para considerar o seu Espírito, isto é, o "ser" propriamente dito, sede da inteligência, do sentimento e de todas as faculdades psíquicas, dizendo: "No princípio era o Verbo, e o Verbo estava com Deus, e o Verbo era Deus." (JOÃO, 1:1) Verbo é a palavra por excelência, visto que anuncia ação. Jesus é Verbo, paradigma por onde todos os verbos serão conjugados. É o modelo, é o exemplo, é o caminho cujo percurso encerra o destino de toda a infinita criação.[6]

A história da humanidade terrestre está dividida em dois grandes períodos: antes e depois do Cristo, indicativos de que, com Jesus, o ser humano inicia, efetivamente, a sua caminhada evolutiva em termos de aprendizado moral.

Com o nascimento de Jesus, há como que uma comunhão direta do Céu com a Terra. Estranhas e admiráveis revelações perfumam as almas e o enviado oferece aos seres humanos toda a grandeza do seu amor, da sua sabedoria e da sua misericórdia.[8]

Ao término do reinado de Herodes Antipas, Maria, José e Jesus retornam do Egito, onde se haviam refugiado.

> Morto, porém, Herodes, eis que o anjo do Senhor apareceu, num sonho, a José, no Egito, dizendo: Levanta-te, e toma o menino e sua mãe, e vai para a terra de Israel, porque já estão mortos os que procuravam a morte do menino. Então, ele se levantou, e tomou o menino e sua mãe, e foi para a terra de Israel. E, ouvindo que Arquelau reinava na Judeia em lugar de Herodes, seu pai, receou ir para lá; mas, avisado em sonhos por divina revelação, foi para as regiões da Galileia. E chegou e habitou numa cidade chamada Nazaré, para que se cumprisse o que fora dito pelos profetas: Ele será chamado Nazareno (MATEUS, 2:19-23).

3. A infância de Jesus

A infância de Jesus é marcada por percepções e revelações mediúnicas. Anteriormente, antes do seu nascimento, foram assinalados os sonhos de José e a aparição do anjo a Maria, anunciando-lhe a vinda do Senhor. Outros acontecimentos merecem destaque, como os que se seguem:

» E, quando os oito dias foram cumpridos para circuncidar o menino, foi-lhe dado o nome de Jesus, que pelo anjo lhe fora posto antes de ser concebido (LUCAS, 2:21).

» E, cumprindo-se os dias da purificação, segundo a lei de Moisés, o levaram a Jerusalém, para o apresentarem ao Senhor. Havia em Jerusalém um homem cujo nome era Simeão; e este homem era justo e temente a Deus, esperando a consolação de Israel; e o Espírito Santo estava sobre ele. E fora-lhe revelado pelo Espírito Santo que ele não morreria antes de ter visto o Cristo do Senhor. E, pelo Espírito, foi ao templo e, quando os pais trouxeram o menino Jesus, para com ele procederem segundo o uso da lei, ele, então, o tomou em seus braços, e louvou a Deus, e disse: Agora, Senhor, podes despedir em paz o teu servo, segundo a tua palavra, pois já os meus olhos viram a tua salvação, a qual tu preparaste perante a face de todos os povos, luz para alumiar as nações e para glória de teu povo Israel (LUCAS, 2:22; 25-32).

» De modo semelhante, Ana, profetiza de idade avançada que vivia no Templo, deu graças a Deus quando viu Jesus, afirmando ser Ele o que todos esperavam para a redenção de Jerusalém (Lucas, 2:36-37).

A despeito da indiferença ou das críticas ferinas que o Cristo e os seus auxiliares diretos têm recebido, ao longo dos séculos, sabemos que o amor do Senhor por todos nós está acima dessas pequenas questões. Cedo ou tarde a Humanidade reconhecerá a excelsitude do seu Espírito, o seu extremado amor e a sua orientação maior. A propósito esclarece Emmanuel:

> Debalde os escritores materialistas de todos os tempos vulgarizaram o grande acontecimento, ironizando os altos fenômenos mediúnicos que o precederam. As figuras de Simeão, Ana, Isabel, João Batista, José, bem como a personalidade sublimada de Maria, têm sido muitas vezes objeto de observações injustas e maliciosas; mas a realidade é que somente com o concurso daqueles mensageiros da Boa Nova, portadores da contribuição de fervor, crença e vida, poderia Jesus lançar na Terra os fundamentos da verdade inabalável.[7]

Aos 12 anos Jesus surpreende a todos, inclusive aos seus pais, quando dialoga com os doutores da Lei.

"Ora, todos os anos, iam seus pais a Jerusalém, à Festa da Páscoa. E, tendo Ele já doze anos, subiram a Jerusalém, segundo o costume do dia da festa. E, regressando eles, terminados aqueles dias, ficou o menino Jesus em Jerusalém, e não o souberam seus pais. Pensando, porém, eles que viria de companhia pelo caminho, andaram caminho de um dia e procuravam-no entre os parentes e conhecidos. E, como o não encontrassem, voltaram a Jerusalém em busca dele. E aconteceu que, passados três dias, o acharam no templo, assentado no meio dos doutores, ouvindo-os e interrogando-os. E todos os que o ouviam admiravam a sua inteligência e respostas" (Lucas, 2:41-47).

"E sua mãe guardava no coração todas essas coisas. E crescia Jesus em sabedoria, e em estatura, e em graça para com Deus e os homens" (Lucas, 2:51-52).

Permanece a incógnita, para os historiadores e para todos nós, os acontecimentos da vida de Jesus ocorridos entre os seus 13 e 30 anos. Existem muitas especulações, mas sem nenhuma comprovação efetiva.

Há [...] quem o veja entre os essênios, aprendendo as suas doutrinas, antes do seu messianismo de amor e de redenção. As próprias esferas mais próximas da Terra, que pela força das circunstâncias se acercam mais das controvérsias dos homens que do sincero aprendizado dos espíritos estudiosos e desprendidos do orbe, refletem as opiniões contraditórias da Humanidade, a respeito do Salvador de todas as criaturas. O Mestre, porém, não obstante a elevada cultura das escolas essênicas, não necessitou da sua contribuição. Desde os seus primeiros dias na Terra, mostrou-se tal qual era, com a superioridade que o planeta lhe conheceu desde os tempos longínquos do princípio.[9]

Em todos os momentos da vida do Cristo, um fato se evidencia: Ele sempre dá "a César o que é de César e a Deus o que é de Deus" (MATEUS, 22:21). Neste sentido, submete-se ao batismo proposto por João Batista.

Então, veio Jesus da Galileia ter com João junto do Jordão, para ser batizado por Ele. Mas João opunha-se-lhe, dizendo: Eu careço de ser batizado por ti, e vens tu a mim? Jesus, porém, respondendo, disse-lhe: Deixa por agora, porque assim nos convém cumprir toda a justiça. Então, ele o permitiu. E, sendo Jesus batizado, saiu logo da água, e eis que se lhe abriram os céus, e viu o Espírito de Deus descendo como pomba e vindo sobre ele. E eis que uma voz dos céus dizia: Este é o meu Filho amado, em quem me comprazo. [...] Jesus, porém, ouvindo que João estava preso, voltou para a Galileia. E, deixando Nazaré, foi habitar em Cafarnaum, cidade marítima, nos confins de Zebulom e Naftali, para que se cumprisse o que foi dito pelo profeta Isaías, que diz: A terra de Zebulom e a terra de Naftali, junto ao caminho do mar, além do Jordão, a Galileia das nações, o povo que estava assentado em trevas viu uma grande luz; e aos que estavam assentados na região e sombra da morte a luz raiou. Desde então, começou Jesus a pregar e a dizer: Arrependei--vos, porque é chegado o Reino dos céus (MATEUS, 3:13-17; 4:12-17).

Referências

1. KARDEC, Allan. *Obras póstumas*. Tradução de Guillon Ribeiro. 38. ed. Rio de Janeiro: FEB, 2006. Primeira parte, Item 7: Predição dos profetas com relação a Jesus, p. 145.
2. DICIONÁRIO DA BÍBLIA. Vol. *As pessoas e os lugares*. Organizado por Bruce M. Metzer e Michael D. Coogan. Tradução de Maria Luiza X. de A. Borges. Jorge Zahar: Rio de Janeiro, 2002, p. 112.

3. FRANCO, Divaldo Pereira. *Primícias do reino*. Pelo Espírito Amélia Rodrigues. 4. ed. Salvador [BA]: LEAL, 1987. Item: Respingos históricos, p. 20-21.

4. SELEÇÕES DO Reader's Digest. *Guia completo da Bíblia: as sagradas escrituras comentadas e ricamente ilustradas*. Tradução de Alda Porto... [et al.] Rio de Janeiro: Reader's Digest, 2003, p. 312.

5. _____._____. p. 313.

6. VINICIUS. *Na seara do mestre*. 9. ed. Rio de Janeiro: FEB, 2000. Cap. No princípio era o Verbo, p. 177.

7. XAVIER, Francisco Cândido. *Antologia mediúnica de natal*. Por diversos Espíritos. 5. ed. Rio de Janeiro: FEB, 2002. Cap. 69 (A Vinda de Jesus – mensagem do Espírito Emmanuel), p. 190.

8. _____. *A caminho da luz*. Pelo Espírito Emmanuel. 33. ed. Rio de Janeiro: FEB, 2006. Cap. 12 (A vinda de Jesus), item: A manjedoura, p. 105.

9. _____._____. Item: O Cristo e os essênios, p. 106.

10. _____._____. Item: O cumprimento das profecias de Israel, p. 10.

Orientações ao monitor

Realizar breve exposição introdutória do assunto, seguida de trabalho em grupo, focalizando o estudo dos seguintes itens: a) as previsões da vinda do Cristo; b) o nascimento de Jesus; c) a infância de Jesus; d) o início da missão de Jesus.

O CRISTIANISMO

Roteiro 2

MARIA, MÃE DE JESUS

Objetivos

» Destacar a importância de Maria de Nazaré, segundo o pensamento espírita.

Ideias principais

» Buscando [...] *alguém no mundo para exercer a necessária tutela sobre a vida preciosa do Embaixador divino, o supremo poder do Universo não hesitou em recorrer à abnegada mulher, escondida num lar apagado e simples...* Emmanuel: *Religião dos espíritos*, p. 132.

» *Então disse Maria: Aqui está a serva do Senhor, que se cumpra em mim conforme a tua palavra* (Lucas, 1:38).

Subsídios

Maria, segundo informações das fontes cristãs antigas, era filha de pais judeus, Joaquim e Ana. Há dúvidas quanto ao local exato do seu nascimento — ocorrido entre 18 ou 20 a.C. —, em Jerusalém ou em Séforis, na Galileia. Possivelmente, ela casou aos 14 anos, como era comum à época.[4]

Durante a sua infância viveu em Nazaré, onde ficou noiva do carpinteiro José, da tribo de Davi.[4]

Algumas fontes históricas indicam que Maria e José tiveram outros filhos, depois de Jesus. Não há, porém, provas ou evidências concretas. O Evangelho segundo Lucas é a principal fonte bíblica sobre Maria cuja referência é feita em momentos específicos: na aparição do anjo para anunciar a vinda de Jesus; na visita de Maria à sua prima Isabel; no nascimento de Jesus, em uma estrebaria da cidade de Belém; na chegada dos magos, logo após o nascimento do Cristo; na fuga para o Egito, em razão da perseguição de Herodes; no retorno à Galileia, após a morte de Herodes; na visita ao templo, durante o período da purificação, quando encontra Simeão e Ana, a profetiza; no diálogo de Jesus com os doutores; nas bodas de Caná; na crucificação de Jesus e no dia de Pentecostes.

As tradições cristãs revelam que Maria ficou sob o amparo do apóstolo e evangelista João, em Jerusalém e em Éfeso, atendendo a orientação de Jesus. Acredita-se que ela tenha morrido em Jerusalém.[5]

Há quem afirme, porém, que sua "ascenção aos céus" ocorreu em Éfeso.

Esta questão deve ser analisada com cuidado. A ascensão de Maria, em termos espíritas, deve ser vista como num desdobramento seguido de materialização — à semelhança do que acontecia com Antônio de Pádua — , ou materialização do seu Espírito, após a desencarnação. Não se sabe ao certo quando ela morreu.

Maria (ou Miriam) é um nome de origem hebraica, significando: *Senhora da Luz*. Sua figura no Novo Testamento é discreta, o que não diminui seu valor e a sua importância.

> Buscando [...] alguém no mundo para exercer a necessária tutela sobre a vida, preciosa do Embaixador divino, o supremo poder do Universo não hesitou em recorrer à abnegada mulher, escondida num lar apagado e simples...
>
> Humilde, ocultava a experiência dos sábios; frágil como o lírio, trazia consigo a resistência do diamante; pobre entre os pobres, carreava na própria virtude os tesouros incorruptíveis do coração, e, desvalida entre os homens, era grande e prestigiosa perante Deus.[15]

Vemos, também, que a sua figura é reverenciada com carinho e profunda gratidão, como a sublime mãe de Jesus ou, simplesmente, Maria de Nazaré.

No Espiritismo — doutrina que se assenta em bases científicas, filosóficas e religiosas, nesta última, como Cristianismo redivivo, caracteriza o Consolador prometido por Jesus — também aprendemos a reconhecer em Maria uma Entidade evoluidíssima, que já havia conquistado, há (mais de) 2000 anos, elevadas virtudes, tornando-a apta a desempenhar na crosta terrestre tão elevada missão, recebendo em seus braços o Emissário de Deus que se fez menino para se transformar "no modelo da perfeição moral que a Humanidade pode pretender sobre a Terra".

Além do que se conhece nas antigas tradições religiosas, especialmente no Novo Testamento, encontramos na literatura espírita outros importantes dados biográficos de Maria, que vieram até nós por via mediúnica, naturalmente extraídos de arquivos fidedignos do mundo espiritual, revelando-nos que ela continua até hoje zelando com muito carinho pela humanidade terrestre, encarnada e desencarnada.[1]

Maria de Nazaré simboliza "[...] terras de virtudes fartas, o mesmo não sucede aos apóstolos que, a cada passo, necessitam recorrer à fonte das lágrimas que escorrem do monturo de remorsos e fraquezas [...]".[14]

Por ser um Espírito de grandes conquistas evolutivas e virtudes, consciente de sua tarefa, curva-se, humilde, diante do anjo que, em nome do Pai, lhe anuncia que será a mãe de Jesus, o Salvador, dizendo: "Eis aqui a serva do Senhor, cumpra-se em mim segundo a tua palavra" (LUCAS, 1:38).

Maria profere um dos mais belos cânticos de louvor e agradecimento a Deus, após a visita do anjo que lhe informou sobre a vinda do Cristo.

> A minha alma engrandece ao Senhor, e o meu espírito se alegra em Deus, meu Salvador, porque atentou na humildade de sua serva; pois eis que, desde agora, todas as gerações me chamarão bem-aventurada. Porque me fez grandes coisas o Poderoso; e Santo é o seu nome. E a sua misericórdia é de geração em geração sobre os que o temem. Com o seu braço, agiu valorosamente, dissipou os soberbos no pensamento de seu coração, depôs dos tronos os poderosos e elevou os humildes; encheu de bens os famintos, despediu vazios os ricos, e auxiliou a Israel, seu servo, recordando-se da sua misericórdia (como falou a nossos pais) para com Abraão e sua posteridade, para sempre (LUCAS, 1:46-55).

Muitas obras espíritas enfocam a figura de Maria como de grande importância para os cristãos.

No artigo "Notícias de Maria, a mãe de Jesus", publicado no *Anuário espírita* de 1986, encontramos informações a respeito dessa figura ímpar da história do Cristianismo. No livro *Boa nova*, o Espírito Humberto de Campos destaca:

Maria foi cognominada de "bendita" ou "bem-aventurada" porque foi a escolhida para ser a mãe de Jesus. Esta informação está em Lucas, em dois momentos diferentes:

» Quando o anjo anuncia a vinda de Jesus: "Salve, agraciada; o Senhor é contido; bendita és tu entre as mulheres" (LUCAS, 1:28).

» Quando da visita à prima Isabel: "Bendita és tu entre as mulheres, e é bendito o fruto do teu ventre" (LUCAS, 1:42).

Além dos relatos evangélicos, Maria é também mencionada nos escritos de alguns pais da Igreja Católica Romana, entre os quais, Justino Inácio, Tertuliano e Atanásio. Em obras cristãs, não incluídas nos cânones da igreja de Roma, isto é, nas escrituras apócrifas, encontramos referências sempre respeitosas a Maria. No evangelho de Tiago e na deliberação do Concílio de Éfeso (431 E.C.), ela foi proclamada *Theotokos*, isto é, "Portadora de Deus". Importa considerar, como referência histórica, a existência de uma escritura apócrifa denominada "O evangelho gnóstico de Maria", e outra produzida na Idade Média, intitulada "Evangelho do nascimento de Maria."[6]

Essas e outras obras serviram de base para o culto a Maria, existente, em especial, nas igrejas católica romana e ortodoxa.[6]

O autor de *Boa nova*, nos revela momentos pungentes da vida de Maria, como, por exemplo, durante a crucificação de Jesus.

Humberto de Campos descreve a dor profunda e silenciosa de Maria, que comove e causa admiração, nos fazendo refletir a respeito da grandiosidade desse Espírito.

> Junto da cruz, o vulto agoniado de Maria produzia dolorosa e indelével impressão. Com o pensamento ansioso e torturado, olhos fixos no madeiro das perfídias humanas, a ternura materna regredia ao passado em amarguradas recordações. Ali estava, na hora extrema, o filho bem-amado.

Maria deixava-se ir na corrente infinda das lembranças. Eram as circunstâncias maravilhosas em que o nascimento de Jesus lhe fora anunciado, a amizade de Izabel, as profecias do velho Simeão, reconhecendo que a assistência de Deus se tornara incontestável nos menores detalhes de sua vida. Naquele instante supremo revia, a manjedoura, na sua beleza agreste, sentindo que a Natureza parecia desejar redizer aos seus ouvidos o cântico de glória daquela noite inolvidável. Através do véu espesso das lágrimas, repassou, uma por uma, as cenas da infância do filho estremecido, observando o alarma interior das mais doces reminiscências.

Nas menores coisas, reconhecia a intervenção da Providência celestial; entretanto, naquela hora, seu pensamento vagava também pelo vasto mar das mais aflitivas interrogações. [...]

Que profundos desígnios haviam conduzido seu filho adorado à cruz do suplício?

Uma voz amiga lhe falava ao espírito, dizendo das determinações insondáveis e justas de Deus, que precisam ser aceitas para a redenção divina das criaturas. Seu coração rebentava em tempestades de lágrimas irreprimíveis; contudo, no santuário da consciência, repetia a sua afirmação de sincera humildade: "Faça-se na escrava a vontade do Senhor!"[9]

Resignada diante do maior testemunho da sua missão, Maria sente uma mão amiga tocar o seu ombro. Era o apóstolo João a lhe estender os braços amorosos e reconhecidos. Ambos, compungidos por tanta dor, buscam o olhar de Jesus como a suplicar entendimento. Fala, então, Maria a Jesus:

"Meu filho! Meu amado filho!..." [...]

O Cristo pareceu meditar no auge de suas dores, mas, como se quisesse demonstrar, no instante derradeiro, a grandeza de sua coragem e a sua perfeita comunhão com Deus, replicou com significativo movimento dos olhos vigilantes:

"Mãe, eis aí teu filho!..." — E dirigindo-se, de modo especial, com um leve aceno, ao apóstolo, disse: Filho, eis aí tua mãe![10]

Tempos depois, relata o Espírito amigo, que João, recordando-se das observações feitas pelo Mestre, vai ao encontro de Maria e conta--lhe sobre sua nova vida entre almas devotadas e sinceras no exercício dos ensinamentos cristãos. Num misto de reconhecimento e ventura Maria se instala junto ao dedicado apóstolo, em Éfeso.

A casa de João [...] ao cabo de algumas semanas, se transformou num ponto de assembleias adoráveis, onde as recordações do Messias eram cultuadas por espíritos humildes e sinceros.

Maria externava as suas lembranças. Falava dele com maternal enternecimento, enquanto o apóstolo comentava as verdades evangélicas, apreciando os ensinos recebidos. [...] Decorridos alguns meses, grandes fileiras de necessitados acorriam ao sítio singelo e generoso. A notícia que Maria descansava, agora, entre eles, espalhara um clarão de esperança por todos os sofredores. Ao passo que João pregava na cidade as verdades de Deus, ela atendia, no pobre santuário doméstico, aos que a procuravam exibindo-lhe suas úlceras e necessidades.

Sua choupana era, então, conhecida pelo nome de "Casa da Santíssima".[11]

Os anos passaram sem que Maria deixasse, um dia, de amparar e transmitir ao coração do povo as mensagens da Boa Nova. Ao chegar à velhice não sente cansaço nem amarguras. E num dia, durante as suas orações, relata-nos, ainda, Humberto de Campos:

Enlevada nas suas meditações, Maria viu aproximar-se o vulto de um pedinte.

— Minha mãe — exclamou o recém-chegado, como tantos outros que recorriam ao seu carinho —, venho fazer-te companhia e receber tua bênção.

Maternalmente, ela o convidou a entrar, impressionada com aquela voz que lhe inspirava profunda simpatia. O peregrino lhe falou do céu, confortando-a delicadamente. Comentou as bem-aventuranças divinas que aguardam a todos os devotados e sinceros filhos de Deus, [...]. Maria sentiu-se empolgada por tocante surpresa. Que mendigo seria aquele que lhe acalmava as dores secretas da alma saudosa, com bálsamos tão dulçorosos? Nenhum lhe surgira até então para dar; era sempre para pedir alguma coisa. [...] Seus olhos se umedeceram de ventura, sem que conseguisse explicar a razão de sua terna emotividade.

Foi quando o hóspede anônimo lhe estendeu as mãos generosas e lhe falou com profundo acento de amor:

— Minha mãe, vem aos meus braços!

Nesse instante, fitou as mãos nobres que se lhe ofereciam, num gesto da mais bela ternura. Tomada de comoção profunda, viu nelas duas chagas, como as que seu filho revelava na cruz, e instintivamente, dirigindo o olhar ansioso para os pés do peregrino amigo, divisou também aí as úlceras causadas pelos cravos do suplício. Não pôde mais. Compreendendo a visita amorosa que Deus lhe enviava ao coração, bradou com infinita alegria:

— Meu filho! Meu filho! As úlceras que te fizeram!...

[...] Num ímpeto de amor, fez um movimento para se ajoelhar. Queria abraçar-se aos pés do seu Jesus e osculá-los com ternura. Ele, porém, levantando-a, cercado de um halo de luz celestial, se lhe ajoelhou aos pés e beijando-lhe as mãos, disse em carinhoso transporte:

— Sim, minha mãe, sou eu!... Venho buscar-te, pois meu Pai quer que sejas no meu reino a Rainha dos anjos...[12]

Maria sempre dedicou assistência aos sofredores, como registrou Yvonne Pereira no livro *Memórias de um suicida*. A obra descreve a assistência aos suicidas, em profundo sofrimento no Além pela Legião dos servos, "chefiada pelo grande Espírito Maria de Nazaré,[3] ser angélico e sublime que na Terra mereceu a missão honrosa de seguir, com solicitudes maternais, aquele que foi o redentor dos homens!".[3 e 7]

Muitas são as histórias que envolvem a ação de Maria de Nazaré em benefício dos que sofrem. No livro *Ação e reação*, André Luiz relata o caso de uma senhora que orava fervorosamente, rogando a proteção de Maria de Nazaré pelos filhos transviados. O instrutor Silas, citado na referida obra explica a André Luiz: "[...] Petições semelhantes a esta elevam-se a planos superiores e ai são acolhidas pelos emissários da Virgem de Nazaré, a fim de serem examinadas e atendidas, conforme o critério da verdadeira sabedoria."[8]

Em diversas obras os Espíritos superiores fazem referência à dedicação de Maria aos sofredores. Lembramos, a propósito, a reverência que o Espírito Bittencourt Sampaio faz à mãe de Jesus em tocante oração:

Anjo dos bons e Mãe dos pecadores,

Enquanto ruge o mal, Senhora, enquanto

Reina a sombra da angústia, abre o teu manto,

Que agasalha e consola as nossas dores.

Nos caminhos do mundo, há treva e pranto.

No infortúnio dos homens sofredores,

Volve à Terra ferida de amargores
O teu olhar imaculado e santo!
Ó Rainha dos anjos, meiga e pura,
Estende tuas mãos à desventura
E ajuda-nos, ainda, Mãe piedosa!
Conduze-nos às bênçãos do teu porto
E salva o mundo em guerra e desconforto,
Clareando-lhe a noite tormentosa...[13]

Referências

1. ANUÁRIO ESPÍRITA. Diversos autores. Ano XXIII, nº 23. Araras: IDE, 1986. Item: Fatos mediúnicos (Notícias de Maria, mãe de Jesus), p. 13.
2. _____._____. p. 14.
3. _____._____. p. 18.
4. DICIONÁRIO DA BÍBLIA. Vol. 1: As pessoas e os lugares. Organizado por Bruce M. Metzger e Michael D. Coogan. Tradução de Maria Luiza X. de A. Borges. Jorge Zahar: Rio de Janeiro, 2002, p. 195.
5. _____._____. p. 195-196.
6. _____._____. p. 196.
7. PEREIRA, Yvonne A. *Memórias de um suicida*. 25. ed. Rio de Janeiro: FEB, 2003. Cap. 3 (No hospital "Maria de Nazaré"), item: Departamento de vigilância, p. 57.
8. XAVIER, Francisco Cândido. *Ação e reação*. 26. ed. Rio de Janeiro: FEB, 2004. Cap. 11 (O templo e o parlatório), p. 200-201.
9. _____. *Boa nova*. Pelo Espírito Humberto de Campos. 35. ed. Rio de Janeiro: FEB, 2006. Cap. 30 (Maria), p. 196-197.
10. _____._____. p. 198.
11. _____._____. p. 201-202.
12. _____._____. p. 204-205.
13. _____. *Mãe*. Diversos Espíritos. 3. ed. Matão, SP. Casa Editora O Clarim. 1974. Item: Súplica à Mãe Santíssima, p. 43.
14. _____. *Pão nosso*. Pelo Espírito Emmanuel. 28. ed. Rio de Janeiro: FEB, 2006. Cap. 121 (Monturo), p. 257-258.
15. _____. *Religião dos espíritos*. 19. ed. Rio de Janeiro: FEB, 2006. Item: A mulher ante o Cristo, p. 132.

Orientações ao monitor

Promover uma ampla troca de ideias com os participantes, destacando a excelsitude do Espírito Maria, mãe de Jesus.

EADE – LIVRO I | MÓDULO II

O CRISTIANISMO

Roteiro 3

JOÃO BATISTA – O PRECURSOR

Objetivos

» Identificar a missão de João Batista como precursor de Jesus

Ideias principais

» *Então, um anjo do Senhor lhe apareceu, posto em pé, à direita do altar do incenso.*

E Zacarias, vendo-o, turbou-se, e caiu temor sobre ele. Mas o anjo lhe disse: Zacarias, não temas, porque a tua oração foi ouvida, e Isabel, tua mulher, dará à luz um filho, e lhe porás o nome de João. E terás prazer e alegria, e muitos se alegrarão no seu nascimento, porque será grande diante do Senhor, e não beberá vinho, nem bebida forte, e será cheio do Espírito Santo, já desde o ventre de sua mãe (LUCAS, 1:11-15).

» *Em verdade vos digo que, entre os que de mulher têm nascido, não apareceu alguém maior do que João Batista; mas aquele que é o menor no Reino dos céus é maior do que ele* (MATEUS, 11:11).

Subsídios

1. O nascimento de João Batista

O nascimento de João Batista foi revestido de um clima de expectativas e surpresas, uma vez que Isabel, sua mãe, encontrava-se numa idade em que, usualmente, as mulheres não engravidam.

Existiu, no tempo de Herodes, rei da Judeia, um sacerdote chamado Zacarias, da ordem de Abias, e cuja mulher era das filhas de Arão; o nome dela era Isabel. E eram ambos justos perante Deus, vivendo irrepreensivelmente em todos os mandamentos e preceitos do Senhor. E não tinham filhos, porque Isabel era estéril, e ambos eram avançados em idade. E aconteceu que, exercendo ele o sacerdócio diante de Deus, na ordem da sua turma, segundo o costume sacerdotal, coube-lhe em sorte entrar no templo do Senhor para oferecer o incenso. E toda a multidão do povo estava fora, orando, à hora do incenso. Então, um anjo do Senhor lhe apareceu, posto em pé, à direita do altar do incenso. E Zacarias, vendo-o, turbou-se, e caiu temor sobre ele. Mas o anjo lhe disse: Zacarias, não temas, porque a tua oração foi ouvida, e Isabel, tua mulher, dará à luz um filho, e lhe porás o nome de João. E terás prazer e alegria, e muitos se alegrarão no seu nascimento, porque será grande diante do Senhor, e não beberá vinho, nem bebida forte, e será cheio do Espírito Santo, já desde o ventre de sua mãe. E converterá muitos dos filhos de Israel ao Senhor, seu Deus, e irá adiante dele no espírito e virtude de Elias, para converter o coração dos pais aos filhos e os rebeldes, à prudência dos justos, com o fim de preparar ao Senhor um povo bem-disposto. Disse, então, Zacarias ao anjo: Como saberei isso? Pois eu já sou velho, e minha mulher, avançada em idade. E, respondendo o anjo, disse-lhe: Eu sou Gabriel, que assisto diante de Deus, e fui enviado a falar-te e dar-te estas alegres novas. Todavia, ficarás mudo e não poderás falar até o dia em que estas coisas aconteçam, porquanto não creste nas minhas palavras, que a seu tempo se hão de cumprir. E o povo estava esperando a Zacarias e maravilhava-se de que tanto se demorasse no templo. E, saindo ele, não lhes podia falar; e entenderam que tivera alguma visão no templo. E falava por acenos e ficou mudo. E sucedeu que, terminados os dias de seu ministério, voltou para sua casa. E, depois daqueles dias, Isabel, sua mulher, concebeu e, por cinco meses, se ocultou, dizendo: Assim me fez o Senhor, nos dias em que atentou em mim, para destruir o meu opróbrio entre os homens (LUCAS, 1:5-25).

Foi necessário que ocorresse a mudez de Zacarias, não como um castigo, mas para que se cumprisse as predições anunciadas pelo anjo. O povo deveria perceber que alguém especial iria nascer, um Espírito consagrado a Deus; um profeta enviado para anunciar a vinda do Messias, previsto nas escrituras e ardentemente aguardado pelos judeus.

E completou-se para Isabel o tempo de dar à luz, e teve um filho. E os seus vizinhos e parentes ouviram que tinha Deus usado para com ela de grande misericórdia e alegraram-se com ela. E aconteceu que, ao oitavo dia, vieram circuncidar o menino e lhe chamavam Zacarias, o nome de seu pai. E, respondendo sua mãe, disse: Não, porém será chamado João. E disseram-lhe: Ninguém há na tua parentela que se chame por este nome. E perguntaram, por acenos, ao pai como queria que lhe chamassem. E, pedindo ele uma tabuinha de escrever, escreveu, dizendo: O seu nome é João. E todos se maravilharam. E logo a boca se lhe abriu, e a língua se lhe soltou; e falava, louvando a Deus. E veio temor sobre todos os seus vizinhos, e em todas as montanhas da Judeia foram divulgadas todas essas coisas. E todos os que as ouviam as conservavam em seu coração, dizendo: Quem será, pois, este menino? E a mão do Senhor estava com ele (LUCAS, 1:57-66).

João Batista desenvolvia-se plenamente, preparando-se para a sua missão. O menino crescia e se robustecia em espírito, e esteve nos desertos até o dia em que havia de mostrar-se a Israel (LUCAS, 1:80).

As mãos de Deus, indiscutivelmente, pousavam sobre o seu lar. Depois... Ao seguir para o deserto, vestiu-se como o antigo profeta Elias: uma pele de camelo no corpo, em volta dos rins um cinto de couro... Iniciara o ministério por volta do ano 15 do império de Tibério César, sendo Pôncio Pilatos, governador da Judeia e Herodes Antipas tetrarca da Galileia...[1]

2. João Batista, o precursor

Apareceu João batizando no deserto e pregando o batismo de arrependimento, para remissão de pecados. E toda a província da Judeia e todos os habitantes de Jerusalém iam ter com ele; e todos eram batizados por ele no rio Jordão, confessando os seus pecados.

> E João andava vestido de pelos de camelo e com um cinto de couro em redor de seus lombos, e comia gafanhotos e mel silvestre, e pregava, dizendo: Após mim vem aquele que é mais forte do que eu, do qual não sou digno de, abaixando-me, desatar a correia das sandálias. Eu, em verdade, tenho-vos batizado com água; Ele, porém, vos batizará com o Espírito Santo (MARCOS, 1:4-8).

João Batista veio de uma linhagem sacerdotal, mas não seguiu o sacerdócio, pelo menos na forma como o seu pai praticava. Adotou um modo de vida simples, ascético, alimentando-se com frugalidade (de mel e gafanhotos) e vivendo, mais tempo, no deserto da Judeia. Foi um profeta.

> Pregador rude, homem de viver austeríssimo, desprezou as comodidades da vida, a ponto de se alimentar com o que achava no deserto e de se vestir com a pele de animais. Assim, impressionou fortemente o povo, que acorria a ouvi-lo e a pedir-lhe conselhos. Poderoso médium inspirado, foi o transmissor das mensagens do Alto, pelas quais se anunciava a chegada do Mestre e o começo dos trabalhos de regeneração da Humanidade. A todos que queriam tornar-se dignos do reino dos céus, João aconselhava que fizessem penitência. Qual seria essa penitência, primeiro passo a ser dado em direção ao reino de Deus? Não eram as longas orações, nem os donativos e esmolas; nem as peregrinações aos lugares santos; nem as construções de capelas; nem jejuns; nem votos; nem as promessas; não era a adoração de imagens nem a entronização delas. A penitência não consistia em formalidades exteriores, mas sim na reforma do caráter e na retificação dos atos errados que cada um tinha praticado.[4]

Após o período passado no deserto, João Batista inicia a sua pregação. Com zelo profético ele anuncia a vinda do Reino dos céus.

Transcorridos alguns anos, vamos encontrar o Batista na sua gloriosa tarefa de preparação do caminho à Verdade, precedendo o trabalho divino do amor, que o mundo conheceria em Jesus Cristo.

> João, de fato, partiu primeiro, a fim de executar as operações iniciais para a grandiosa conquista. [...] esclarecendo com energia e deixando-se degolar em testemunho à Verdade, ele precedeu a lição da misericórdia e da bondade. O Mestre dos mestres quis colocar a figura franca e áspera do seu profeta no limiar de seus gloriosos ensinos e, por isso, encontramos em João Batista um dos mais belos de todos os símbolos

imortais do Cristianismo. [...] João era a verdade, e a verdade, na sua tarefa de aperfeiçoamento, dilacera e magoa, deixando-se levar aos sacrifícios extremos.[8]

A pregação de João Batista, todavia, era contundente, desagradando a muitos, em consequência. Revelava um temperamento ardente, apaixonado.

Como a dor que precede as poderosas manifestações da luz no íntimo dos corações, ela recebe o bloco de mármore bruto e lhe trabalha as asperezas para que a obra do amor surja, em sua pureza divina. João Batista foi a voz clamante do deserto. Operário da primeira hora, é ele o símbolo rude da verdade que arranca as mais fortes raízes do mundo, para que o Reino de Deus prevaleça nos corações. Exprimindo a austera disciplina que antecede a espontaneidade do amor, a luta para que se desfaçam as sombras do caminho, João é o primeiro sinal do cristão ativo, em guerra com as próprias imperfeições do seu mundo interior, a fim de estabelecer em si mesmo o santuário de sua realização com o Cristo. Foi por essa razão que dele disse Jesus: "Dos nascidos de mulher, João Batista é o maior de todos".[8]

A fama de João Batista chega, então até os sacerdotes judeus e aos levitas que resolvem interrogá-lo.

Quem és tu? E confessou e não negou; confessou: Eu não sou o Cristo. E perguntaram-lhe: Então, quem és, pois? És tu Elias? E disse: Não sou. És tu o profeta? E respondeu: Não. Disseram-lhe, pois: Quem és, para que demos resposta àqueles que nos enviaram? Que dizes de ti mesmo? Disse: Eu sou a voz do que clama no deserto: Endireitai o caminho do Senhor, como disse o profeta Isaías. E os que tinham sido enviados eram dos fariseus, e perguntaram-lhe, e disseram-lhe: Por que batizas, pois, se tu não és o Cristo, nem Elias, nem o profeta? João respondeu-lhes, dizendo: Eu batizo com água, mas, no meio de vós, está um a quem vós não conheceis. Este é aquele que vem após mim, que foi antes de mim, do qual eu não sou digno de desatar as correias das sandálias. Essas coisas aconteceram em Betânia, do outro lado do Jordão, onde João estava batizando. No dia seguinte, João viu a Jesus, que vinha para ele, e disse: Eis o Cordeiro de Deus, que tira o pecado do mundo. Este é aquele do qual eu disse: após mim vem um homem que foi antes de mim, porque já era primeiro do que eu (JOÃO, 1:19-30).

Posteriormente, vamos ver que é o próprio Cristo quem testemunharia a respeito de João Batista, enaltecendo a sua missão: "Em verdade vos digo que, entre os que de mulher têm nascido, não apareceu alguém maior do que João Batista" (MATEUS, 11:11).

Enfim, João Batista arcaria com a responsabilidade de abrir para a Humanidade a era evangélica. Por isso é que Jesus diz que dos nascidos de mulher, nenhum foi maior do que João Batista; isto é, não se encarnou ainda nenhum Espírito com missão maior do que a de João Batista. [...] Jesus, conquanto justifique o amor que o povo consagrava a João Batista, adverte-o de que no mundo espiritual existiam Espíritos ainda maiores, por serem mais evoluídos que João Batista.[5]

O Espiritismo aceita a ideia de ser João Batista a reencarnação do profeta Elias. Há muitas semelhanças na personalidade de ambos, indicativas de que se tratava do mesmo Espírito. O próprio Jesus afirma, segundo as anotações de Mateus: "Porque todos os profetas e a lei profetizaram até João. E, se quereis dar crédito, é este o Elias que havia de vir. Quem tem ouvidos para ouvir que ouça" (MATEUS, 11:13-15). Em um outro momento, após o fenômeno da transfiguração, os apóstolos Pedro, Tiago e João, ao descerem do monte, são orientados por Jesus a guardarem silêncio sobre o que presenciaram (transfiguração).

E, descendo eles do monte, Jesus lhes ordenou, dizendo: A ninguém conteis a visão até que o Filho do Homem seja ressuscitado dos mortos. E os seus discípulos o interrogaram, dizendo: Por que dizem, então, os escribas que é mister que Elias venha primeiro? E Jesus, respondendo, disse-lhes: Em verdade Elias virá primeiro e restaurará todas as coisas. Mas digo-vos que Elias já veio, e não o conheceram, mas fizeram-lhe tudo o que quiseram. Assim farão eles também padecer o Filho do Homem. Então, entenderam os discípulos que lhes falara de João Batista (MATEUS, 17:9-13).

As pregações de João Batista, a despeito de agradarem o povo, eram criticadas pelos sacerdotes e familiares do rei Herodes.

A mensagem de João Batista caiu em Israel como fogo na palha. [...] As multidões que o ouviam incluíam publicanos e prostitutas. [...] O Judaísmo nunca se deparara com nada exatamente igual a isso [...].[2]

João Batista desagradava os sacerdotes porque introduziu modificações nas práticas religiosas do Judaísmo. Em primeiro lugar estabelece, no batismo pela água, uma forma de renascimento ou metáfora da redenção espiritual. Segundo as suas orientações, a pessoa nascia judeu, mas para se redimir deveria passar por um processo simbólico de renascimento. "O rito de João era tão singular que foi nomeado segundo ele ("Batista"), e Jesus claramente o vê como dado a João por Deus mediante revelação."[2]

Outro ponto, provocador de sérias controvérsias religiosas entre o clero judaico, foi o fato de João não fazer caso do templo judaico e dos seus ritos; talvez a rejeição dos sacerdotes a João tenha relação primordial com a onda generalizada de repulsa à corrupção do templo e dos seus sacerdotes no século I d.C., e que foi asperamente criticada pelo precursor.[2]

A família real também detestava João Batista porque dele recebia, em público, constantes críticas a respeito do modo indecoroso em que viviam.

> Festejando-se, porém, o dia natalício de Herodes, dançou a filha de Herodias diante dele e agradou a Herodes, pelo que prometeu, com juramento, dar-lhe tudo o que pedisse. E ela, instruída previamente por sua mãe, disse: Dá-me aqui num prato a cabeça de João Batista. E o rei afligiu-se, mas, por causa do juramento e dos que estavam à mesa com ele, ordenou que se lhe desse. E mandou degolar João no cárcere, e a sua cabeça foi trazida num prato e dada à jovem, e ela a levou a sua mãe. E chegaram os seus discípulos, e levaram o corpo, e o sepultaram, e foram anunciá-lo a Jesus (MATEUS, 14:6-12).

O nascimento e vida de João Batista teve uma única finalidade, segundo o Espiritismo: anunciar a vinda do Cristo, daí ser ele chamado — com justiça — o precursor.

João Batista é o símbolo do cristão que se sacrifica pela Verdade. Todavia João Batista não sofreu unicamente pela Verdade que pregava. Em virtude da lei de causa e efeito, sabemos que não há efeito sem causa. Por conseguinte, para que João Batista sofresse a pena de decapitação é porque ainda tinha dívidas de encarnações anteriores a pagar. Apesar do alto grau de espiritualidade que tinha alcançado, João teve de passar pela mesma pena que infligira aos outros. De fato, se João Batista era Elias, poderemos ver nessa decapitação o saldo da dívida que tinha contraído quando, como Elias, mandou decapitar os sacerdotes de Baal. É Justiça divina que se cumpre, nada deixando sem pagamento.[7]

Após João Batista, o povo judeu não teve outro profeta. Foi o último de uma linhagem que se preparou para trazer ao mundo a mensagem de Jesus.

João é o último profeta enviado pelo Senhor para ensinar os homens a viverem de acordo com os mandamentos divinos. De agora em diante Jesus legará o Evangelho ao mundo, como um roteiro seguro que o conduzirá a Deus. E hoje temos o Espiritismo, um profeta que está em toda parte, falando ao coração e à inteligência de todas as criaturas: aos humildes e aos letrados, aos pobres e aos ricos, aos sãos e aos doentes, espalhando ensinamentos espirituais de fácil compreensão.[6]

Referências

1. FRANCO, Divaldo Pereira. *Primícias do reino*. Pelo Espírito Amélia Rodrigues. 4. ed. Salvador [BA]: LEAL, 1987, p. 20-21 (Respingos históricos).
2. DICIONÁRIO DA BÍBLIA. Vol. 1: As pessoas e os lugares. Organizado por Bruce M. Metzer e Michael D. Coogan. Tradução de Maria Luiza X. de A. Borges. Rio de Janeiro: Jorge Zahar, 2002, p. 161.
3. GODOY, Paulo Alves. *O evangelho por dentro*. 2. ed. São Paulo: FEESP, 1992, p. 133 (João Batista – o precursor de Jesus Cristo).
4. RIGONATTI, Eliseu. *O evangelho dos humildes*. 15. ed. São Paulo: Editora Pensamento – Cultrix, 2003. Cap. 3, p. 17.
5. _____._____. Cap. 11, p. 104.
6. _____._____. p. 104-105.
7. _____._____. Cap. 14, p. 142-143.
8. XAVIER, Francisco Cândido. *Boa nova*. Pelo Espírito Humberto de Campos. 33. ed. Rio de Janeiro: FEB, 2005. Cap. 2 (Jesus e o precursor), p. 24.

EADE – LIVRO I | MÓDULO II

O CRISTIANISMO

Roteiro 4

A MISSÃO DE JESUS – GUIA E MODELO DA HUMANIDADE

Objetivos

- » Explicar porque Jesus é o guia e o modelo da humanidade terrestre.
- » Fazer um resumo dos principais ensinamentos da mensagem cristã.

Ideias principais

- » *Tendo por missão transmitir aos homens o pensamento de Deus, somente a sua doutrina (a do Cristo), em toda a pureza, pode exprimir esse pensamento.* Allan Kardec: *A gênese*. Cap. XVII, it. 26.

- » *Amarás o Senhor, teu Deus, de todo o teu coração, e de toda a tua alma, e de todo o teu pensamento. Este é o primeiro e grande mandamento. E o segundo, semelhante a este, é: amarás o teu próximo como a ti mesmo. Desses dois mandamentos dependem toda a Lei e os profetas* (MATEUS, 22:37-40)

Esse ensinamento de Jesus [...] é a expressão mais completa da caridade, porque resume todos os deveres do homem para com o próximo. Não podemos encontrar guia mais seguro, a tal respeito, que tomar para padrão, do que devemos fazer aos outros, aquilo que para nós desejamos. Allan Kardec: *O evangelho segundo o espiritismo*. Cap. XI, item 4.

» Qual o tipo mais perfeito que Deus tem oferecido ao homem, para servir de guia e modelo?

"Jesus".

Para o homem, Jesus constitui o tipo da perfeição moral a que a Humanidade pode aspirar na Terra. [...] Allan Kardec: O livro dos espíritos, questão 625.

Subsídios

1. Jesus, guia e modelo da Humanidade

Rezam as tradições do mundo espiritual que na direção de todos os fenômenos, do nosso sistema, existe uma Comunidade de Espíritos puros e eleitos pelo Senhor supremo do Universo, em cujas mãos se conservam as rédeas diretoras da vida de todas as coletividades planetárias.

Essa Comunidade de seres angélicos e perfeitos, da qual é Jesus um dos membros divinos, ao que nos foi dado saber, apenas já se reuniu, nas proximidades da Terra, para a solução de problemas decisivos da organização e da direção do nosso planeta, por duas vezes no curso dos milênios conhecidos.

A primeira, verificou-se quando o orbe terrestre se desprendia da nebulosa solar, a fim de que se lançassem, no Tempo e no Espaço, as balizas do nosso sistema cosmogônico e os pródromos da vida na matéria em ignição, do planeta, e a segunda, quando se decidia a vinda do Senhor à face da Terra, trazendo à família humana a lição imortal do seu Evangelho de amor e redenção.[17]

Vemos, dessa forma, a excelsitude de Jesus, o construtor da nossa moradia, planeta destinado à nossa melhoria espiritual.

Jesus [...], com as suas legiões de trabalhadores divinos, lançou o escopo da sua misericórdia sobre o bloco de matéria informe, que a sabedoria do Pai deslocara do Sol para as suas mãos augustas e compassivas. Operou a escultura geológica do orbe terreno, talhando a escola abençoada e grandiosa, na qual o seu coração haveria de expandir-se em amor, claridade e justiça. Com os seus exércitos de trabalhadores devotados, estatuiu os regulamentos dos fenômenos físicos da Terra, organizando-lhes o equilíbrio futuro na base dos corpos simples de matéria, cuja unidade substancial os espectroscópios terrenos puderam identificar por toda a parte no universo galáxico. Organizou o cenário da vida, criando, sob as vistas de Deus, o indispensável à existência dos seres do porvir. Fez a pressão atmosférica adequada ao homem, antecipando-se ao seu nascimento no mundo [...]. Definiu todas as linhas de progresso da humanidade futura, engendrando a harmonia de todas as forças físicas que presidem ao ciclo das atividades planetárias.[18]

Por ignorar o amor de Jesus e o trabalho que vem realizando ao longo dos milênios, em nosso benefício, permanecemos imersos em sofrimentos atrozes.

A ciência do mundo não lhe viu as mãos augustas e sábias na intimidade das energias que vitalizam o organismo do Globo. Substituíram-lhe a providência com a palavra "natureza", em todos os seus estudos e análises da existência, mas o seu amor foi o Verbo da criação do princípio, como é e será a coroa gloriosa dos seres terrestres na imortalidade sem-fim. [...] Daí a algum tempo, na crosta solidificada do planeta, como no fundo dos oceanos, podia-se observar a existência de um elemento viscoso que cobria toda a Terra. Estavam dados os primeiros passos no caminho da vida organizada. Com essa massa gelatinosa, nascia no orbe o protoplasma e, com ele, lançara Jesus à superfície do mundo o germe sagrado dos primeiros homens.[19]

Precisamos conhecer e sentir mais Jesus, estudar com dedicação os seus ensinos, aceitar o seu jugo, divulgando a sua mensagem de amor.

Jesus, cuja perfeição se perde na noite imperscrutável das eras, personificando a sabedoria e o amor, tem orientado todo o desenvolvimento da humanidade terrena, enviando os seus iluminados mensageiros, em todos os tempos, aos agrupamentos humanos e [...] desde que o homem conquistou a racionalidade, vem-lhe fornecendo a ideia da sua divina origem, o tesouro das concepções de Deus e da imortalidade do Espírito, revelando-lhe, em cada época, aquilo que a sua compreensão pode abranger.[22]

Entendemos, dessa forma, por que os Espíritos superiores afirmam ser Jesus guia e modelo da Humanidade.

Para o homem, Jesus constitui o tipo da perfeição moral a que a Humanidade pode aspirar na Terra. Deus no-lo oferece como o mais perfeito modelo e a doutrina que ensinou é a expressão mais pura da lei do Senhor, porque, sendo Ele o mais puro de quantos têm aparecido na Terra, o Espírito divino o animava.[11]

2. A mensagem cristã

Jesus tem por missão encaminhar a humanidade terrestre ao bem, disponibilizando condições para que o ser humano evolua em conhecimento e em moralidade. "Tendo por missão transmitir aos homens o pensamento de Deus, somente a sua doutrina, em toda a pureza, pode exprimir esse pensamento. Por isso foi que Ele disse: *Toda planta que meu Pai celestial não plantou será arrancada*."[6]

A vinda de Jesus foi assinalada por uma época especial. Os historiadores do Império Romano sempre observaram com espanto os profundos contrastes da gloriosa época de Augusto (Caio Júlio César Otávio), o primeiro imperador romano, com os períodos anteriores e posteriores.

É que os historiadores ainda não perceberam, na chamada época de Augusto, o século do Evangelho ou da Boa Nova. Esqueceram-se de que o nobre Otávio era também homem e não conseguiram saber que, no seu reinado, a esfera do Cristo se aproximava da Terra, numa vibração profunda de amor e de beleza.[13]

Jesus chegou ao Planeta no reinado do sobrinho de Júlio César, Otávio, também conhecido como Augusto César.

Acercavam-se de Roma e do mundo não mais Espíritos belicosos [...], porém outros que se vestiriam dos andrajos dos pescadores, para servirem de base indestrutível aos eternos ensinos do Cordeiro. Imergiam nos fluidos do planeta os que preparariam a vinda do Senhor e os que se transformariam em seguidores humildes e imortais dos seus passos divinos. É por essa razão que o ascendente místico da era de Augusto se traduzia na paz e no júbilo do povo que, instintivamente, se sentia no limiar de uma transformação celestial. Ia chegar à Terra o sublime Emissário. Sua lição de verdade e de luz ia espalhar-se pelo mundo inteiro, como chuva de bênçãos magníficas e confortadoras. A Humanidade vivia, então, o século da Boa Nova.[14]

A vinda do Cristo mostra que a Humanidade estava em condições de receber ensinamentos superiores. "Começava a era definitiva da maioridade espiritual da humanidade terrestre, uma vez que Jesus, com a sua exemplificação divina, entregaria o código da fraternidade e do amor a todos os corações."[20]

Jesus nasceu num momento em que o mundo estava mergulhado numa miscelânea de ideias religiosas, predominantemente politeístas. O "[...] mundo era um imenso rebanho desgarrado. Cada povo fazia da religião uma nova fonte de vaidades, salientando-se que muitos cultos religiosos do Oriente caminhavam para o terreno franco da dissolução e da imoralidade [...]."[21]

O [...] Cristo vinha trazer ao mundo os fundamentos eternos da verdade e do amor. Sua palavra, mansa e generosa, reunia todos os infortunados e todos os pecadores. Escolheu os ambientes mais pobres e mais desataviados para viver a intensidade de suas lições sublimes, mostrando aos homens que a verdade dispensava o cenário suntuoso dos areópagos, dos fóruns e dos templos, para fazer-se ouvir na sua misteriosa beleza. Suas pregações, na praça pública, verificam-se a propósito dos seres mais desprotegidos e desclassificados, como a demonstrar que a sua palavra vinha reunir todas as criaturas na mesma vibração de fraternidade e na mesma estrada luminosa do amor. Combateu pacificamente todas as violências oficiais do Judaísmo, renovando a Lei Antiga com a doutrina do esclarecimento, da tolerância e do perdão. Espalhou as mais claras visões da vida imortal, ensinando às criaturas terrestres que existe algo superior às pátrias, às bandeiras, ao sangue e às leis humanas. Sua palavra profunda, enérgica e misericordiosa, refundiu todas as filosofias, aclarou o caminho das ciências e já teria irmanado todas as religiões da Terra, se a impiedade dos homens não fizesse valer o peso da iniquidade na balança da redenção.[21]

A mensagem cristã causa impacto por ser límpida e cristalina, livre de fórmulas iniciáticas ou de manifestações de culto externo.

Não se reveste o ensinamento de Jesus de quaisquer fórmulas complicadas. Guardando embora o devido respeito a todas as escolas de revelação da fé com os seus colégios iniciáticos, notamos que o Senhor desce da Altura, a fim de libertar o templo do coração humano para a sublimidade do amor e da luz, através da fraternidade, do amor e do conhecimento. Para isso, o Mestre não exige que os homens se façam heróis ou santos de um dia para outro. Não pede que os seguidores pratiquem milagres, nem lhes reclama o impossível. Dirige-se a palavra dele à vida comum, aos campos mais simples do sentimento, à luta vulgar e às experiências de cada dia.[32]

A despeito do caráter reformador que Jesus imprimiu à Lei de Deus, recebida mediunicamente por Moisés e conhecida como os Dez Mandamentos, na verdade o Cristo ensinou como compreendê-la e demonstrou como praticá-la.

> Jesus não veio destruir a lei, isto é, a lei de Deus; veio cumpri-la, isto é, desenvolvê-la, dar-lhe o verdadeiro sentido e adaptá-la ao grau de adiantamento dos homens. Por isso é que se nos depara, nessa lei, os princípios dos deveres para com Deus e para com o próximo, base da sua doutrina. [...] combatendo constantemente o abuso das práticas exteriores e as falsas interpretações, por mais radical reforma não podia fazê-las passar, do que as reduzindo a esta única prescrição: "Amar a Deus acima de todas as coisas e o próximo como a si mesmo", e acrescentando: aí estão a lei toda e os profetas.[1]

3. Ensinamentos da mensagem cristã

A mensagem cristã nos esclarece que o "[...] Velho Testamento é o alicerce da Revelação divina. O Evangelho é o edifício da redenção das almas. Como tal, devia ser procurada a lição de Jesus, não mais para qualquer exposição teórica, mas visando cada discípulo o aperfeiçoamento de si mesmo, desdobrando as edificações do divino Mestre no terreno definitivo do Espírito."[23]

Neste sentido, é importante compreender que o Cristianismo é "[...] a síntese, em simplicidade e luz, de todos os sistemas religiosos mais antigos, expressões fragmentárias das verdades sublimes trazidas ao mundo na palavra imorredoura de Jesus."[24]

Sendo assim, o cristão verdadeiro "[...] deve buscar, antes de tudo, o modelo nos exemplos do Mestre, porque o Cristo ensinou com amor e humildade o segredo da felicidade espiritual, sendo imprescindível que todos os discípulos edifiquem no íntimo essas virtudes, com as quais saberão remontar ao calvário de suas dores, no momento oportuno."[24]

Assinalamos, em seguida, alguns ensinamentos que caracterizam a mensagem cristã, sem guardarmos a menor pretensão de termos esgotado o assunto.

A humildade

"A manjedoura assinalava o ponto inicial da lição salvadora do Cristo, como a dizer que a humildade representa a chave de todas as virtudes."[19] Por essa razão, afirmou Jesus: *Bem-aventurados os pobres de espírito, porque deles é o Reino dos céus* (MATEUS, 5: 3).

> Dizendo que o reino dos céus é dos simples, quis Jesus significar que a ninguém é concedida entrada nesse reino, sem a simplicidade de coração e humildade de espírito; que o ignorante possuidor dessas qualidades será preferido ao sábio que mais crê em si do que em Deus. Em todas as circunstâncias, Jesus põe a humildade na categoria das virtudes que aproximam de Deus e o orgulho entre os vícios que dele afastam a criatura, e isso por uma razão muito natural: a de ser a humildade um ato de submissão a Deus, ao passo que o orgulho é a revolta contra ele.[2]

A lei de amor

> O amor resume a doutrina de Jesus toda inteira, visto que esse é o sentimento por excelência, e os sentimentos são os instintos elevados à altura do progresso feito. [...] E o ponto delicado do sentimento é o amor, não o amor no sentido vulgar do termo, mas esse sol interior que condensa e reúne em seu ardente foco todas as aspirações todas as revelações sobre-humanas. A lei de amor substitui a personalidade pela fusão dos seres; extingue as misérias sociais. Ditoso aquele que, ultrapassando a sua humanidade, ama com amplo amor os seus irmãos em sofrimento! Ditoso aquele que ama, pois não conhece a miséria da alma, nem a do corpo. Tem ligeiro os pés e vive como que transportado, fora de si mesmo. Quando Jesus pronunciou a divina palavra — amor, os povos sobressaltaram-se e os mártires, ébrios de esperança, desceram ao circo.[5]

A mensagem cristã é um poema sublime de amor que Jesus trouxe à Humanidade.

Descendo à esfera dos homens por amor, humilhando-se por amor, ajudando e sofrendo por amor, passa no mundo, de sentimento erguido no Pai excelso, refletindo-lhe a vontade sábia e misericordiosa. E, para que a vida e o pensamento de todos nós lhe retratem as pegadas de luz, legou-nos, em nome de Deus, a sua fórmula inesquecível: "Amai-vos uns aos outros como eu vos amei".[31]

Amor e justiça de Deus

O amor puro é o reflexo do Criador em todas as criaturas. Brilha em tudo e em tudo palpita na mesma vibração de sabedoria e beleza. É fundamento da vida e justiça de toda a Lei. Surge, sublime, no equilíbrio dos mundos erguidos à gloria da imensidade, quanto nas flores anônimas esquecidas no campo. Nele fulgura, generosa, a alma de todas as grandes religiões que aparecem, no curso das civilizações, por sistemas de fé à procura da comunhão com a bondade celeste, e nele se enraíza todo impulso de solidariedade entre os homens.[29]

A mensagem cristã reflete o amor e a justiça de Deus, daí ser importante compreender as suas lições.

O amor, repetimos, é o reflexo de Deus, nosso Pai, que se compadece de todos e que a ninguém violenta, embora, em razão do mesmo amor infinito com que nos ama, determine estejamos sempre sob a lei da responsabilidade que se manifesta para cada consciência, de acordo com as suas próprias obras. E, amando-nos, permite o Senhor perlustrarmos sem prazo o caminho de ascensão para Ele, concedendo-nos, quando impensadamente nos consagramos ao mal, a própria eternidade para reconciliar-nos com o Bem, que é a sua regra imutável. [...] Eis por que Jesus, o Modelo divino, enviado por Ele à Terra para clarear-nos a senda, em cada passo do seu Ministério tomou o amor ao Pai por inspiração de toda a vida, amando sem a preocupação de ser amado e auxiliando sem qualquer ideia de recompensa.[30]

Fidelidade a Deus

Ensina-nos Jesus que a primeira qualidade a ser cultivada no coração, acima de todas as coisas, é a fidelidade a Deus.[15]

Na causa de Deus, a fidelidade deve ser uma das primeiras virtudes. Onde o filho e o pai que não desejam estabelecer, como ideal de união, a confiança integral e recíproca? Nós não podemos duvidar da fidelidade de nosso Pai para conosco. Sua dedicação nos cerca os espíritos, desde o primeiro dia. Ainda não o conhecíamos e já Ele nos amava. E, acaso, poderemos desdenhar a possibilidade da retribuição? Não seria repudiarmos o título de filhos amorosos, o fato de nos deixarmos absorver no afastamento, favorecendo a negação?[15]

Registra o livro *Boa nova*, em relação ao assunto, que Jesus aconselhou o apóstolo André nestes termos:

> André, se algum dia teus olhos se fecharem para a luz da Terra, serve a Deus com a tua palavra e com os ouvidos; se ficares mudo, toma, assim mesmo, a charrua, valendo-te das tuas mãos. Ainda que ficasses privado dos olhos e da palavra, das mãos e dos pés, poderias servir a Deus com a paciência e a coragem, porque a virtude é o verbo dessa fidelidade que nos conduzirá ao amor dos amores![16]

A fidelidade a Deus é também sinônimo de amor, prédica resumida por Jesus, segundo atesta o registro de Mateus (MATEUS, 22:37-39).

Amor ao próximo

O amor aos semelhantes é um dos princípios basilares do Cristianismo, incessantemente exemplificado por Jesus. Neste sentido, nos recorda o apóstolo João, citando Jesus, respectivamente, em sua primeira epístola e no seu evangelho: "Amados, amemo-nos uns aos outros" (1 JOÃO, 4:7). "Nisto todos conhecerão que sois meus discípulos, se vos amardes uns aos outros" (JOÃO, 13:35).

> Nem um só monumento do passado revela o espírito de fraternidade nas grandes civilizações que precederam o Cristianismo. Os restos do Templo de Carnaque, em Tebas, se referem à vaidade transitória. Os resíduos do Circo Máximo, em Roma, falam de mentirosa dominação. As ruínas da Acrópole, em Atenas, se reportam ao elogio da inteligência sem amor. [...] Antes do Cristo, não vemos sinais de instituições humanitárias de qualquer natureza, porque, antes dele, o órfão era pasto à escravidão, as mulheres sem títulos, eram objeto de escárnio, os doentes eram atirados aos despenhadeiros da imundície e os fracos e os velhos eram condenados à morte sem comiseração. Aparece Jesus, porém, e a paisagem social se modifica. O povo começa a envergonhar-se de encaminhar os enfermos ao lixo, de decepar as

mãos dos prisioneiros, de vender mães escravas, de cegar os cativos utilizados nos trabalhos de rotina doméstica, de martirizar os anciãos e zombar dos humildes e dos tristes. [...] Sem palácio e sem trono, sem coroa e sem títulos, o gênio da fraternidade penetrou o mundo pelas mãos do Cristo, e, sublime e humilde, continua, entre nós, em silêncio, na divina construção do Reino do Senhor.[32]

É por essa razão que Jesus indica quais são os mandamentos mais importantes da sua Doutrina: "Amarás o Senhor teu Deus de todo o teu coração, e de toda tua alma, e de todo o teu pensamento. Este é o primeiro e grande mandamento. E o segundo, semelhante a este, é: Amarás o teu próximo como a ti mesmo. Desses dois mandamentos dependem toda a lei e os profetas (MATEUS, 22:37-40).

Entendemos, assim, que esse ensino de Jesus representa "[...] a expressão mais completa da caridade, porque resume todos os deveres do homem para com o próximo. Não podemos encontrar guia mais seguro, a tal respeito, que tomar para padrão, do que devemos fazer aos outros, aquilo que para nós desejamos."[4]

O Reino de Deus

Afirma Jesus: "O Reino de Deus não vem com aparência exterior. Nem dirão: Ei-lo aqui! Ou: Ei-lo ali! Porque eis que o Reino de Deus está entre vós" (LUCAS, 17:20-21).

> Exegetas e teólogos, historiadores e pensadores, estudiosos e simples leitores, em significativa maioria, parecem concordar em que a pregação de Jesus gira em torno da noção básica do Reino de Deus, que Ele estabelece como meta a atingir, objetivo pelo qual devem convergir todos os esforços, sacrifícios, renúncias e anseios. O caminho para o Reino de Deus não é largo, amplo e fácil, contudo: é estreito e difícil. O instrumento para sua realização é o amor a Deus e ao próximo, tanto quanto a si mesmo, um amor total, universal, paradoxalmente uma extensão modificada do egoísmo, uma transcendência, uma sublimação do egoísmo, pois amando aos outros tanto quanto amamos a nós mesmos, estaremos doando o máximo, em termos humanos, tão poderosa é a força da autoestima em nós. Acima disso — "de todas as coisas" — disse Ele — só o amor de Deus. Esse programa, o roteiro, a metodologia que nos levam à conquista do Reino, que — outro paradoxo — está em nós mesmos. Podemos, portanto, dizer que há duas

tônicas, duas dominantes, como objetivo da vida e a prática do amor como programa para essa busca, como seu instrumento e veículo.[12]

A necessidade do perdão

Aproximando Pedro de Jesus, perguntou-lhe: "Senhor, até quantas vezes pecará meu irmão contra mim, e eu lhe perdoarei? Até sete? Jesus lhe disse: Não te digo que até sete, mas até setenta vezes sete" (MATEUS, 18: 21-22).

> O [...] ódio e o rancor denotam alma sem elevação, nem grandeza. O esquecimento das ofensas é próprio da alma elevada, que paira acima dos golpes que lhe possam desferir. Uma é sempre ansiosa, de sombria suscetibilidade e cheia de fel; a outra é calma, toda mansidão e caridade. [...] Há, porém, duas maneiras bem diferentes de perdoar: uma, grande, nobre, verdadeiramente generosa, sem pensamento oculto, que evita, com delicadeza, ferir o amor-próprio e a suscetibilidade do adversário, ainda quando este último nenhuma justificativa possa ter; a segunda é a em que o ofendido, ou aquele que tal se julga, impõe ao outro condições humilhantes e lhe faz sentir o peso de um perdão que irrita, em vez de acalmar; se estende a mão ao ofensor, não o faz com benevolência, mas com ostentação, a fim de poder dizer a toda gente: vede como sou generoso! Nessas circunstâncias, é impossível uma reconciliação sincera de parte a parte. Não, não há aí generosidade; há apenas uma forma de satisfazer ao orgulho.[3]

Vemos, assim que o perdão é, uma necessidade humana, caminho seguro da felicidade.

> Para a convenção do mundo, o perdão significa renunciar à vingança, sem que o ofendido precise olvidar plenamente a falta do seu irmão; entretanto, para o Espírito evangelizado, perdão e esquecimento devem caminhar juntos, embora prevaleça para todos os instantes da existência a necessidade de oração e vigilância.[26]

O valor da oração

Lembra-nos Jesus: "Por isso, vos digo que tudo o que pedirdes, orando, crede que o recebereis e tê-lo-eis. E, quando estiverdes orando, perdoai, se tendes alguma coisa contra alguém, para que vosso Pai, que está nos céus, vos perdoe as vossas ofensas" (MARCOS, 11: 24-25).

Orienta também Jesus: "E quando orardes, não sejas como os hipócritas, pois se comprazem em orar em pé nas sinagogas e às esquinas das ruas, para serem vistos pelos homens. Em verdade vos digo que já receberam o seu galardão. Mas tu, quando orares, entra no teu aposento e, fechando a tua porta, ora a teu Pai, que vê o que esta oculto; e teu Pai, que vê o que está oculto, te recompensará. E orando, não useis vãs repetições, como os gentios, que pensam que, por muito falarem, serão ouvidos" (MATEUS, 6: 5-7).

Jesus nos ensina como orar, dizendo: "Pai-nosso, que estás nos céus, santificado seja o teu nome. Venha o teu Reino. Seja feita a tua vontade, tanto na Terra, como no céu. O pão nosso de cada dia dá-nos hoje. Perdoa-nos as nossas dívidas, assim como nós perdoamos aos nossos devedores. E não nos induzas à tentação, mas livra-nos do mal" (MATEUS, 6: 9-13).

"A oração é divino movimento do espelho de nossa alma no rumo da Esfera superior, para refletir-lhe a grandeza."[26]

> Orar é identificar-se com a maior fonte de poder de todo o Universo, absorvendo-lhe as reservas e retratando as leis da renovação permanente que governam os fundamentos da vida. A prece impulsiona as recônditas energias do coração, libertando-as com as imagens de nosso desejo, por intermédio da força viva e plasticizante do pensamento, imagens essas que, ascendendo às Esferas superiores, tocam as inteligências visíveis ou invisíveis que nos rodeiam, pelas quais comumente recebemos as respostas do plano divino, porquanto o Pai Todo-Bondoso se manifesta igualmente pelos filhos que se fazem bons. A vontade que ora, tange o coração que sente, produzindo reflexos iluminativos através dos quais o Espírito recolhe em silêncio, sob a forma de inspiração e socorro íntimo, o influxo dos mensageiros divinos que lhe presidem o território evolutivo, a lhe renovarem a emoção e a ideia, com que se lhe aperfeiçoa a existência.[28]

Os ensinamentos de Jesus representam, pois, "[...] a pedra angular, isto é, a pedra de consolidação do novo edifício da fé, erguido sobre as ruínas do antigo".[7]

Sendo assim, chegará o dia em que estas palavras do Cristo se cumprirão: "Ainda tenho outras ovelhas que não são deste aprisco; também me convém agregar estas, e elas ouvirão a minha voz, e haverá um rebanho e um Pastor"[8] (JOÃO, 10:16).

Por essas palavras, Jesus claramente anuncia que os homens um dia se unirão por uma crença única; mas como poderá efetuar-se essa união? Difícil parecerá isso, tendo-se em vista as diferenças que existem entre as religiões, o antagonismo que elas alimentam entre seus adeptos, a obstinação que manifestam em se acreditarem na posse exclusiva da verdade. [...]

Entretanto, a unidade se fará em religião, como já tende a fazer-se socialmente, politicamente, comercialmente, pela queda das barreiras que separam os povos, pela assimilação dos costumes, dos usos, da linguagem. Os povos do mundo inteiro já confraternizam, como os das províncias de um mesmo império. Pressente-se essa unidade e todos a desejam. Ela se fará pela força das coisas, porque há de tornar-se uma necessidade, para que se estreitem os laços de fraternidade entre as nações; far-se-á pelo desenvolvimento da razão humana, que se tornará apta a compreender a puerilidade de todas as dissidências; pelo progresso das ciências, a demonstrar cada dia mais os erros materiais sobre que tais dissidências assentam e a destacar pouco a pouco das suas fiadas as pedras estragadas. Demolindo nas religiões o que é obra dos homens e fruto de sua ignorância das leis de Natureza, a Ciência não poderá destruir, malgrado à opinião de alguns, o que é obra de Deus e eterna verdade. Afastando os acessórios, ela prepara as vias para a unidade.

A fim de chegarem a esta, as religiões terão que encontrar-se num terreno neutro, se bem que comum a todas; para isso, todas terão que fazer concessões e sacrifícios mais ou menos importantes, conformemente à multiplicidade dos seus dogmas particulares.[9]

[...]

No estado atual da opinião e dos conhecimentos, a religião, que terá de congregar um dia todos os homens sob o mesmo estandarte, será a que melhor satisfaça à razão e às legítimas aspirações do coração e do espírito; que não seja em nenhum ponto desmentida pela ciência positiva; que, em vez de se imobilizar, acompanhe a Humanidade em sua marcha progressiva, sem nunca deixar que a ultrapassem; que não for nem exclusivista, nem intolerante; que for a emancipadora da inteligência, com o não admitir senão a fé racional; aquela cujo código de moral seja o mais puro, o mais lógico, o mais de harmonia com as necessidades sociais, o mais apropriado, enfim, a fundar na

Terra o reinado do Bem, pela prática da caridade e da fraternidade universais.[10]

Referências

1. KARDEC, Allan. *O evangelho segundo o espiritismo*. Tradução de Guillon Ribeiro. 125. ed. Rio de Janeiro: FEB, 2006. Cap. 1, item 3, p. 58.

2. _____._____. Cap. 7, item 2, p.146-147.

3. _____._____. Cap. 10, item 4, p. 186-187.

4. _____._____. Cap. 11, item 4, p. 203.

5. _____._____. Item 8, p. 205.

6. _____. *A gênese*. Tradução de Guillon Ribeiro. 50. ed. Rio de Janeiro: FEB, 2006. Cap. 17, item 26, p. 432.

7. _____._____. Item 28, p. 433.

8. _____._____. Item 31, p. 436.

9. _____._____. Item 32, p. 436-437.

10. _____._____. p. 437-438.

11. _____. *O livro dos espíritos*. Tradução de Guillon Ribeiro. 88. ed. Rio de Janeiro: FEB, 2006. Questão 625, comentário, p. 346.

12. MIRANDA, Hermínio C. *Cristianismo: a mensagem esquecida*. ed. Matão [SP]: O Clarim, 1988. Cap. 12 (Cristianismo e a doutrina de Jesus), p. 294.

13. XAVIER, Francisco Cândido. *Boa nova*. Pelo Espírito Humberto de Campos. 33. ed. Rio de Janeiro, 2005. Cap. 1 (Boa nova), p. 17-18.

14. _____._____. p. 18.

15. _____._____. Cap. 6 (Fidelidade a Deus), p. 44.

16. _____._____. p. 48.

17. _____. *A caminho da luz*. Pelo Espírito Emmanuel. 33. ed. Rio de Janeiro: FEB, 2006. Cap. 1 (A gênese planetária), item: A comunidade dos espíritos puros, p. 17-18.

18. _____._____. Item: O divino escultor, p. 21-22.

19. _____._____. Item: O verbo na criação terrestre, p. 22-23.

20. _____._____. Cap. 12 (A vinda de Jesus), item: A manjedoura, p. 105.

21. _____._____. Item: A grande lição, p. 107-108.

22. _____. *Emmanuel*. Pelo Espírito Emmanuel. 25. ed. Rio de Janeiro: FEB, 2005. Cap. 2 (A ascendência do evangelho), p. 25.

23. _____. *O consolador*. Pelo Espírito Emmanuel. 26. ed. Rio de Janeiro: FEB, 2005. Questão 282, p.168.

24. _____._____. Questão 286, p. 169.

25. _____._____. Questão 293, p. 172.

26. _____._____. Questão 340, p. 193.

27. _____. *Pensamento e vida*. Pelo Espírito Emmanuel. 15. ed. Rio de Janeiro: FEB, 2005. Cap. 26 (Oração), p. 119.

28. _____._____. p. 121-122.

29. _____._____. Cap. 30 (Amor), p. 136-137.

30. _____._____. p. 138-139.

31. _____._____. p. 139.

32. _____. *Roteiro*. Pelo Espírito Emmanuel. 1ed. Rio de Janeiro: FEB, 2004. Cap. 13 (A mensagem cristã), p. 59.

33. _____. *Segue-me*. Pelo Espírito Emmanuel. 7. ed. ed. Matão [SP]: O Clarim, 1992. Item: Fraternidade, p. 135-136.

Orientações ao monitor

No início da reunião explicar porque Jesus é considerado guia e modelo da Humanidade. Em sequência, dividir a turma em oito pequenos grupos para leitura do texto e troca de ideias sobre os assuntos contidos no item 3 dos subsídios, promovendo amplo debate, em plenária.

EADE – LIVRO I | MÓDULO II

O CRISTIANISMO

Roteiro 5

OS APÓSTOLOS DE JESUS. A MISSÃO DOS DOZE APÓSTOLOS

Objetivos

» Citar dados biográficos dos apóstolos de Jesus.

» Analisar, à luz do Espiritismo, a missão dos apóstolos.

Ideias principais

» *E, Chamando os seus doze discípulos, deu-lhes poder sobre os Espíritos imundos, para os expulsarem, e para curarem toda a enfermidade e todo o mal. Ora, os nomes dos doze apóstolos são estes: O primeiro, Simão, chamado Pedro, e André, seu irmão; Tiago, filho de Zebedeu, e João, seu irmão; Filipe e Bartolomeu; Tomé e Mateus, o publicano; Tiago, filho de Alfeu, e Tadeu; Simão, o zelote, e Judas Iscariotes, aquele que o traiu* (MATEUS, 10:1-4).

» Jesus enviou esses doze com estas recomendações: *Não ireis pelo caminho das gentes, nem entrareis em cidade de samaritanos; mas ide, antes, às ovelhas perdidas da casa de Israel; e, indo, pregai, dizendo: É chegado o Reino dos céus. Curai os enfermos, limpai os leprosos, ressuscitai os mortos, expulsai os demônios; de graça recebestes, de graça dai.*

Não possuais ouro, nem prata, nem cobre, em vossos cintos; nem alforjes para o caminho, nem duas túnicas, nem sandálias, nem bordão, porque digno é o operário do seu alimento. E, em qualquer cidade ou aldeia em que entrardes, procurai saber quem nela seja digno e hospedai-vos aí até que vos retireis. E, quando entrardes nalguma casa, saudai-a; e, se a casa for digna, desça sobre ela a vossa paz; mas, se não for digna, torne para vós a vossa paz. E, se ninguém vos receber, nem escutar as vossas palavras, saindo daquela casa ou cidade, sacudi o pó dos vossos pés. Em verdade vos digo que, no Dia do Juízo, haverá menos rigor para o país de Sodoma e Gomorra do que para aquela cidade. Eis que vos envio como ovelhas ao meio de lobos; portanto, sede prudentes como as serpentes e simples como as pombas (MATEUS, 10:5-16).

Subsídios

1. O colégio apostolar

No cumprimento de sua missão, Jesus contou com a colaboração dos apóstolos e de outros discípulos. *Apóstolo* é uma palavra derivada do grego que significa *enviado*. *Discípulo* é um vocábulo de origem latina que significa *aluno*. Jesus escolheu doze apóstolos e os enviou a diversos lugares para pregarem a Boa Nova (Evangelho). Contou também com o apoio direto de cerca de setenta discípulos.

> Jesus chamou a equipe dos apóstolos que lhe asseguraram cobertura à obra redentora, não para incensar-se e nem para encerrá-los em torre de marfim, mas para erguê-los à condição de amigos fiéis, capazes de abençoar, confortar, instruir e servir ao povo que, em todas as latitudes da Terra, lhe constitui a amorosa família do coração.[32]

A missão de Jesus, propriamente dita, começa com a organização do seu colégio apostolar. O evangelho de Mateus relata: "E Jesus, andando junto ao mar da Galileia, viu dois irmãos, Simão, chamado Pedro, e André, os quais lançavam as redes ao mar, porque eram pescadores. E disse-lhes: Vinde após mim, e eu vos farei pescadores de homens. Então, eles, deixando logo as redes, seguiram-no. E, adiantando-se dali, viu outros dois irmãos: Tiago, filho de Zebedeu, e João, seu irmão, num barco com Zebedeu, seu pai, consertando as redes; e chamou-os.

Eles, deixando imediatamente o barco e seu pai, seguiram-no" (MATEUS, 4:18-22).

Lucas nos esclarece que Levi ofereceu-lhe, após o convite, então uma grande festa em sua casa, e com eles estava à mesa numerosa multidão de publicanos e outras pessoas (LUCAS, 5:29).

O evangelista Marcos informa que, terminada a refeição, Jesus faz um debate sobre o jejum; alerta sobre a inconveniência de colocar remendo novo em roupa velha, ou vinho novo em odres velhos; explica que o sábado foi feito para o homem, e não o homem para o sábado, e cura um homem de mão atrofiada. Diante desses fatos, uma grande multidão passa a segui-lo, chamando-o *filho de Deus*. Marcos nos fala também que, depois, Jesus "subiu à montanha, e chamou a si os que Ele queria, e eles foram até Ele. E constituiu Doze para que ficassem com Ele, para enviá-los a pregar, e terem autoridade para expulsar os demônios [Espíritos maléficos]. Ele constitui, pois, os Doze, e impôs a Simão o nome de Pedro; a Tiago, o filho de Zebedeu, e a João, o irmão de Tiago, impôs o nome de Boanerges, isto é, filhos do trovão; depois André, Filipe, Bartolomeu, Tiago, o filho de Alfeu, Tadeu, Simão, o zelota, e Judas Iscariotes, aquele que o traiu" (MARCOS, 2:18-27; e 3, 1-19).

2. A missão dos apóstolos

De conformidade com a narrativa de Mateus, as recomendações iniciais do Messias definem a ação que os discípulos deveriam executar.

— Amados — entrou Jesus a dizer-lhes, com mansidão extrema —, não tomareis o caminho largo por onde anda tanta gente, levada pelos interesses fáceis e inferiores; buscareis a estrada escabrosa e estreita dos sacrifícios pelo bem de todos. Também não penetrareis nos centros das discussões estéreis, à moda dos samaritanos, nos das contendas que nada aproveitam às edificações do verdadeiro reino nos corações com sincero esforço. Ide antes em busca das ovelhas perdidas da casa de nosso Pai que se encontram em aflição e voluntariamente desterradas de seu divino amor. Reuni convosco todos os que se encontram de coração angustiado e dizei-lhes, de minha parte, que é chegado o Reino de Deus.

Trabalhai em curar os enfermos. Limpai os leprosos, ressuscitai os que estão mortos nas sombras do crime ou das desilusões ingratas do mundo, esclarecei todos os Espíritos que se encontram em trevas, dando de graça o que de graça vos é concedido.

Não exibais ouro ou prata em vossas vestimentas porque o Reino dos céus reserva os mais belos tesouros para os simples.

Não ajunteis o supérfluo em alforjes [...] porque digno é o operário do seu sustento.

Em qualquer cidade ou aldeia onde entrardes, buscai saber quem deseja aí os bens do Céu [...].

Quando penetrardes nalguma casa, saudai-a com amor.

[...]

Se ninguém vos receber, nem desejar ouvir as vossas instruções, retirai--vos [...], sem conservardes nenhum rancor e sem vos contaminardes da alheia iniquidade.

[...]

É por essa razão que vos envio como ovelhas ao antro dos lobos, recomendando-vos a simplicidade das pombas e a prudência das serpentes.

Acautelai-vos, pois, dos homens, nossos irmãos, porque sereis entregues aos seus tribunais e sereis açoitados nos seus templos suntuosos, no qual está exilada a ideia de Deus.

[...]

No entanto, nos dias dolorosos da humilhação, não vos dê cuidado como haveis de falar, porque minha palavra estará convosco e sereis inspirados quanto ao que houverdes de dizer.

Porque não somos nós que falamos; o Espírito amoroso de nosso Pai é que fala em todos nós.[27]

3. Dados biográficos dos apóstolos

André – Mencionado em MATEUS, 4:18; 10:2; MARCOS, 3:18; LUCAS, 6:14; João, 1:40; ATOS DOS APÓSTOLOS, 1:13. Irmão de Pedro.

Como Pedro ou Simão Barjona era filho de Jona, também seria André, a menos que ocorra uma das hipóteses: parente ou irmão por parte de mãe. Investigações de filiação materna carecem de apoio, pois nem sempre textos bíblicos retiram a mulher da penumbra, conservando anônimas a sogra de Pedro, a mãe dos filhos de Zebedeu, a mãe dos Macabeus etc. Pescador; integrante do grupo inicialmente convocado, isto é, um dos primeiros, entre os doze.[9]

Em geral, aceita-se que André era irmão de Pedro. Não existem dúvidas a respeito.

A sua atitude, durante toda a vida de Jesus, foi de ouvir o Mestre, observar os seus atos, estudar os seus preceitos, seguindo-o sempre por toda parte. A não ser certa vez que saiu com outro companheiro para pregar a Boa Nova ao mundo, segundo ordem que o Mestre deu aos doze, nenhuma outra ação aparece de André, enquanto Jesus se achava na Terra.[21]

Poucas são as referências sobre André nas escrituras. Ele se destaca, porém, por ser um dos primeiros a fazer parte do colégio apostolar.

Embora menos proeminente que seu irmão (Pedro), André está presente ao milagre da multiplicação dos pães de Jesus e à fala apocalíptica do monte das Oliveiras. [...] De acordo com a tradição medieval tardia, André foi martirizado pela crucificação numa cruz em forma de xis, que mais tarde aparece na bandeira da Grã-Bretanha representando a Escócia, de que André é o padroeiro.[6]

Celebrado pela tradição ortodoxa grega como *Protocletos* (o primeiro a ser chamado) dentre os doze (JOÃO,1:40), André cujo nome significa varonil, nasceu em Betsaida Julias, às margens do Mar da Galileia.[2] Antes de seguir o Mestre, era discípulo de João Batista. "Aparentemente André ocupava-se mais dos assuntos da alma do que propriamente de suas pescarias, tanto que abandonou suas redes para seguir os passos de João Batista."[3] Segundo o historiador Eusébio (*História eclesiástica III*), André teria desenvolvido extenso apostolado na Palestina, Ásia Menor, Macedônia, Grécia e regiões próximas do Cáucaso. As antigas narrativas indicam que, supostamente, se encontram em *Patras*, cidade grega, os restos mortais do apóstolo, guardados numa igreja ortodoxa grega.[3]

Bartolomeu – Mencionado em MATEUS, 10:3; MARCOS, 3:18; LUCAS, 6:14; ATOS DOS APÓSTOLOS, 1:13. É possível que Bartolomeu tenha nascido na cidade de Caná da Galileia.[21, 27]

"Se Bartolomeu quer dizer filho de Ptolomeu (Bar-Ptolomeu), temos pelo menos presumível filiação [...]. Não se comprova nitidamente que o apóstolo se chamasse Natanael Bartolomeu. O nome de Natanael aparece em João sem indicações (1:45 a 51) e como "discípulo", originário de "Caná da Galileia" (21:2)10". A origem familiar de Bartolomeu permanece, entretanto, obscura. Alguns escritores cristãos primitivos informam que o apóstolo seria descendente da família Naftali, embora outros autores, como São Jerônimo, acreditem que ele seja descendente dos *Talmai*, rei de Gesur (2 SALOMÃO, 3:3).

Como a maior parte dos discípulos, Bartolomeu parece ter sido um homem profundamente sintonizado com as expectativas messiânicas de sua época. O notável testemunho de Jesus a seu respeito (JOÃO, 1:47) deixa transparecer o perfil de alguém que serviu a Lei e aos profetas não apenas para orientar suas esperanças na gloria de Israel, mas também para desenvolver em seu íntimo uma espiritualidade frutífera, determinada pelas diretrizes da sabedoria divina, sobre o qual comenta o apóstolo Tiago[1] (TIAGO, 3:7).

O seguinte relato de João, que Filipe teria falado sobre Jesus a Bartolomeu (ou Natanael), apresentando-o, posteriormente, ao Mestre: Temos achado aquele, de quem escreveu Moisés na lei, e de quem falaram os profetas, Jesus de Nazaré, filho de José. Perguntou-lhe Natanael: De Nazaré pode sair coisa que seja boa? Respondeu Filipe: Vem e vê. Jesus vendo aproximar-se Natanael, disse: Antes de Filipe chamar-te, eu vi, quando estavas debaixo da figueira. Replicou-lhe Natanael: Mestre, tu és o Filho de Deus, Tu és o Rei de Israel. Disse-lhe Jesus: Por eu te ver debaixo da figueira, crês? Maiores coisas do que esta verás. E acrescentou: Em verdade, em verdade vos digo que vereis o Céu aberto e os anjos de Deus subindo e descendo sobre o Filho do Homem. Natanael, após esse encontro com o Mestre, o seguia, tornando-se um dos seus discípulos.[22]

Há indicações de que o apóstolo teria "pregado o Evangelho na Arábia, na Pérsia (atual Iraque), na Etiópia e depois na Índia, donde regressou para Liacônia, passando depois a outros países."[21] Conta-se que, ao desenvolver o trabalho apostolar na Armênia, junto do Mar Negro, teria sido esfolado vivo, antes de morrer.

Filipe – Aparece rapidamente nos Evangelhos, não nos deixando muitas informações sobre ele. As referências evangélicas sobre o apóstolo são as seguintes: MATEUS, 10:3; MARCOS, 3:18; LUCAS, 6:14;

João, 1:40; Atos dos Apóstolos, 1:13. É citado também nos Atos dos Apóstolos, 21:1-9, quando Paulo e Lucas o encontram na cidade de Cesareia, juntamente com as suas quatro filhas, todas possuidoras da mediunidade de profecia.

Nasceu em Betsaida, Galileia. Era pescador. "Depois do desencarne do Mestre ficou em Jerusalém até a dispersão dos Apóstolos, indo, segundo a tradição, pregar o Evangelho na Frígia, recanto da Ásia Menor, ao sul de Bitínia. Foi Filipe que apresentou a Jesus Natanael (Bartolomeu), um homem ilustre e de caráter lapidado que residia na Galileia."[22] Parece que evangelizou na Itureia, reunindo-se a André, no Mar Negro, sendo morto, já muito idoso, na Frígia, em Hierápolis.

Há uma lenda que vincula o apóstolo Filipe à França. Alguns escritores cristãos do passado falam da presença de Filipe na Gália (antigo nome da França). Um deles é Isidoro, bispo de Sevilha, que, entre os anos 600 e 636 d.C., escreveu, em seu livro *De Ortu et Orbitu Patrum*, cap. 73:

> Filipe, de Betsaida, de onde também provinha Pedro, apregoou Cristo nas Gálias e nas nações vizinhas, trazendo seus bárbaros, que estavam em trevas, à luz do entendimento e ao porto da fé. Mais tarde, foi apedrejado, crucificado e morto em Hierápolis, uma cidade da Frígia, onde foi sepultado de cabeça para baixo, ao lado de suas filhas.[5]

Filipe era muito ligado aos apóstolos Bartolomeu, João, Pedro e Tiago Maior (os três últimos apóstolos formavam uma espécie de estado-maior do colégio apostolar).

É importante não confundir Filipe, um dos doze apóstolos, com Filipe, o evangelista, companheiro de Paulo de Tarso.

> Este [...] não compunha o rol dos doze discípulos, entra em cena num momento em que a Igreja de Jerusalém se debate com a delicada questão da discriminação sofrida por judeus-cristãos, de língua grega e provenientes da Diáspora, também conhecidos como helenistas. [...] Diante da possibilidade de uma divisão sem precedentes, os doze [apóstolos] sugeriram à congregação local a escolha de sete varões cheios de Espírito Santo e de sabedoria, que pudessem solucionar aquela questão de cunho administrativo, enquanto eles próprios se dedicariam ao ensino e a pregação da Palavra.[4]

Dessa forma, Filipe, assim como Estêvão e mais cinco judeus da Dispersão (Diáspora) ficaram responsáveis pelas tarefas administrativas da congregação (Atos dos Apóstolos, 6:5; 8:5-40 e 21:8-9).

Os [...] necessitados que procuravam valer-se da obra assistencial dos discípulos [...]. O serviço de cada dia consistia não só nas pregações evangélicas, mas também na distribuição de sopa e alimentos aos pobres, dentre os quais dedicavam especial atenção às viúvas desamparadas.[19]

O apóstolo Filipe deve também ser distinguido de Filipe, o Tetrarca (Lucas, 3:1).

João ou João Evangelista – São referências evangélicas sobre o apóstolo: Mateus, 4:21, 10:3; Marcos, 3:17; Lucas, 6:14; Atos dos Apóstolos, 1:13. Era filho de Zebedeu e irmão de Tiago, o maior. Sua mãe, Salomé, é citada duas vezes, uma em Marcos(15:40 e 16:1), outra em Mateus (20:20 e 27:56).

Alguns estudiosos suspeitam que Salomé tenha sido irmã de Maria santíssima (João,19:25). Dessa forma, Jesus seria primo dos filhos de Zebedeu, explicando, em parte, a fraterna intimidade existente entre eles. Nasceu em Betsaida, na Galileia. É autor do quarto Evangelho, de três cartas destinadas aos cristãos e do livro *Apocalipse*. O seu Evangelho difere dos outros três, chamados sinópticos ou semelhantes, porque a narrativa de João enfoca mais o aspecto espiritual da mensagem de Jesus. João considera-se o *discípulo amado* (João, 13:23; 20:2 e 26; 21:7 e 20), afirmação admissível, se generalizada.

Era muito jovem à época do Mestre, e, na crucificação, foi designado por Jesus para tomar conta de Maria. João viveu o final de sua existência em Éfeso, onde teria escrito o seu evangelho e as suas epístolas. Durante o governo do imperador romano Domiciano, foi exilado na Ilha de Patmos, escrevendo aí o *Apocalipse*. Morreu idoso, tomando conta da igreja que ali existia, possivelmente no ano 100 da Era Cristã. João e seu irmão Tiago Maior foram chamados por Jesus de Boanerges (*filhos do trovão*). Integrava o núcleo inicialmente convocado por Jesus, participando destacadamente, junto a Tiago Maior e a Pedro, do principal grupo do colégio apostolar.[11, 26]

Judas Iscariote ou Iscariotes – Referências evangélicas sobre o apóstolo: Mateus, 10:4; Marcos, 3:19; Lucas, 6:16; João, 12:4; Atos dos Apóstolos, 1:16.

Originário de *Kerioth* (ou *Carioth*), localidade da Judeia, era filho de Simão Iscariote (João, 13:2). Era comerciante de pequeno negócio, em Cafarnaum. Segundo as tradições, este apóstolo foi designado para cuidar do dinheiro comum (espécie de tesoureiro) do colégio apostolar, "[...] cujos escassos recursos se destinavam a esmolas. Transportava o saco alongado (bolsa), que habitualmente israelitas atavam à cinta, para recolher pecúnia."[12] (João, 12:6; 13:29).

Judas deixou-se conduzir pela [...] embriaguez de seus sonhos ilusórios. Entregaria o Mestre aos homens do poder, em troca de sua nomeação oficial para dirigir a atividade dos companheiros. Teria autoridade e privilégios políticos. Satisfaria às suas ambições, aparentemente justas, com o fim de organizar a vitória cristã no seio de seu povo. Depois de atingir o alto cargo com que contava, libertaria Jesus e lhe dirigiria os dons espirituais, de modo a utilizá-los para a conversão de seus amigos e protetores prestigiosos. O Mestre, a seu ver, era demasiadamente humilde e generoso para vencer sozinho, por entre a maldade e a violência.[28]

Judas representa o tipo de pessoa preocupada com a vida material.

Não obstante amoroso, Judas era, muita vez, estouvado e inquieto. Apaixonara-se pelos ideais do Messias, e, embora esposasse os novos princípios, em muitas ocasiões surpreendia-se em choque contra Ele. Sentia-se dono da Boa Nova e, pelo desvairado apego a Jesus, quase sempre lhe tomava a dianteira nas deliberações importantes. Foi assim que organizou a primeira bolsa de fundos da comunhão apostólica e, obediente aos mesmos impulsos, julgou servir à grande causa que abraçara, aceitando perigosa cilada que redundou na prisão do Mestre.[31]

Ao presenciar o sofrimento de Jesus, durante a prisão e posterior crucificação, o apóstolo entendeu, tardiamente, o seu lamentável equívoco. "De longe, Judas contemplou todas as cenas angustiosas e humilhantes do Calvário. Atroz remorso lhe pungia a consciência dilacerada. Lágrimas ardentes lhe rolavam dos olhos tristes e amortecidos. Malgrados à vaidade que o perdera, ele amava imensamente o Messias."[29]

Desse momento em diante é que Judas começou a entender o caráter essencialmente espiritual da missão de Jesus. E sinceramente arrependido, confessa publicamente o seu crime. Mas era tarde. O Mestre já estava nas mãos de seus algozes, os quais eram inflexíveis.

O suicídio de Judas (acontecido em seguida à condenação de Jesus) lhe custou séculos de sofrimentos nas zonas inferiores no mundo espiritual, porque tentou corrigir um erro com outro erro. Todavia, ajudado espiritualmente por Jesus e seus companheiros de apostolado, depois de inúmeras reencarnações na Terra, dedicadas ao trabalho de fazer triunfar o Evangelho, Judas conseguiu reabilitar-se; e hoje está irmanado com Jesus em sua tarefa esplendorosa[18] (MATEUS, 27:1-10).

Entregue a profundo remorso, Judas Iscariotes se suicida quando percebe que a crucificação de Jesus seria irreversível. "Matias foi o substituto de Judas Iscariote no apostolado. Nada sabemos nos primeiros tempos sobre Matias, senão que ele foi um dos setenta e dois discípulos que o Senhor enviou, dois a dois, adiante de si a todas as cidades e lugares que pretendia visitar."[25]

Judas Tadeu ou Tadeu – Referências evangélicas sobre o apóstolo: MATEUS,10:3; MARCOS, 3:18; JOÃO, 14:22; LUCAS, 6:16; ATOS DOS APÓSTOLOS, 1:13. É um dos doze citados nominalmente por Mateus e Marcos. Há indicações de que ele seria também filho de Alfeu e de Cleofas (parenta de Maria santíssima), portanto, irmão de Levi (Mateus) e de Tiago Menor, todos eram nazarenos e amavam Jesus desde a infância, sendo muitas vezes chamados de "os irmãos do Senhor".[26]

Judas é identificado pela tradição antiga como o autor da epístola de Judas, que foi escrita a uma igreja ou grupo de igrejas desconhecido para combater o perigo representado por certos mestres carismáticos que estavam pregando e praticando libertinagem moral. O autor procura denunciar esses mestres como pessoas ímpias cuja condenação foi profetizada, e insta seus leitores a preservar o evangelho apostólico vivendo segundo as suas exigências morais.[7]

Contam as tradições que trabalhou na Mesopotâmia e na Pérsia.

Mateus ou Levi – Referências evangélicas sobre o apóstolo: MATEUS, 10:3; MARCOS, 2:14; LUCAS, 5:27 e 6:15; ATOS DOS APÓSTOLOS, 1:13. Era filho de Alfeu e de Cleofas, tendo como irmãos Tiago Menor. Nasceu na Galileia e era publicano (cobrador de impostos). "Os publicanos, conquanto gente de representação oficial, eram malvistos pelo povo, pois julgavam que extorquiam dinheiro dos contribuintes. Por isso se enriqueciam."[20]

A escolha de Mateus, por Jesus, para compor o colégio apostolar provocou murmurações. Denominavam-se publicanos, no império dos Césares, os empresários de rendas públicas, membros da poderosa ordem dos cavaleiros (*ordo equester*); dominada pelos romanos a Palestina, também nesta se intitularam publicanos os cobradores de impostos, destinados ao patrimônio do invasor.

Era um símbolo de vassalagem, inconciliável com a noção de povo eleito. Em linguagem atual, colaboracionismo com o vencedor.[13, 26]

Escreveu o primeiro evangelho, no qual dá ênfase aos aspectos humano e genealógico de Jesus. Pregou no norte da África, depois da morte do Mestre, prosseguindo até a Etiópia, onde foi morto.

Pedro, Simão, Simão Pedro ou Cefas – Referências evangélicas sobre o apóstolo: MATEUS, 4:18 e 10:2; MARCOS, 1:16 e 3:16; LUCAS, 6:14 e 9:20; JOÃO, 1:40; ATOS DOS APÓSTOLOS, 1:13.

Pescador em Cafarnaum, na Galileia, era irmão do apóstolo André (MATEUS, 4:18; LUCAS, 6:14; JOÃO, 1:40). Pedro, nome dado por Jesus, (MATEUS, 4:18; 10:2) ou Cefas, são cognomes do apóstolo, palavras que significam *pedra*, em grego e hebraico, respectivamente. JOÃO (1:40-42) chama-o de Simão Pedro. É também conhecido como Simão Bar-Jonas, que significa Simão, filho de Jonas (MATEUS, 16:18). Em suas epístolas apenas se autointitula apóstolo ou servo. Pedro, Tiago e João Evangelista faziam parte do círculo íntimo de Jesus, participando dos mais importantes atos do Mestre.[14, 27]

Pedro é muito lembrado pelo episódio, anunciado por Jesus, de que ele o negaria por três vezes.

> A negação de Pedro sempre constitui assunto de palpitante interesse nas comunidades do Cristianismo. Enquadrar-se a queda moral do generoso amigo do Mestre num plano de fatalidade? Por que se negaria Simão a cooperar com o Senhor em minutos tão difíceis? Útil, nesse particular, é o exame de sua invigilância. O fracasso do amoroso pescador reside aí dentro, na desatenção para com as advertências recebidas. Grande número de discípulos modernos participam das mesmas negações, em razão de continuarem desatendendo. Informa o Evangelho que, naquela hora de trabalhos supremos, Simão Pedro seguia o Mestre "de longe", ficou no "pátio do sumo sacerdote", e "assentou-se entre os criados" deste, para "ver o fim".

Leitura cuidadosa do texto esclarece-nos o entendimento e reconhecemos que, ainda hoje, muitos amigos do Evangelho prosseguem caindo em suas aspirações e esperanças, por acompanharem o Cristo a distância, receosos de perderem gratificações imediatistas; quando chamados a testemunho importante, demoram-se nas vizinhanças da arena de lutas redentoras, entre os servos das convenções utilitaristas, assentando binóculos de exame, a fim de observarem como será o fim dos serviços alheios.[30]

A dolorosa experiência de Pedro não se resume às perseguições que sofreu, ou nas lutas que enfrentou na divulgação do Evangelho. Está, antes, relacionada ao fato de ter negado Jesus. A tradição evangélica nos informa que, replicando ao Mestre, Pedro lhe diz que seria capaz de dar a própria vida por Ele. Ouvindo essa afirmativa, observa o Cristo: "Pedro, a tua inquietação se faz credora de novos ensinamentos. A experiência te ensinará melhores conclusões, porque, em verdade, te afirmo que esta noite o galo não cantará sem que me tenhas negado por três vezes."[26] (MATEUS, 26: 69-75).

A teologia católica afirma ser Pedro o fundador da igreja cristã de Roma, considerando-o o primeiro Papa. Simbolicamente pode-se admitir tal fato, porque, em termos históricos, Pedro não a poderia ter fundado. Depois da morte de Jesus, despontou como líder dos doze apóstolos, aparecendo, praticamente, em todas as narrativas evangélicas. Exerceu autoridade na recém-nascida comunidade cristã, tendo apoiado a iniciativa de Paulo de Tarso de incluir os não judeus na fé cristã.

Foi morto em Roma, crucificado de cabeça para baixo, no ano de 64 d.C., durante a perseguição feita por Nero aos cristãos. A forma de crucificação do apóstolo foi, segundo a tradição, escolhida por ele mesmo, que não se julgava digno de morrer como Jesus morreu. Supõe-se que o seu túmulo se encontra sob a catedral de São Pedro, no Vaticano.

Tiago Maior – Referências evangélicas sobre o apóstolo: MATEUS, 4:21 e 10:3; MARCOS, 3:17; LUCAS, 6:17; ATOS DOS APÓSTOLOS, 1:13. Pescador, nascido em Betsaida (Galileia), irmão de João, o Evangelista, filho de Zebedeu, fazia parte do círculo mais íntimo de Jesus.[27] Existem suposições, fundamentadas nos textos de LUCAS, 6:16 e dos ATOS DOS APÓSTOLOS, 1:13, de que Tiago Maior seja, também irmão de Judas Tadeu, por parte de mãe.[16]

Quatro pessoas no Novo Testamento têm o nome Tiago (grego Iakobos), que é uma de duas formas gregas do nome hebraico Jacó (a outra sendo a simples transliteração Iakob). Como Jacó era um ancestral referenciado em Israel, Tiago foi um nome comum entre os judeus no período romano. Tiago, filho de Zebedeu, era um pescador galileu na área de Cafarnaum no mar da Galileia, um sócio (juntamente com seu irmão João) de Simão Pedro. Estava trabalhando no negócio encabeçado por seu pai quando foi chamado por Jesus para ser seu discípulo. Tiago e João formaram, ao lado de Pedro, o núcleo mais estreito de três entre os Doze apóstolos: eles testemunharam a ressureição da filha de Jairo, estiveram presentes à transfiguração e observaram (e em parte dormiram enquanto ela ocorria) a agonia de Jesus em Getsêmani. Ao que parece, Tiago e João expressavam-se explosivamente, ou esperavam que Deus lançasse um súbito julgamento sobre os inimigos de Jesus, porque foram apelidados Boanerges (sons de trovões) [...]. Fora dos Evangelhos sinóticos, Tiago, filho de Zebedeu, aparece somente em Atos. Estava presente na sala superior com o grupo que esperava Pentecostes. A única outra referência a ele no Novo Testamento é a notícia enigmática de que Herodes (Agripa I) o havia matado. Ele foi, assim, o segundo mártir registrado da igreja (depois de Estêvão) e o primeiro do grupo apostólico a morrer (com exceção de Judas Iscariotes, que havia sido substituído como apóstolo).[8]

Os demais tiagos citados no Novo Testamento são: Tiago, filho de Alfeu ou Tiago Menor, apóstolo de Jesus; Tiago, pai do apóstolo Judas Tadeu, e um outro Tiago, chamado irmão de Jesus,[8] citado por MATEUS, 13:55 e MARCOS, 6:3.

Tiago Menor –Referências evangélicas sobre o apóstolo: MATEUS, 10:3; LUCAS, 6:15; MARCOS, 3:18; ATOS DOS APÓSTOLOS, 1:13. Era filho de Alfeu e de Cleofas (parenta de Maria Santíssima), portanto, irmão de Levi (Mateus). Quase nada se sabe sobre Tiago Menor, do ponto de vista das Escrituras, além do simples registro do seu nome no rol dos apóstolos e do fato de ser filho de Alfeu e ser irmão de um certo José (MATEUS, 10:3 e MARCOS, 15:40).

Simão, o zelote – Referências evangélicas sobre o apóstolo: MATEUS, 10:9; MARCOS, 3:18; LUCAS, 6:15 e ATOS DOS APÓSTOLOS, 1:13. Era chamado assim porque pertencia à seita dos zelotes, zelosos, ou zeladores, seita ultranacionalista e não religiosa, a qual lutava para a libertação de Israel do jugo romano. Vivia da profissão de pescador.²⁷

O apóstolo "[...] era Galileu, parece que nascido em Caná [daí ser chamado também de Simão, o Cananeu], onde Jesus, nas bodas transformou a água em vinho. [...] O historiador grego Nicéforo diz que ele percorreu o Egito, a Cirenaica e a África; que anunciou a Boa Nova na Mauritânia e em toda a Líbia, e depois nas ilhas Britânicas fez muitos milagres."²⁴

Tomé ou Dídimo – Referências evangélicas sobre o apóstolo: MATEUS, 10:3; MARCOS, 3:18; LUCAS, 6:15; ATOS DOS APÓSTOLOS, 1:13. Era chamado Dídimo, o Gêmeo, embora não haja qualquer registro de que tenha tido um irmão gêmeo. Descendente de antigo pescador de Dalmanuta, não seguiu, no entanto, essa profissão.²⁶

"Ficou famoso por duvidar da ressuscitação de Jesus, afirmando que só vendo, acreditaria. Jesus, então, apareceu-lhe, oito dias depois, mostrando-lhe as cicatrizes dos pés e das mãos, e a chaga do lado. Julga-se que Tomé foi pregar, após a dispersão, o Evangelho aos persas, hindus e árabes [...]".²³ Acompanhou Jesus durante os três anos de sua prédica, mostrando-se-lhe muito afeiçoado.¹⁷

Referências

1. DE BARROS, Aramis C. *Doze homens e uma missão.* 1. ed. Curitiba: Editora Luz e Vida, 1999. (Bartolomeu), p. 43.

2. _____._____. (Tomé), p. 119.

3. _____._____. (André), p. 120.

4. _____._____. (Filipe), p. 136.

5. _____._____. p. 150.

6. DICIONÁRIO DA BÍBLIA.VOL. *As pessoas e os lugares.* Organizado por Bruce M. Metzger e Michael Coogan. Tradução de Maria Luiza X. de A. Borges. Rio de Janeiro: Jorge Zahar, 2002, p. 14.

7. _____._____. p. 173.

8. _____._____. p. 319.

9. MACEDO, Roberto. *Vocabulário histórico geográfico dos romances de Emmanuel.* 3.ed. Rio de Janeiro: FEB, 2005, (André), p. 42.

10. _____._____. (Bartolomeu), p. 43.

11. _____._____. (João), p. 44-46.

12. _____._____. (Judas Iscariote), p. 46.

13. _____._____. (Mateus), p. 47.

14. _____._____. (Pedro), p. 48-49.

15. _____._____. (Tadeu), p. 52.

16. _____._____. (Tiago Menor), p. 53-54.

17. _____._____. (Tomé), p. 54-55.

18. RIGONATTI, Eliseu. *O evangelho dos humildes*. 15. ed. São Paulo: Editora Pensamento, 2003. Cap. 27 (O suicídio de Judas), p. 249.

19. _____. *O evangelho da mediunidade*. 7. ed. São Paulo Editora Pensamento, 2000. Cap. 6, (A instituição dos diáconos), p. 47.

20. SCHUTEL, Cairbar. *Vida e atos dos apóstolos*. 6. ed. Matão [SP]: O Clarim, 1976, Item: Mateus, p. 233.

21. _____._____. Item: André e Bartolomeu, p. 234.

22. _____._____. Item: Filipe e Tomé, p. 236.

23. _____._____. p. 237.

24. _____._____. Item: Simão-Judas e Matias, p. 238.

25. _____._____. p. 240-241.

26. XAVIER, Francisco Cândido. *Boa nova*. Pelo Espírito Humberto de Campos. 33. ed. Rio de Janeiro: FEB, 2005. Cap. 5 (Os Discípulos), p. 38-39.

27. _____._____. p. 39-41.

28. _____._____. Cap. 24 (A ilusão do discípulo), p.162. 29.

29. _____._____. p. 163.

30. _____. *Caminho, verdade e vida*. Pelo Espírito Emmanuel. 26. ed. Rio de Janeiro: FEB, 2006. Cap. 89 (O fracasso de Pedro), p. 193-194.

31. _____. *Luz acima*. Pelo Espírito Irmão X. 9. ed. Rio de Janeiro: FEB, 2004. Cap. 44 (Do aprendizado de Judas), p. 187.

32. XAVIER, Francisco Cândido; VIEIRA, Waldo. *Estude e viva*. Pelos Espíritos André Luiz e Emmanuel. 12. ed. Rio de Janeiro: FEB, 2006. Cap. 39 (Espíritas, meditemos – mensagem de Emmanuel), p. 223-224.

Orientações ao monitor

Realizar breve explanação sobre a organização do colégio apostolar, tendo como base os *subsídios* deste Roteiro. Em sequência, dividir a turma em pequenos grupos para leitura, troca de ideias e resumo sobre a vida e obra dos apóstolos.

O CRISTIANISMO

Roteiro 6

A ESCRITURA DOS EVANGELHOS. OS EVANGELISTAS

Objetivos

» Explicar como foram redigidos os textos evangélicos.
» Analisar o papel desempenhado pelos evangelistas na divulgação do Cristianismo.

Ideias principais

» [...] *os mensageiros do Cristo presidem à redação dos textos definitivos* [do Evangelho], *com vistas ao futuro, não somente junto aos apóstolos e seus discípulos, mas igualmente junto aos núcleos das tradições. Os cristãos mais destacados trocam, entre si, cartas de alto valor doutrinário para as diversas igrejas. São mensagens de fraternidade e de amor, que a posteridade muita vez não pôde ou não quis compreender.* Emmanuel: *A caminho da luz.* Cap. 14, item A redação dos textos definitivos.

» Entre os anos 60 e os 80 da Era Cristã aparecem os primeiros escritos evangélicos de Marcos, considerados os mais antigos. No final do século I, entre os anos 80 e 98, surge o Evangelho de Lucas, assim como o de Mateus. Este foi possivelmente escrito em hebraico, atualmente perdido. Finalmente, entre os anos de 98 e 110, aparece, em Éfeso, o evangelho de João. Ao lado desses evangelhos, únicos reconhecidos pela Igreja Católica, grande número de outros vinha à luz [são os evangelhos apócrifos]. *Por que razão foram esses numerosos documentos declarados apócrifos e rejeitados? Muito provavelmente porque haviam constituído num embaraço aos que nos séculos I e II imprimiram ao Cristianismo uma direção que o devia afastar, cada vez mais, de suas formas primitivas* [...]. Léon Denis: *Cristianismo e espiritismo*. Cap. 1.

» *A grandeza da doutrina* [cristã] *não reside na circunstância de o Evangelho ser de Marcos ou de Mateus, de Lucas ou de João; está na beleza imortal que se irradia de suas lições divinas, atravessando as idades e atraindo os corações.* Emmanuel: *A caminho da luz*. Cap. 14, item A redação dos textos definitivos.

Subsídios

O ambiente histórico em que o Evangelho surgiu é o do Judaísmo, formado e alimentado pelos livros sacros do Antigo Testamento, condicionado pelos acontecimentos históricos, pelas instituições nas quais se encontrou inserido, e pelas correntes religiosas que o especificaram.

A palavra *evangelho*, do grego *euangélion*, quer dizer boa-notícia ou boa-nova, por extensão. O sentido mais antigo da palavra está relacionado a uma gorjeta que era dada aos que traziam "boas-notícias". Nas cidades gregas empregava-se o vocábulo *evangelho* quando ecoava a notícia de uma vitória militar, ou nascimento do filho de um rei ou imperador. Uniam-se à notícia cânticos e cerimônias festivas, dando-se uma conotação de alegria.[9]

O Novo Testamento abrange quatro conjuntos de livros, assim discriminados: a) Evangelhos; b) Atos dos Apóstolos; c) Epístolas; d) Apocalipse. Neste roteiro estão inseridas informações sobre o Evangelho de Jesus, segundo os registros de Mateus, Marcos, Lucas e João.

O Evangelho [Boa Nova], cerne doutrinário do Cristianismo, contém aspectos da biografia terrena de Jesus Cristo e seus principais ensinamentos de caráter moral, coligidos segundo informações de Mateus, Marcos, Lucas e João. Mateus e João, discípulos diretos (apóstolos), de contato pessoal com o Mestre, escreveram respectivamente em hebraico e em grego; Marcos e Lucas, redigiram seus textos em grego, o primeiro transmitindo reminiscências de Pedro, o segundo investigando e recolhendo informações por via indireta. Harmonizam-se os quatro textos num todo orgânico, composto sem acomodações, sob inspiração mediúnica, cujo influxo não derrogou a liberdade volitiva e os pensadores psíquicos: Mateus, menosprezado funcionário, atende ao aceno do novo chefe e nele passa a vislumbrar o diretor supremo, o rei em nomenclatura humana, embora em nível do *reino dos céus*; Marcos, atemorizado quando jovem com a intensidade da tarefa, sublima depois, vendo em Jesus o servo incansável, paradigma da fraternidade a serviço divino; Lucas, mais intelectualizado, apresenta Jesus como entidade imaculada, presa pela genealogia ao pai Adão, porém subtraída ao pecado pela redenção no Pai Criador. João, mais espiritualizado, portanto mais próximo da essência dos ensinamentos de Jesus, tem olhos de ver no Cristo a entidade celestial, o verbo mesmo de Deus, não apenas o *rei*, o servo, o *homem*, sinopse da biografia terrena.[1, 15]

> O Cristo nada escreveu. Suas palavras, disseminadas ao longo dos caminhos, foram transmitidas de boca em boca e, posteriormente, transcritas em diferentes épocas, muito tempo depois da sua morte. Uma tradição religiosa popular formou-se pouco a pouco, tradição que sofreu constante evolução até o século IV [...]. Durante [...] meio século depois da morte de Jesus, a tradição cristã, oral e viva, é qual água corrente em que qualquer se pode saciar. Sua propaganda se fez por meio da prédica [sermão, discurso religioso], pelo ensino dos apóstolos, homens simples, iletrados, mas iluminados pelo pensamento do Mestre. Não é senão do ano 60 ao 80 que aparecem as primeiras narrações escritas, a de Marcos a princípio, que é a mais antiga, depois as primeiras narrativas atribuídas a Mateus e Lucas, todas, escritos fragmentários e que se vão acrescentar de sucessivas adições, como todas as obras populares.[3]

> Foi somente no fim do século I, de 80 a 98, que surgiu o evangelho de Lucas, assim como o de Mateus, o primitivo, atualmente perdido; finalmente, de 98 a 110, apareceu, em Éfeso, o evangelho de João. Ao lado desses evangelhos, únicos depois reconhecidos pela Igreja, grande número de outros vinha à luz. Desses, são conhecidos atualmente uns vinte; mas, no século III, Orígenes os citava em maior número. Lucas faz alusão a isso no primeiro versículo da obra que traz o seu nome.[10]

Os textos evangélicos utilizados pelos povos não anglo-saxônicos originam-se da *Vulgata* (divulgada) *Latina*, fixada a partir do século

IV, quando o erudito Jerônimo, secretário do papa Dâmaso I, verte do grego para o latim textos autenticáveis, e separa os considerados de autoria obscura ou apócrifa. Sabemos, no entanto, que existiu a chamada *Bíblia dos Setenta*, corpo doutrinário traduzido, ao que se diz, por setenta sábios de Alexandria, do qual se teria tirado setenta cópias.

O grego, em que os evangelhos foram escritos, foi o popular dialeto alexandrino chamado *kini*, que era a língua mais falada ou, pelo menos, compreendida pelos homens cultos de todas as localidades do Oriente e do Ocidente do Império Romano. Por essa razão os evangelistas usaram o grego e não o hebraico para escrever os evangelhos, tornando-os, assim, acessíveis a um maior número de pessoas.

Naquele tempo, não havia pontuação nem separação de palavras na escrita. Os textos utilizavam apenas as letras maiúsculas do alfabeto grego. As palavras eram redigidas com letras minúsculas e sem espaçamentos. A colocação de espaços entre as palavras e as frases foi adotada a partir do século IX d.C. A pontuação surgiu com o aparecimento da imprensa no século XV. A organização dos textos bíblicos em capítulos foi introduzida no Ocidente pelo cardeal inglês Hugo, no século XIII. A subdivisão dos capítulos em versículos foi criação do tipógrafo parisiense Roberto Stefen, no século XVI.

Não obstante a existência de várias traduções inglesas da Bíblia, empreendidas durante a Idade Média, somente no século XVI a História registra a tradução definitiva da Bíblia inglesa, na forma que conhecemos atualmente. Na conferência de *Hampton Court*, em 1604, foi proposta uma nova tradução da Bíblia. Cinquenta e quatro tradutores foram convidados para o empreendimento dessa tarefa em Oxford, Cambridge e Westminster. Essa tradução, dedicada ao rei James I, foi publicada em 1611, em volumes grandes. Trata-se de uma tradução, também conhecida como a *Versão Autorizada*, que se enraizou de tal forma na história religiosa e literária dos povos de língua inglesa que as edições posteriores cuidavam apenas de simples revisões, e não de substituições.

Algumas dessas revisões foram: a *Revisão Inglesa* de 1885 e a *Versão-Padrão Americana (American Standard Version)* de 1901. Esta última foi vigorosamente revisada pela *Revised Standard Version* de 1946-1952. Os textos bíblicos publicados em língua inglesa — que têm como base a tradução de William Tyndale, de 1525-1526 —, sobretudo o Novo Testamento, apresentam diferenças das edições publicadas pelos demais povos. É que a tradução inglesa foi realizada diretamente do original grego e não do latim (*Vulgata*).[17]

1. Os evangelhos canônicos e os apócrifos

Os evangelhos são narrativas cuidadosamente escritas sobre o nascimento, a vida, o ministério, a morte e a ressurreição de Jesus de Nazaré. Não podemos jamais esquecer que os textos existentes em o Novo Testamento retratam, além dos ensinamentos do Cristo, a pregação e a vida dos apóstolos e discípulos diretos.

Estudos críticos (e sérios) demonstram que nos textos evangélicos há diferenças que evidenciam a influência pessoal do escritor, sem deixar de lado a inspiração divina. Assim, os três primeiros evangelhos (Mateus, Marcos e Lucas) — chamados de evangelhos sinóticos — têm muitos aspectos comuns e também muitas diferenças. As semelhanças vão de algumas palavras a textos inteiros. As diferenças são encontradas nas narrativas de fatos e de acontecimentos relacionados à vida e à missão do Cristo, percebendo-se discrepâncias, aqui e ali. Em termos numéricos, podemos representar a questão sinótica assim:

» dos 661 versículos do evangelho de Marcos, 600 estão no de Mateus e 350 no de Lucas;

» os evangelhos de Mateus e Lucas têm 240 versículos em comum, os quais não constam do evangelho de Marcos;

» Mateus e Lucas inseriram outros versículos, segundo interpretação própria.

Os evangelistas Mateus e João foram apóstolos de Jesus. Lucas e Marcos não conviveram com Ele. Os escritos evangélicos, também chamados de *Escrituras Gregas*, foram divididos em "canônicos" — textos que fazem parte do Novo Testamento — e "apócrifos" (palavra que significa coisa escondida, oculta). Os apócrifos (ou deuterocanônicos), definidos no Concílio de Niceia, são manuscritos redigidos pelos discípulos de Jesus e que não foram (nem são) reconhecidos pela Igreja Católica, sob a alegação de que a veracidade dos mesmos não poderia ser comprovada.[9, 16]

Existem cerca de 112 textos, apócrifos, 52 no Antigo Testamento e 60 no Novo Testamento. A tradição contabiliza um número maior.

Exemplos de livros apócrifos:[19, 20]

1. Evangelhos: de Maria de Madalena; de Tomé; de Filipe; o árabe que trata da infância de Jesus; do pseudo-Tomé; de Tiago; da morte e assunção de Maria.

2. Atos: de Pedro; de Tecla; de Paulo; dos 12 apóstolos; de Pilatos.

3. Epístolas: de Pilatos a Herodes; de Pilatos a Tibério; de Pedro a Filipe; de Paulo aos laodicenses; epístola aos coríntios, de Aristeu.

4. Apocalipses: de Tiago; de João; de Estêvão; de Pedro; de Elias; de Esdras; de Baruc; de Sofonias.

5. Testamentos: de Abraão; de Isaac; de Jacó; dos 12 Patriarcas; de Moisés; de Salomão; de Jó.

6. Outros livros: A filha de Pedro; a descida do Cristo aos infernos; declaração de José de Arimateia; vida de Adão e Eva; jubileus, 1, 2 e 3; Henoque; Salmos de Salomão; Oráculos Sibilinos.

Os evangelhos de Marcos, Mateus e Lucas são chamados de *sinópticos*, porque apresentam, entre si, muitas semelhanças, podendo ser dispostos em colunas paralelas e "abarcados com um só olhar". Quanto ao quarto evangelho, o de João, este permanece único, pois se distingue significativamente dos demais em conteúdo, estilo e forma.[1] A hipótese mais aceita para justificar as similaridades existentes nos evangelhos sinóticos é denominada "teoria das duas fontes". Nessa teoria, Marcos teria utilizado uma fonte (possivelmente originária de Pedro), a qual serviria de subsídios para os relatos de Mateus e Lucas. A outra fonte, utilizada por estes dois evangelistas, é totalmente desconhecida e se chama *Fonte Q* (inicial da palavra alemã *quelle* = fonte).[2] Os textos evangélicos sofreram, ao longo dos tempos três grandes modificações: no texto original, escrito pelos evangelistas, durante a elaboração da *Vulgata* e na redação final, que é a que temos atualmente.

Por entre essas fases, ocorreram influências em variados sentidos, levando a relações literárias, de semelhança ou de diferenças, que são observadas entre os evangelhos no seu estado atual. Assim, pode-se perceber, que a redação de Marcos deve ter sofrido influência do documento — fonte de Mateus — daí verifica-se as semelhanças onde é dependente — onde, por sua vez, deve ter influenciado a última redação do primeiro evangelho.[3]

Os evangelhos segundo Mateus, Marcos e Lucas mencionam os ensinamentos de Jesus sobre o *Reino de Deus* mais de noventa vezes, o que é bastante significativo. O evangelho de João desenvolve a ideia de crença nas 99 citações, o que também nos fornece um material para reflexão.

2. O Evangelho segundo Marcos

Conforme a mais antiga tradição, esse evangelho foi escrito por João Marcos (João do hebraico, Marcos do latim), sobrinho de Pedro e primo de Barnabé. Ao que se sabe, vivia em Jerusalém com seus pais. Supõe-se que o texto de Marcos foi o que serviu de fonte para as escrituras de Lucas e de Mateus, tendo ele próprio, por sua vez, utilizado outras fontes (Pedro, por exemplo). Foi o primeiro evangelho a ser escrito, num tempo não muito distante da destruição de Jerusalém, ocorrida no ano 70 d.C., possivelmente entre os anos 60 e 70. É um evangelho que apresenta pouca evolução da doutrina cristã, e não conduz a maiores reflexões teológicas. É provável que Marcos tenha acompanhado os acontecimentos da paixão e morte do Cristo.

Para escrever o seu evangelho, Marcos deve ter recorrido a três fontes: às suas lembranças, às recordações de pessoas que conviveram com o Mestre e aos documentos que circulavam na jovem comunidade cristã da época. A tradição informa que Marcos teria sido discípulo de Pedro, de quem teria recebido os esclarecimentos evangélicos (I PEDRO, 5:13; ATOS DOS APÓSTOLOS, 12:12).

O evangelho de Marcos está escrito em estilo muito simples e de pouca precisão histórica. Descuida-se da sequência cronológica. Há muitas palavras aramaicas, revelando proximidade com os aramaísmos dos originais em que se baseou. São exemplos de aramaísmo as seguintes palavras ou expressões: *boanerges* (MARCOS, 3:17); *talita cumi* (MARCOS, 5:41); *efeta* (MARCOS, 7:34); *aba* (MARCOS, 14:36); *eloi, eloi* (MARCOS, l5: 34). Mostra também vestígios da tradição oral.

Há indícios de que Marcos teria redigido o seu texto em Roma. Os historiadores que defendem este ponto de vista se fundamentam nos seguintes indícios: a) na questão sobre o divórcio (MARCOS, 10: 1-12) — um problema que afligia apenas os romanos da época; b) na utilização de palavras latinas como *kenturiôn* (centurião) e *pretorion* (tribunal), entre outras (MARCOS, 6:27; 7:4; 12:42; 15:39, 44,45); c) nome latino para designar a moeda (ou óbulo) ofertada pela viúva (MARCOS, 12:41).

O evangelho de Marcos quer mostrar que Jesus é o Messias prometido e aguardado pelos judeus. Tem como escopo apresentar Jesus como *filho de Deus* (MARCOS, 1:11; 3:11; 15:39), sua condição divina, demonstrando que os milagres realizados por Jesus asseguravam ser Ele o Messias prometido. Esclarece também que Jesus é recebido favoravelmente pelas multidões, mas que seu messianismo, humilde e espiritual, decepciona e diminui a expectativa popular.

No propósito de nos apresentar Jesus como filho de Deus, incompreendido e rejeitado pelo povo, Marcos se preocupa menos em explanar o ensino do Mestre, fazendo poucas referências aos seus ensinamentos. Escrito em linguagem popular, de estilo vivo, o texto de Marcos deixa de lado o que interessava apenas aos Judeus, focalizando também os interesses dos pagãos recém-convertidos na fé, após a morte de Pedro e Paulo (entre os anos 62 e 63). No entanto, há no Evangelho de Marcos explicações que nem mesmo os gentios compreendiam (MARCOS, 3:17; 5:41; 7:34; 10:46; 14:36; 15:34), assim como relatos de costumes judaicos (MARCOS, 7:3-4; 14:12; 15:42). O autor faz poucas referências ao Antigo Testamento. Destaca as várias emoções dos personagens (MARCOS, 3:34; 8:12; 10:14, 21,32; 16:5-6). O ponto culminante do seu evangelho é a confissão de Pedro, em Cesareia (MARCOS, 8:27-30) e a resposta do Cristo, que não declarara antes ser o Messias por causa do falso conceito de libertador temporal, atribuído ao enviado de Deus. Alguns autores afirmam que Marcos usou este "segredo messiânico" para evitar explicações embaraçosas sobre o fato de ter o Cristo morrido da forma como morreu, quando deveria, no entender dos judeus, ser o libertador de um povo.

A tradição diz que a casa, citada em ATOS DOS APÓSTOLOS, 12:12, pertencia a Marcos, e é a mesma em que foi celebrada a última ceia de Jesus (MARCOS, 14:4).

Supõe-se também que o Jardim de Getsêmani lhe pertencia, que ele (Marcos) era o homem do cântaro (MARCOS, 14:13), sendo igualmente o jovem nu, retratado unicamente em seu Evangelho (MARCOS,14:51-52).

Marcos acompanhou Paulo e Barnabé na primeira viagem do apóstolo dos gentios — de Jerusalém à Antioquia (ATOS DOS APÓSTOLOS, 13:5) —, mas não completa a viagem, voltando a Jerusalém (ATOS DOS APÓSTOLOS, 13:13). Com Barnabé foi a Chipre (ATOS DOS APÓSTOLOS, 15:39), todavia, permaneceu mais tempo com Pedro, servindo de intérprete e de secretário. Tendo participado de trabalho missionário no Egito, morreu vítima de martírio.[4, 14 e 16]

3. O Evangelho segundo Mateus

O evangelho de Mateus foi escrito entre 80 e 100 d.C. Seguramente foi depois de 70, após a destruição de Jerusalém, e posterior ao evangelho de Marcos. O texto conhecido nos dias atuais, surgiu na Palestina, escrito em grego, em bom estilo literário, para leitores de língua grega. Posteriormente foi traduzido para o latim (*Vulgata*). Alguns estudiosos acreditam que o texto original de Mateus foi escrito em aramaico e, mais tarde, traduzido para o grego. Se, efetivamente, esse texto existiu, foi perdido.

As linhas gerais da vida do Cristo, encontradas no evangelho de Marcos, são reproduzidas no de Mateus, mas segundo um novo plano, por que os relatos e os discursos se alternam. Por exemplo, em Mateus, 1:4, há o relato da infância e início do ministério de Jesus. Em Mateus, 5:7 vem em discurso: o sermão do monte, as bem-aventuranças e a entrada no Reino.[5]

No tempo em que foi escrito, a igreja cristã já ultrapassara os limites de Israel.

Mateus foi um dos apóstolos e testemunha de vários acontecimentos. Cobrador de impostos para o Império Romano, era menosprezado pelos judeus, porque consideravam impura a sua profissão. Foi o apóstolo mais intelectual do grupo dos Doze.

Percebe-se que o seu evangelho era o de um cristão vindo do Judaísmo, conhecedor das Escrituras, fiel à tradição. Mateus escreve entre os judeus para judeus, procurando defender a tese de que Jesus era o Messias previsto nas escrituras. A sua origem judaica fica evidente quando ele emprega, por exemplo, a expressão *reino dos céus*, em lugar de *reino de Deus*, já que o nome Deus não era pronunciado pelos judeus.

A narrativa do texto de Mateus dispensa explicações sobre os costumes judaicos, por serem considerados corriqueiros e do entendimento dos seus compatriotas.

Na composição literária do seu evangelho, o autor empregou como fontes o evangelho de Marcos e outros escritos particulares. Fez um trabalho de compilação bastante pessoal (é um texto rico de hebraísmos), adaptando e completando as fontes com os próprios conhecimentos. Mateus é chamado *o homem dos discursos*, por ser quem mais cita as fontes. Mostra aos judeus que Jesus é filho de Davi e de Abraão, portanto, o Messias de Israel. Exorta os fiéis a aceitarem Jesus como o Messias prometido por Deus ao seu povo. Refere-se constantemente ao Antigo Testamento. Fala na universalidade da mensagem cristã, convidando judeus e não judeus a aceitarem os seus ensinamentos. Do ponto de vista cristológico, considera Jesus como *Rei*, Messias que foi rejeitado e que criou outro povo ou comunidade, que é a *Ecclesia* (Igreja). Emprega o termo *kyrios* (Senhor), enquanto os outros usam o termo *Mestre*.[6, 14 e 15]

4. O Evangelho segundo Lucas

O médico Lucas era natural de Antioquia, fato que ele cita várias vezes nos Atos dos Apóstolos. Não foi discípulo direto do Cristo, ficando isso claro desde o início do seu texto, pois que se coloca fora das testemunhas oculares. Utilizou como fontes o evangelho segundo Marcos bem como outras particulares da região onde viveu, incluindo-se nessas últimas, documentos da época e testemunhos dos fatos ocorridos. Lucas também teria recebido esclarecimentos de Paulo, por ocasião de um encontro em Antioquia. Paulo fala sobre Lucas em suas epístolas (COLOSSENSES, 4:14), (FILIPENSES, 24) (II TIMÓTEO, 4:11). Pode-se situar o aparecimento do evangelho de Lucas entre os anos 70 e 80 d.C.

O mérito particular do terceiro evangelho lhe vem da personalidade muito cativante do seu autor, que nele transparece continuamente. [...] Lucas é um escritor de grande talento e uma alma delicada. Elaborou sua obra de modo original, com um esforço de informação e de ordem (LUCAS, 1:3) Seu plano reproduz as grandes linhas de Marcos, com algumas transposições ou omissões. Certos episódios são deslocados (LUCAS, 3:19-20;4:16-30; 5:1-11; 6:12-19; 22: 31-34).

> Seu plano retoma as grandes linhas do de Marcos com algumas transposições ou omissões. Alguns episódios são deslocados (3, 19--20; 4, 16-30; 5, 1-11; 6, 12-19; 22, 31-34 etc), ora por preocupação de clareza e de lógica, ora por influência de outras tradições, entre as quais deve-se notar a que se reflete igualmente no quarto evangelho. Outros episódios são omitidos, seja como menos interessantes para os leitores pagãos (cf. Mc 9, 11-13), seja para evitar duplicatas (cf. Mc 12, 28-34 em comparação com Lc 10, 25-28).[7]

É tido como um bom escritor pelo estilo elegante da língua (o grego) usada no prólogo, considerado um clássico da época. O próprio costume de escrever prólogos, dedicando o livro, era comum entre os grandes escritores. Corrige o grego de Marcos, substituindo termos vulgares ou banais por palavras eruditas. À vista dos acontecimentos da época, procurou relacionar os acontecimentos narrados com fatos conhecidos da história, obedecendo a detalhes cronológicos. Alguns estudiosos procuram ver no seu Evangelho um certo *olho clínico*, por ser ele um médico. Vê-se isto, por exemplo, nos episódios da sogra de Pedro, do Samaritano, da hemorroíssa.

Lucas nos apresenta Jesus como o Messias dos pobres, dos humildes, dos desprezados, dos doentes e dos pecadores. Em LUCAS, 19: 10, fala em salvar o que estava perdido; em 7: 36-50, traz o relato da pecadora que banhou os pés do Cristo; em 15:1-32, narra ensinamentos sobre a ovelha ou dracma perdidas, e o retorno do filho pródigo; em 18: 9-14, fala da prece do publicano e a do fariseu; em 16: 19-31, faz referências sobre o rico avarento e sobre o pobre Lázaro; em 11: 41; 12: 33 e em 14:13, mostra a necessidade das esmolas.

Nota-se, ainda, em Lucas, uma preocupação com a valorização das mulheres, tendo em vista o conceito que delas tinha a sociedade da época. Assim, refere-se a Ana e a Isabel; às mulheres que acompanhavam os apóstolos; a Maria e Marta de Betânia; à viúva de Naim e à mulher da multidão que exaltou a mãe de Cristo. Cita também Maria, chamada Madalena, da qual haviam saído sete demônios, e Joana, mulher de Cuza, alto funcionário de Herodes; Susana e várias outras mulheres, que ajudavam a Jesus e aos discípulos com os bens que possuíam (LUCAS, 8: 1-3). E num lugar todo especial está Maria, mãe de Jesus. Fornece muitos detalhes da vida familiar do Mestre, fato que levanta a hipótese de Lucas ter entrevistado Maria de Nazaré. Corrige certas referências extraordinárias a respeito de Jesus, que pudessem escandalizar os não judeus (multiplicação dos pães, sogra de Pedro, discussão no caminho etc.). Faz a genealogia de Cristo diferente da de Mateus, começando por Adão.[13, 16 e 18]

5. O Evangelho segundo João

O evangelho de João só foi escrito em torno do ano 100 d.C. João é o canal de Deus para nos fazer compreender a presença de Jesus, o

Verbo divino. Esse evangelho é uma obra unitária: as partes só podem ser compreendidas na sua relação com o todo. Portanto, na leitura da obra deve-se ficar atento ao seu conjunto e não somente às unidades que a compõem, tomadas isoladamente. O plano que estrutura o evangelho de João é espiritual e não histórico-narrativo. A pessoa e a obra de Jesus são interpretadas por uma comunidade no seio da sua experiência de fé.

> A história de Jesus no evangelho de João é apresentada como um drama composto de um prólogo, dois atos principais e um epílogo. Considerando-se o evangelho sob essa luz, sua característica distintiva pode ser vista como seu ensinamento iluminado.[11]

João proclama a messianidade de Jesus e a sua filiação divina, esclarecendo que, para ter vida, é preciso ter fé em Jesus. Os traços característicos do evangelho joanino — e que o diferenciam dos demais — mostram a forte influência de uma corrente de pensamento amplamente difundida em certos círculos do judaísmo: os ensinamentos dos essênios. Neles se atribuía importância especial ao conhecimento (*gnose*), expresso por meio de dualismos: luz-trevas, verdade-mentira, anjo da luz-anjo das trevas. João insiste na mística da unidade com o Cristo e na necessidade do amor fraterno.

Mais ainda: o quarto evangelho, mais do que os sinóticos, quer dar a entender o sentido da vida, dos gestos e das palavras de Jesus. Os acontecimentos de Jesus são *sinais*, cujo sentido não transpareceu logo de início, só sendo compreendido após a glorificação do Cristo (João, 2:22; 12:16; 13:7); muitas palavras de Jesus eram dotadas de significação espiritual, que não foram percebidas senão mais tarde[8] (João, 2: 19).

Caberia ao apóstolo falar em nome de Jesus ressuscitado, recordando e ensinando aos discípulos o que Jesus lhes havia dito: "conduzi-los à verdade completa" (João, 14:26 e seguintes). Por outro lado, João nos mostra uma faceta da personalidade de Jesus, não percebida nos demais evangelistas: seus ensinamentos ocorrem no contexto da vida judaica, nas festas e no templo, deixando claro ao povo que ele, Jesus, é o centro de uma religião renovada, *em espírito e em verdade* (João, 4:24).

Para o evangelista, Jesus é a *Palavra* (o *Verbo*) enviada por Deus à Terra, e deve regressar ao Pai uma vez cumprida a sua missão (João,1:1 e seguintes). Trata-se de uma missão que consiste em anunciar aos homens os mistérios divinos: Jesus é a testemunha do que viu e ouviu junto ao Pai (João, 3:11 e seguintes). Jesus é a Água Viva (João,7:37). É a Luz do mundo (João, 8:12). Jesus é o Bom Pastor (João, 10:1-18) e é também o Caminho, a Verdade e a Vida (João, 14:6).

> João se move assim acima dos testemunhos dos outros escritores do evangelho, explorando a natureza de Jesus em relação a Deus e à Humanidade, e os fundamentos para a crença cristã e para a vida espiritual, que é a sua consequência. Jesus, no retrato de João, é ao mesmo tempo um com o Pai e um com sua igreja na Terra.[12]

Há detalhes, no quarto evangelho, que nos fazem supor haja entre o apóstolo e Jesus uma maior proximidade. Por exemplo, ao descrever o encontro do Mestre com Nicodemos, (João 3:1-15) o evangelista nos transmite a certeza de estar presente, testemunhando a conversa. Uma testemunha que talvez estivesse à porta, como quem se encontra à espreita, até surpreender o esclarecedor colóquio entre o Rabi Galileu e o doutor da lei. Noutro momento, quando narra o episódio das Bodas de Caná (João 2:1-12), João parece reviver o adolescente maravilhado, colocado perante o Rabi pleno de sabedoria, que abençoa a união matrimonial com sua luminosa presença.

Em outras passagens evangélicas a presença de João é percebida claramente, como se ele fosse a sombra de Jesus: acompanha o Rabi na íngreme subida de 562 metros (Lucas, 9:28-36) até o cume do monte Tabor. Após as quatro horas de marcha, dorme junto a Pedro e Tiago. Na madrugada que avança, escuta vozes que vibram no ar. A sublime visão de Jesus, vestido de luz o faria, mais tarde, evocar a cena inesquecível, ao iniciar a sua narrativa evangélica: "Nele estava a vida e a vida era a luz dos homens; a luz resplandece nas trevas e as trevas não a compreenderam" (João, 1:4-5).

Finalmente, é oportuno lembrar que a promessa do advento do Consolador consta apenas do Evangelho de João, que assim nos transmite o feliz anúncio de Jesus: "Se me amardes, guardareis os meus mandamentos. E eu rogarei ao Pai, e ele vos dará outro Consolador, para que fique convosco para sempre. O Espírito da verdade, que o mundo não pode receber, porque não o vê nem o conhece; mas vós o conheceis, porque habita convosco, e estará em vós. Não vos deixarei órfãos; voltarei para vós. Mas, quando vier o Consolador, que eu da parte do Pai vos hei de enviar, aquele Espírito da verdade, que procede do Pai, testificará de mim. E vós também testificareis, pois estivestes comigo desde o princípio" (João, 14:15-18; 15:26-27).

EADE • Livro I • Módulo II • Roteiro 6

Referências

1. BÍBLIA DE JERUSALÉM. São Paulo: Paulus, 2002, p. 1689.
2. _____._____. p. 13.
3. _____._____. p. 1692-1693.
4. _____._____. (O evangelho segundo são Marcos), p. 1696.
5. _____._____. (O evangelho segundo são Mateus), p. 1694. 6.
6. _____._____. p. 1698.
7. _____._____. (O evangelho segundo são de Lucas), p. 1699.
8. _____._____. (O evangelho segundo são João), p. 1835-1836.
9. BATTAGLIA, O. *Introdução aos evangelhos* — um estudo histórico-crítico. Rio de Janeiro, Vozes, 1984, p. 19 a 21.
10. DENIS, Léon. *Cristianismo e espiritismo*. 9. ed. Rio de Janeiro: 2004. Cap. 1 (Origem dos evangelhos) p. 25-26.
11. DICIONÁRIO DA BÍBLIA.VOL. *As pessoas e os lugares*. Organizado por Bruce M. Metzger e Michael Coogan. Tradução de Maria Luiza X. de Borges. Rio de Janeiro: Jorge Zahar, 2002, p. 156.
12. _____._____. p. 157.
13. _____._____. p.193-194.
14. _____._____. p. 197-198.
15. MACEDO, Roberto. *Vocabulário histórico geográfico dos romances de Emmanuel*. 2.ed. Rio de Janeiro: FEB, 1994, p 78-79.
16. http://www.fatheralexander.org/booklets/portuguese/bible6_p.htm
17. http://www.geocities.com/Athens/Agora/1417/Biblia/Lucas.htm1
18. http://www.ifcs.ufrj.br/~frazao/apocnt.htm
19. http://www.pt.wikipedia.org/wiki/livros_ap%C3%B3crifos
20. http://www.vivos.com.br/197.htm

Orientações ao monitor

Realizar um amplo debate a respeito do assunto desenvolvido no Roteiro, procurando destacar o trabalho executado pelos evangelistas.

O CRISTIANISMO

Roteiro 7

FENÔMENOS PSÍQUICOS NO EVANGELHO

Objetivos

» Conceituar milagre segundo a Doutrina Espírita.
» Analisar alguns fenômenos psíquicos provocados por Jesus.

Ideias principais

» *Um dos caracteres do milagre propriamente dito é o ser inexplicável, por isso mesmo que se realiza com exclusão das leis naturais. É tanto essa a ideia que se lhe associa, que, se um fato milagroso vem encontrar explicação, se diz que já não constitui milagre, por muito espantoso que seja.* Allan Kardec: *A gênese.* Cap. XIII, item 1.

» *O Espiritismo, pois, vem, a seu turno, fazer o que cada ciência fez no seu advento: revelar novas leis e explicar, conseguintemente, os fenômenos compreendidos na alçada dessas leis. Esses fenômenos, é certo, se prendem à existência dos Espíritos e à intervenção deles no mundo material e isso é, dizem, o em que consiste o sobrenatural. Mas, então, fora mister se provasse que os Espíritos e suas manifestações são contrárias às leis da Natureza; que aí não há, nem pode haver, a ação de uma dessas leis.* Allan Kardec: *A gênese.* Cap. XIII, item 4.

> *A possibilidade da maioria dos fatos que o Evangelho cita como operados por Jesus se acha hoje completamente demonstrada pelo Magnetismo e pelo Espiritismo, como fenômenos naturais.* Allan Kardec: Obras póstumas. Primeira parte, p. 140.

Subsídios

1. Milagres

Os Fenômenos psíquicos realizados por Jesus, por seus apóstolos e demais discípulos eram tidos como milagres ou de ordem sobrenatural. A Doutrina Espírita veio esclarecer quanto à origem e à forma de manifestação desses fenômenos, provando a possibilidade deles.[13]

> Na acepção etimológica, a palavra milagre (de *mirari*, admirar) significa: *admirável, coisa extraordinária, surpreendente.* [...] Na acepção usual, essa palavra perdeu, como tantas outras, a significação primitiva. De geral, que era, se tornou de aplicação restrita a uma ordem particular de fatos. No entender das massas, um *milagre* implica a ideia de um fato extra natural; no sentido teológico, é uma derrogação das leis da Natureza, por meio da qual Deus manifesta o seu poder. Tal, com efeito, a acepção vulgar, que se tornou o sentido próprio, de modo que só por comparação e por metáfora a palavra se aplica às circunstâncias ordinárias da vida. Um dos caracteres do milagre propriamente dito é o ser inexplicável, por isso mesmo que se realiza com exclusão das leis naturais. É tanto essa a ideia que se lhe associa, que, se um fato milagroso vem a encontrar explicação, se diz que já não constitui milagre, por muito espantoso que seja. O que, para a Igreja, dá valor aos milagres é, precisamente, a origem sobrenatural deles e a impossibilidade de serem explicados. [...] Outro caráter do milagre é o ser insólito, isolado, excepcional. Logo que um fenômeno se reproduz, quer espontânea, quer voluntariamente, é que está submetido a uma lei e, desde então, seja ou não seja conhecida a lei, já não pode haver milagres.[1]

É por este motivo que certos fatos científicos são, igualmente, considerados milagrosos, uma vez que o vulgo desconhece as leis que regem a sua manifestação. Da mesma forma, o desconhecimento dos mecanismos que originam os fenômenos psíquicos, mediúnicos ou anímicos, induz as pessoas a considerá-los como misteriosos ou sobrenaturais.

Entretanto [...] o conhecimento do princípio espiritual, da ação dos fluidos sobre a economia geral, do mundo invisível dentro do qual vivemos, das faculdades da alma, da existência e das propriedades do perispírito, facultou a explicação dos fenômenos de ordem psíquica, provando que esses fenômenos não constituem, mais do que os outros, derrogações das leis da Natureza, que, ao contrário, decorrem quase sempre de aplicações destas leis. Todos os efeitos do magnetismo, do sonambulismo, do êxtase, da dupla vista, do hipnotismo, da catalepsia, da anestesia, da transmissão do pensamento, a presciência, as curas instantâneas, as possessões [subjugações], as obsessões, as aparições e transfigurações etc., que formam a quase totalidade dos milagres do Evangelho, pertencem àquela categoria de fenômenos. Sabe-se agora que tais efeitos resultam de especiais aptidões e disposições psicológicas; que se hão produzido em todos os tempos e no seio de todos os povos e que foram considerados sobrenaturais pela mesma razão que todos aqueles cuja causa não se percebia.[15]

Sendo assim, o Espiritismo não produz milagres nem prodígios de qualquer natureza. Há uma explicação lógica e racional para a manifestação dos fenômenos psíquicos.

Do [...] mesmo modo que a Física, a Química, a Astronomia e a Geologia revelaram as leis do mundo material, ele revela outras leis desconhecidas, as que regem as relações do mundo corpóreo com o mundo espiritual, leis que, tanto quanto aquelas outras da Ciência, são leis da Natureza. Facultando a explicação de certa ordem de fenômenos incompreendidos até o presente, ele destrói o que ainda restava do domínio do maravilhoso. [...] Esse é um dos resultados do desenvolvimento da ciência espírita; pesquisando a causa de certos fenômenos, de sobre muitos mistérios levanta ela o véu.[17]

A Doutrina Espírita esclarece "[...] o que cada ciência fez no seu advento: revelar novas leis e explicar, conseguintemente, os fenômenos compreendidos na alçada dessas leis. Esses fenômenos, é certo, se prendem à existência dos Espíritos e à intervenção deles no mundo material e isso é, dizem, em que consiste o sobrenatural."[2]

O Espiritismo desmistifica o caráter sobrenatural dos fenômenos psíquicos, explicando-os de forma simples e consistente.

A intervenção de inteligências ocultas nos fenômenos espíritas não os torna mais milagrosos do que todos os outros fenômenos devidos a agentes invisíveis, porque esses seres ocultos que povoam os espaços são uma das forças da Natureza, força cuja ação é incessante sobre o mundo material, tanto quanto sobre o mundo moral. Esclarecendo-nos acerca dessa força, o Espiritismo faculta a elucidação de uma imensidade de coisas inexplicadas e inexplicáveis por qualquer outro meio e que, por isso, passaram por prodígios nos tempos idos. Do mesmo modo que o magnetismo, ele revela uma lei, senão desconhecida, pelo menos mal compreendida; ou, melhor dizendo, conheciam-se os efeitos, porque eles em todos os tempos se produziram, porém não se conhecia a lei e foi o desconhecimento desta que gerou a superstição. Conhecida essa lei, desaparece o maravilhoso e os fenômenos entram na ordem das coisas naturais.[3]

2. Jesus e os fenômenos psíquicos

Os fenômenos psíquicos intermediados por Jesus, em razão da excelsitude do seu Espírito, são por demais complexos para supô-los como de natureza mediúnica. É difícil imaginar que Jesus tenha agido como médium de outro Espírito.

Antes de tudo, precisamos compreender que Jesus não foi um filósofo e nem poderá ser classificado entre os valores propriamente humanos, tendo-se em conta os valores divinos de sua hierarquia espiritual, na direção das coletividades terrícolas. Enviado de Deus, Ele foi a representação do Pai junto do rebanho de filhos transviados do seu amor e da sua sabedoria, cuja tutela lhe foi confiada nas ordenações sagradas da vida no Infinito. Diretor angélico do orbe, seu coração não desdenhou a permanência direta entre os tutelados míseros e ignorantes [...].[18]

Os fatos relatados no Evangelho nada tiveram de milagroso, no sentido teológico do termo. Estavam fundamentados nas faculdades e nos atributos excepcionais do seu Espírito.

Jesus como [...] homem, tinha a organização dos seres carnais; porém, como Espírito puro, desprendido da matéria, havia de viver mais da vida espiritual, do que da vida corporal, de cujas fraquezas não era passível. A sua superioridade com relação aos homens não derivava das qualidades particulares do seu corpo, mas das do seu Espírito, que dominava de modo absoluto a matéria e da do seu perispírito, tirado da parte mais quintessenciada dos fluidos terrestres. Sua alma, provavelmente, não se achava presa ao corpo, senão pelos laços estritamente indispensáveis. Constantemente desprendida, ela decerto lhe dava dupla vista, não só permanente, como de excepcional penetração e superior de muito à que de ordinário possuem os homens comuns. O mesmo havia de dar-se, nele, com relação a todos os fenômenos que dependem dos fluidos perispirituais ou psíquicos. A qualidade desses fluidos lhe conferia imensa força magnética, secundada pelo incessante desejo de fazer o bem. Agiria como médium nas curas que operava? Poder-se-á considerá-lo poderoso médium curador? Não, porquanto o médium é um intermediário, um instrumento de que se servem os Espíritos desencarnados e o Cristo não precisava de assistência, pois que era ele quem assistia os outros. Agia por si mesmo, em virtude do seu poder pessoal, como o podem fazer, em certos casos, os encarnados, na medida de suas forças. Que Espírito, ao demais, ousaria insuflar-lhe seus próprios pensamentos e encarregá-lo de os transmitir? Se algum influxo estranho recebia, esse só de Deus lhe poderia vir. Segundo definição dada por um Espírito, ele era médium de Deus.[4]

Contudo, independentemente de o Espiritismo explicar com clareza como se realiza um fenômeno mediúnico, não podemos esquecer que o próprio Jesus qualificou alguns dos seus feitos como milagrosos.

É [...] que nisto, como em muitas outras coisas, lhe cumpria apropriar sua linguagem aos conhecimentos dos seus contemporâneos. Como poderiam estes apreender os matizes de uma palavra que ainda hoje nem todos compreendem? Para o vulgo, eram milagres as coisas extraordinárias que Ele fazia e que pareciam sobrenaturais, naquele tempo e mesmo muito tempo depois. Ele não podia dar-lhes outro nome. Fato digno de nota é que se serviu dessa denominação para atestar a missão que recebera de Deus, segundo suas próprias expressões, porém nunca se prevaleceu dos milagres para se apresentar como possuidor de poder divino.[16]

3. Alguns fenômenos psíquicos provocados por Jesus

3.1 Fenômeno de dupla vista

Este fenômeno pode ser atestado, a título de exemplo, nas seguintes citações evangélicas:

> "Ide à aldeia que está defronte de vós e logo encontrareis uma jumenta presa e um jumentinho com ela; desprendei-a e trazei-mos" (MATEUS, 21:2).

> "E, chegada a tarde, assentou-se à mesa com os doze. E, enquanto eles comiam, disse: Em verdade vos digo que um de vós me há de trair" (MATEUS, 26, 20:21).

> "E, quando acabou de falar, disse a Simão: faze-te ao mar alto, e lançai as vossas redes para pescar. E, respondendo Simão, disse-lhe: Mestre, havendo trabalhado toda a noite, nada apanhamos; mas, porque mandas, lançarei a rede. E, fazendo assim, colheram uma grande quantidade de peixes, e rompia-se-lhes a rede" (LUCAS, 5:4-6).

Nada apresentam de surpreendentes estes fatos, desde que se conheça o poder da dupla vista e a causa, muito natural, dessa faculdade. Jesus a possuía em grau elevado e pode dizer-se que ela constituía o seu estado normal, conforme o atesta grande número de atos de sua vida, os quais, hoje, têm a explicá-los os fenômenos magnéticos e o Espiritismo. A pesca qualificada de miraculosa igualmente se explica pela dupla vista. Jesus não produziu espontaneamente peixes onde não os havia; ele viu, com a vista da alma, como teria podido fazê-lo um lúcido vígil, o lugar onde se achavam os peixes e disse com segurança aos pescadores que lançassem aí suas redes.[5]

3.2 Fenômenos de cura

De todos os fatos que dão testemunho do poder de Jesus, os mais numerosos são, não há contestar, as curas. Queria Ele provar dessa dessa forma que o verdadeiro poder é o daquele que faz o bem; que o seu objetivo era ser útil e não satisfazer à curiosidade dos indiferentes, por meio de coisas extraordinárias. Aliviando os sofrimentos, prendia a si as criaturas pelo coração e fazia prosélitos mais numerosos e sinceros, do que se apenas os maravilhasse com espetáculos para os olhos.[9]

> "E certa mulher, que havia doze anos tinha um fluxo de sangue, e que havia padecido muito com muitos médicos, e despendido tudo quanto tinha, nada lhe aproveitando isso, antes indo a pior, ouvindo falar de Jesus, veio por detrás, entre a multidão, e tocou na sua vestimenta. Porque dizia: Se tão somente tocar nas suas vestes, sararei. E logo se lhe secou a fonte do seu sangue, e sentiu no seu corpo estar já curada daquele mal. E logo Jesus, conhecendo que a virtude de si mesmo saíra, voltou-se para a multidão e disse: Quem tocou nas minhas vestes?

E disseram-lhe os seus discípulos: Vês que a multidão te aperta, e dizes: Quem me tocou? E ele olhava em redor, para ver a que isso fizera. Então, a mulher, que sabia o que lhe tinha acontecido, temendo e tremendo, aproximou-se, e prostrou-se diante dele, e disse-lhe toda a verdade.E Ele lhe disse: Filha, a tua fé te salvou; vai em paz e sê curada deste teu mal" (MARCOS, 5: 25-34).

> Estas palavras: *conhecendo em si mesmo a virtude que dele saíra*, são significativas. Exprimem o movimento fluídico que se operara de Jesus para a doente; ambos experimentaram a ação que acabara de produzir-se. É de notar-se que o efeito não foi provocado por nenhum ato da vontade de Jesus; não houve magnetização, nem imposição das mãos. Bastou a irradiação fluídica normal para realizar a cura.[6]

» "E chegou a Betsaida; e trouxeram-lhe um cego e rogaram-lhe que lhe tocasse. E, tomando o cego pela mão, levou-o para fora da aldeia; e, cuspindolhe nos olhos e impondo-lhe as mãos, perguntou-lhe se via alguma coisa. E, levantando ele os olhos, disse: Vejo os homens, pois os vejo como árvores que andam. Depois, tornou a pôr-lhe as mãos nos olhos, e ele, olhando firmemente, ficou restabelecido e já via ao longe e distintamente a todos" (MARCOS, 8:22- 25).

> Aqui, é evidente o efeito magnético; a cura não foi instantânea, porém gradual e consequente a uma ação prolongada e reiterada, se bem que mais rápida do que na magnetização ordinária. A primeira sensação que o homem teve foi exatamente a que experimentam os cegos ao recobrarem a vista. Por um efeito de óptica, os objetos lhes parecem de tamanho exagerado.[7]

» "E aconteceu que, indo Ele a Jerusalém, passou pelo meio de Samaria e da Galileia; e, entrando numa certa aldeia, saíram-lhe ao encontro dez homens leprosos, os quais pararam de longe. E levantaram a voz, dizendo: Jesus, Mestre, tem misericórdia de nós! E Ele, vendo-os, disse-lhes: Ide e mostrai-vos aos sacerdotes. E aconteceu que, indo eles, ficaram limpos. E um deles, vendo que estava são, voltou glorificando a Deus em alta voz" (LUCAS, 17:11-15).

> Os samaritanos eram cismáticos, mais ou menos como os protestantes com relação aos católicos, e os judeus tinham em desprezo, como heréticos. Curando indistintamente os judeus e os samaritanos, dava Jesus, ao mesmo tempo, uma lição e um exemplo de tolerância;

e fazendo ressaltar que só o samaritano voltara a glorificar a Deus, mostrava que havia nele maior soma de fé e de reconhecimento, do que nos que se diziam ortodoxos.[8]

3.3 Ressurreições

» "E eis que chegou um dos principais da sinagoga, por nome Jairo, e, vendo-o, prostrou-se aos seus pés, e rogava-lhe muito, dizendo: Minha filha está moribunda; rogo-te que venhas e lhe imponhas as mãos para que sare e viva. E foi com ele, e seguia-o uma grande multidão, que o apertava. [...] E, tendo chegado à casa do principal da sinagoga, viu o alvoroço e os que choravam muito e pranteavam. E, entrando, disse-lhes: Por que vos alvoroçais e chorais? A menina não está morta, mas dorme. E riam-se dele; porém ele, tendo-os feito sair, tomou consigo o pai e a mãe da menina e os que com ele estavam e entrou onde a menina estava deitada. E, tomando a mão da menina, disse-lhe: *Talitá cumi*, que, traduzido, é: Menina, a ti te digo: levanta-te. E logo a menina se levantou e andava, pois já tinha doze anos; e assombraram-se com grande espanto" (MARCOS, 5: 21-24; 38-42).

» "E aconteceu, pouco depois, ir ele à cidade chamada Naim, e com ele iam muitos dos seus discípulos e uma grande multidão. E, quando chegou perto da porta da cidade, eis que levavam um defunto, filho único de sua mãe, que era viúva; e com ela ia uma grande multidão da cidade. E, vendo-a, o Senhor moveu-se de íntima compaixão por ela e disse-lhe: Não chores. E, chegando-se, tocou o esquife (e os que o levavam pararam) e disse: Jovem, eu te digo: Levanta-te. E o defunto assentou-se e começou a falar. E entregou-o à sua mãe. E de todos se apoderou o temor, e glorificavam a Deus, dizendo: Um grande profeta se levantou entre nós, e Deus visitou o seu povo. E correu dele esta fama por toda a Judeia e por toda a terra circunvizinha" (LUCAS, 7:11-17).

> Contrário seria às leis da Natureza e, portanto, milagroso, o fato de voltar à vida corpórea um indivíduo que se achasse realmente morto. Ora, não há mister se recorra a essa ordem de fatos, para ter-se a explicação das ressurreições que Jesus operou. Se, mesmo na atualidade, as aparências enganam por vezes os profissionais, quão mais frequentes não haviam de ser os acidentes daquela natureza, num país onde nenhuma precaução se tomava contra eles e onde o sepultamento era imediato. É, pois, de todo ponto provável que, nos dois casos acima, apenas síncope

ou letargia houvesse. O próprio Jesus declara positivamente, com relação à filha de Jairo: *Esta menina*, disse Ele, *não está morta, está apenas adormecida*. Dado o poder fluídico que Ele possuía, nada de espantoso há em que esse fluido vivificante, acionado por uma vontade forte, haja reanimado os sentidos em torpor; que haja mesmo feito voltar ao corpo o Espírito, prestes a abandoná-lo, uma vez que o laço perispirítico ainda se não rompera definitivamente. Para os homens daquela época, que consideravam morto o indivíduo desde que deixara de respirar, havia ressurreição em casos tais; mas, o que na realidade havia era cura e não ressurreição, na acepção legítima do termo.[10]

3.4 Transfiguração

» "E, seis dias depois, Jesus tomou consigo a Pedro, a Tiago e a João, e os levou sós, em particular, a um alto monte, e transfigurou-se diante deles. E as suas vestes tornaram-se resplandecentes, em extremo brancas como a neve, tais como nenhum lavadeiro sobre a terra as poderia branquear. E apareceram-lhes Elias e Moisés e falavam com Jesus. E Pedro, tomando a palavra, disse a Jesus: Mestre, bom é que nós estejamos aqui e façamos três cabanas, uma para ti, outra para Moisés e outra para Elias. Pois não sabia o que dizia, porque estavam assombrados. E desceu uma nuvem que os cobriu com a sua sombra, e saiu da nuvem uma voz, que dizia: Este é o meu Filho amado; a Ele ouvi. E, tendo olhado ao redor, ninguém mais viram, senão Jesus com eles" (MARCOS, 9:2-8).

É ainda nas propriedades do fluido perispirítico que se encontra a explicação deste fenômeno. A transfiguração [...] é um fato muito comum que, em virtude da irradiação fluídica, pode modificar a aparência de um indivíduo; mas, a pureza do perispírito de Jesus permitiu que seu Espírito lhe desse excepcional fulgor. Quanto à aparição de Moisés e Elias cabe inteiramente no rol de todos os fenômenos do mesmo gênero. [...] De todas faculdades que Jesus revelou, nenhuma se pode apontar estranhas às condições da Humanidade e que se não encontre comumente nos homens, porque estão todas na ordem da Natureza. Pela superioridade, porém, da sua essência moral e de suas qualidades fluídicas, aquelas faculdades atingiam nele proporções muito acima das que são vulgares. Posto de lado o seu envoltório carnal, ele nos patenteava o estado dos puros Espíritos.[11]

3.5 Aparição de Jesus, após a sua crucificação

» "Chegada, pois, a tarde daquele dia, o primeiro da semana, e cerradas as portas onde os discípulos, com medo dos judeus, se tinham ajuntado, chegou Jesus, e pôs-se no meio, e disse-lhes: Paz seja convosco! E, dizendo isso, mostrou-lhes as mãos e o lado. De sorte que os discípulos se alegraram, vendo o Senhor. Disse-lhes, pois, Jesus outra vez: Paz seja convosco! Assim como o Pai me enviou, também eu vos envio a vós. E, havendo dito isso, assoprou sobre eles e disse-lhes: Recebei o Espírito Santo. [...] E, oito dias depois, estavam outra vez os seus discípulos dentro, e, com eles, Tomé. Chegou Jesus, estando as portas fechadas, e apresentou-se no meio, e disse: Paz seja convosco! Depois, disse a Tomé: Põe aqui o teu dedo e vê as minhas mãos; chega a tua mão e põe-na no meu lado; não sejas incrédulo, mas crente. Tomé respondeu e disse-lhe: Senhor meu, e Deus meu! Disse-lhe Jesus: Porque me viste, Tomé, creste; bem-aventurados os que não viram e creram! (JOÃO, 20:19-22; 26-30).

Antes da aparição aos discípulos, Jesus se manifesta perante Maria Madalena e outras mulheres (MARCOS,16:1-7), confirmando, assim, a sua ressurreição. Aparece, mais tarde, aos dois discípulos, no caminho de Emaús (LUCAS, 24:13-35).

> Todos os evangelistas narram as aparições de Jesus, após sua morte, com circunstanciados pormenores que não permitem se duvide da realidade do fato. Elas, aliás, se explicam perfeitamente pelas leis fluídicas e pelas propriedades do perispírito e nada de anômalo apresentam em face dos fenômenos do mesmo gênero, cuja história, antiga e contemporânea, oferece numerosos exemplos, sem lhes faltar sequer a tangibilidade. Se notarmos as circunstâncias em que se deram as suas diversas aparições, nele reconheceremos, em tais ocasiões, todos os caracteres de um ser fluídico. Aparece inopinadamente e do mesmo modo desaparece; uns o veem, outros não [...]. Jesus, portanto, se mostrou com seu corpo perispirítico, o que explica que só tenha sido visto pelos que Ele quis que o vissem. Se estivesse com seu corpo carnal, todos o veriam, como quando estava vivo. Ignorando a causa originária do fenômeno das aparições, seus discípulos não se apercebiam dessas particularidades, a que, provavelmente, não davam atenção. Desde que viam o Senhor e o tocavam, haviam de achar que aquele era o seu corpo ressuscitado.[12]

Como reflexão final, refletimos que os fatos extraordinários da vida de Jesus marcaram a sua passagem entre nós, no plano físico. Entretanto, esses não foram os seus maiores feitos.

O maior milagre que Jesus operou, o que verdadeiramente atesta a sua superioridade, foi a revolução que seus ensinos produziram no mundo, malgrado à exiguidade dos seus meios de ação. Com efeito, Jesus, obscuro, pobre, nascido na mais humilde condição, no seio de um povo pequenino, quase ignorado e sem preponderância política, artística ou literária, apenas durante três anos prega a sua doutrina, [...] Tinha contra si tudo o que causa o malogro das obras dos homens, razão por que dizemos que o triunfo alcançado pela sua doutrina foi o maior dos seus milagres, ao mesmo tempo que prova ser divina a sua missão. Se, em vez de princípios sociais e regeneradores, fundados sobre o futuro espiritual do homem, Ele apenas houvesse legado à posteridade alguns fatos maravilhosos, talvez hoje mal o conhecessem de nome.[14]

Referências

1. KARDEC, Allan. *A gênese*. Tradução de Guillon Ribeiro. 50. ed. Rio de Janeiro: FEB, 2006. Cap. 13, item 1, p. 297-298.
2. _____._____. Item 4, p. 299.
3. _____._____. Item 13, p. 305.
4. _____._____. Cap. 15, item 2, p. 354-355.
5. _____._____. Item 9, p. 359.
6. _____._____. Item 11, p. 361.
7. _____._____. Item 13, p. 362.
8. _____._____. Item 17, p. 364.
9. _____._____. Item 27, p. 372.
10. _____._____. Item 39, p. 379-380.
11. _____._____. Item 44, p. 383-384.
12. _____._____. Item 61, p.398.
13. _____._____. Item 62, p. 399.
14. _____._____. Item 63, p. 399-400.
15. _____. *Obras póstumas*. Tradução de Guillon Ribeiro. 39. ed. Rio de Janeiro: FEB, 2006. Primeira parte. (Estudo sobre a natureza do Cristo). Cap. 2, p. 140.

16. _____._____. p. 141.

17. _____. *O evangelho segundo o espiritismo*. Tradução de Guillon Ribeiro. 125. ed. Rio de Janeiro: FEB, 2006. Cap. 21, item 7, p. 362-363.

18. XAVIER, Francisco Cândido. *O consolador*. Pelo Espírito Emmanuel. 26. ed. Rio de Janeiro: FEB. 2006, q. 283, p. 168.

Orientações ao monitor

Debater, inicialmente, o conceito milagre, destacando o significado espírita. Dividir a turma em pequenos grupos, orientando-os na realização de leitura e análise dos fenômenos psíquicos produzidos por Jesus, incluídos neste roteiro. Após o trabalho em grupo, os participantes devem apresentar a conclusão do trabalho, em plenária.

O CRISTIANISMO

Roteiro 8

OS DISCÍPULOS DE JESUS

Objetivos

» Identificar as características dos verdadeiros discípulos de Jesus.
» Destacar os pontos mais importantes da missão dos *Setenta Discípulos* e dos *Quinhentos da Galileia*.

Ideias principais

» Deus [...] *só confia missões importantes aos que Ele sabe capazes de as cumprir, porquanto as grandes missões são fardos pesados que esmagariam o homem carente de forças para carregá-los. Em todas as coisas, o mestre há de sempre saber mais do que o discípulo; para fazer que a Humanidade avance moralmente e intelectualmente, são precisos homens superiores em inteligência e em moralidade.* Allan Kardec: *O evangelho segundo o espiritismo.* Cap. XXI, item 9.

» *[...] o discípulo da Boa Nova tem de servir a Deus, servindo à sua obra neste mundo. Ele sabe que se acha a laborar com muito esforço num grande campo, propriedade de seu Pai, que observa com carinho e atenta com amor nos seus trabalhos.* Humberto de Campos: *Boa nova.* Cap. 6.

» *Designou o Senhor ainda outros setenta e mandou-os adiante da sua face, de dois em dois, a todas as cidades e lugares aonde ele havia de ir.* (LUCAS, 10:1.)

> [...] foi *confiado aos quinhentos da Galileia o serviço glorioso da evangelização das coletividades terrestres, sob a inspiração de Jesus Cristo.* Humberto de Campos: *Boa nova.* Cap. 29.

Subsídios

1. Os discípulos do Cristo

O termo *discípulo*, significando literalmente "aluno", aparece no Novo Testamento somente nos evangelhos e em Atos dos Apóstolos. De emprego, em particular, para identificar os doze apóstolos, designa, em geral, a ampla variedade dos seguidores de Jesus. Entretanto, nem todos os seguidores do Cristo se constituíram em seus legítimos discípulos, aceitando a mensagem cristã e colocando-se a serviço de Jesus. Grande parte da população seguia o Mestre em busca de alívio dos problemas que lhes afligiam a existência.

> Em virtude dos seus postulados sublimes de fraternidade, a lição do Cristo representava o asilo de todos os desesperados e de todos os tristes. As multidões dos aflitos pareciam ouvir aquela misericordiosa exortação: "Vinde a mim, vós todos que sofreis e tendes fome de justiça e eu vos aliviarei". E da cruz chegava-lhes, ainda, o alento de uma esperança desconhecida. A recordação dos exemplos do Mestre não se restringia aos povos da Judeia, que lhe ouviram diretamente os ensinos imorredouros. Numerosos centuriões e cidadãos romanos conheceram pessoalmente os fatos culminantes das pregações do Salvador. Em toda a Ásia Menor, na Grécia, na África, e mesmo nas Gálias, como em Roma, falava-se dele, da sua filosofia nova que abraçava todos os infelizes, cheia das claridades sacrossantas do reino de Deus e da sua justiça. Sua doutrina de perdão e de amor trazia nova luz aos corações e os seus seguidores destacavam-se do ambiente corrupto do tempo, pela pureza de costumes e por conduta retilínea e exemplar.[6]

Ao lado das criaturas que seguiam o Mestre em busca de alívio para os seus males, havia os servidores fiéis, que abraçaram de corpo e alma a causa do Cristo, conforme rezam as escrituras e a tradição. Em todas as épocas renasceram no Planeta discípulos sinceros de Jesus, almas valorosas que, em razão do trabalho por elas desenvolvido, se constituíram em guardiões e disseminadores da mensagem cristã, estimulando o progresso da Humanidade, ao longo dos séculos.

> Deus [...] só confia missões importantes aos que Ele sabe capazes de as cumprir, porquanto as grandes missões são fardos pesados que esmagariam o homem carente de forças para carregá-los. Em todas as coisas, o Mestre há de sempre saber mais do que o discípulo; para fazer que a Humanidade avance moralmente e intelectualmente, são precisos homens superiores em inteligência e em moralidade. Por isso, para essas missões são sempre escolhidos Espíritos já adiantados, que fizeram suas provas noutras existências, visto que, se não fossem superiores ao meio em que têm da atuar, nula lhes resultaria a ação.[1]

Neste sentido, o verdadeiro missionário, justifica-se "[...] pela sua superioridade, pelas suas virtudes, pela grandeza, pelo resultado e pela influência moralizadora de suas obras, a missão de que se diz portador."[1] E como poderemos nos transformar em legítimos discípulos do Cristo? O que é necessário fazer? É o próprio Jesus que nos ensina:

> Ama a Deus, nosso Pai [...], com toda a tua alma, com todo o teu coração e com todo o teu entendimento. Ama o próximo como a ti mesmo. Perdoa ao companheiro quantas vezes se fizerem necessárias. Empresta sem aguardar retribuição. Ora pelos que te perseguem e caluniam. Ajuda os adversários. Não condenes para que não sejas condenado. A quem te pedir a capa cede igualmente a túnica. Se alguém te solicita a jornada de mil passos, segue com Ele dois mil. Não procures o primeiro lugar nas assembleias, para que a vaidade te não tente o coração. Quem se humilha será exaltado. Ao que te bater numa face, oferece também a outra. Bendize aquele que te amaldiçoa. Liberta e serás libertado. Dá e receberás. Sê misericordioso. Faze o bem ao que te odeia. Qualquer que perder a sua vida, por amor ao apostolado da redenção, ganhá-la-á mais perfeita, na glória da eternidade. Resplandeça a tua luz. Tem bom ânimo. Deixa aos mortos o cuidado de enterrar os seus mortos. Se pretendes encontrar-me na luz da ressurreição, nega a ti mesmo, alegra-te sob o peso da cruz dos próprios deveres e segue-me os passos no calvário de suor e sacrifício que precede os júbilos da aurora divina![16]

Percebemos, assim, que a existência de cada servidor fiel se resume na adoção de um determinado tipo de conduta que o caracteriza como homem de bem.

A [...] vida de cada criatura consciente é um conjunto de deveres para consigo mesma, para com a família de corações que se agrupam em torno dos seus sentimentos e para com a Humanidade inteira. E não é tão fácil desempenhar todas essas obrigações com aprovação plena das diretrizes evangélicas. Imprescindível se faz eliminar as arestas do próprio temperamento, garantindo o equilíbrio que nos é particular, contribuir com eficiência em favor de quantos nos cercam o caminho, dando a cada um o que lhe pertence, e servir à comunidade, de cujo quadro fazemos parte. Sem que nos retifiquemos, não corrigiremos o roteiro em que marchamos. [...] Se buscamos a sublimação com o Cristo, ouçamos os ensinamentos divinos. Para sermos discípulos dele é necessário nos disponhamos com firmeza a conduzir a cruz de nossos testemunhos de assimilação do bem, acompanhando-lhe os passos.[15]

2. Os discípulos e sua missão

2.1 A missão dos setenta discípulos da Galileia

Lucas nos relata que, após a transfiguração no Tabor e a cura de um epilético obsidiado, Jesus designou setenta discípulos (alguns códices, como a *Bíblia de Jerusalém*, mencionam 72), que deveriam anunciar os ensinamentos de Jesus, fornecendo-lhes instruções precisas de como deveriam agir.

» Primeiramente "mandou-os adiante da sua face, de dois em dois, a todas as cidades e lugares aonde ele havia de ir" (Lc 10:1).

» Asseverou que os enviava "como cordeiros ao meio de lobos" (Lc 10:3).

» Orientou-lhes: "Não leveis bolsa, nem alforje, nem sandálias; e a ninguém saudeis pelo caminho" (Lc 10:4).

» Instruiu-os a como proceder ao chegar a uma residência: "onde entrardes, dizei primeiro: Paz seja nesta casa. E, se ali houver algum filho de paz, repousará sobre ele a vossa paz; e, se não, voltará para vós. E ficai na mesma casa, comendo e bebendo do que eles tiverem, pois digno é o obreiro de seu salário. Não andeis de casa em casa". (Lc 10: 5-7).

» Esclareceu-lhes agir como hóspedes educados: "E, em qualquer cidade em que entrardes e vos receberem, comei do que vos puserem diante" (Lc 10: 8).

» Pediu-lhes: "E curai os enfermos que nela houver e dizei-lhes: É chegado a vós o Reino de Deus. Mas, em qualquer cidade em que entrardes e vos não receberem, saindo por suas ruas, dizei: Até o pó que da vossa cidade se nos pegou sacudimos sobre vós. Sabei, contudo, isto: já o Reino de Deus é chegado a vós" (Lc 10: 9-11).

» Informou-lhe, ainda: Quem vos ouve a vós a mim me ouve; e quem vos rejeita a vós a mim me rejeita; e quem a mim me rejeita, rejeita aquele que me enviou" (Lc 10: 16).

Lucas nos esclarece também que o empreendimento dos setenta discípulos foi coroado de êxito, que retornaram felizes, dizendo: "Senhor, pelo teu nome, até os demônios se nos sujeitam. E disse-lhes: Eu via Satanás, como raio, cair do céu. Eis que vos dou poder para pisar serpentes, e escorpiões, e toda a força do inimigo, e nada vos fará dano algum" (Lc 10: 17-19). Jesus, porém, os alertou: "Mas não vos alegreis porque se vos sujeitem os espíritos; alegrai-vos, antes, por estar o vosso nome escrito nos céus" (Lc 10: 20).

Percebe-se nesse texto do Evangelho que a despeito de ser Jesus o Governador espiritual do Planeta, não dispensa a cooperação de servidores que, à semelhança de "batedores", seguem à frente anunciando a *Boa Nova*.

> Jesus [...] não prescinde da participação de outros Espíritos de condição espiritual inferior a dele para o desenvolvimento de sua tarefa. [...] Em tarefa de redenção espiritual de elevado porte, faz-se acompanhar de uma falange invisível e de um punhado de homens e mulheres carregando consigo conquistas e débitos espirituais. Atua em conjunto, investindo no potencial do grupo, ainda que reconhecesse suas fragilidades. Dá o apoio, mas deixa que cada um cumpra a cota de serviço necessária ao processo de crescimento individual e coletivo.[3]

Outro ponto relevante, evidenciado nessa passagem evangélica, diz respeito às instruções que Jesus transmitiu aos seus discípulos. O Mestre não se limita a dizer-lhes "o que fazer" mas, também, "o como fazer", tendo em vista as diferentes situações que surgiriam na execução do trabalho. O êxito da missão foi, assim, garantido tanto pelas sábias orientações prestadas pelo Senhor quanto pelo esforço dos discípulos em cumpri-las.

> Os [...] os grandes operários da Espiritualidade; cheios de coragem e de austeridade, sulcaram as estradas de vila em vila, de aldeia em aldeia,

sem se preocuparem com haveres, com roupas, com bolsas, com alforjes nem com sandálias, no cumprimento das ordens que receberam, já curando enfermos e levando a paz às multidões sufocadas pelas tribulações, já anunciando à viva voz e sem desejar outros valores, a chegada do Reino de Deus, que, deveria dominar os corações.[4]

É, pois, necessário o desenvolvimento de valores morais para sermos considerados discípulos de Jesus: "desinteresse, abnegação, sacrifício, mansidão, coragem, dignidade, humildade, amor [...]".[4]

A lição evangélica nos faz refletir também sobre a carência de liderança positiva no mundo atual. As pessoas, em geral, estão muito envolvidas com aquisição de bens transitórios.

A ausência de objetivos superiores é um dos grandes males humanos. Estacionados na rotina, os homens tendem a preocupar-se com ninharias, emprestando demasiada importância a acontecimentos banais, a fenômenos naturais de desgaste orgânico e ao procedimento alheio, transformando-se em eternos inquietos, em doentes crônicos e amigos da maledicência. Quando resolvem mudar, não cogitam de olhar para o Alto. Preferem descer ao rés-do-chão, resvalando para a inconsequência e o vício.[5]

Em razão da nossa acanhada evolução, moral e intelectual, ainda nos empenhamos em servir a Jesus por meio de práticas exteriores, adiando para o grande amanhã a verdadeira transformação íntima.

Também nós, sensibilizados com os propósitos de elevação, permanecemos vinculados aos dispositivos da Boa Nova. No entanto, aguarda o Mestre que as atitudes exteriores de seus seguidores possam, um dia, acionarem-se objetivamente, desprendendo seus corações das imantações milenares, mediante decisiva disposição de se elevarem espiritualmente.[2]

2.2 A missão dos quinhentos discípulos da Galileia

Depois do Calvário, verificadas as primeiras manifestações de Jesus no cenáculo singelo de Jerusalém, apossara-se de todos os amigos sinceros do Messias uma saudade imensa de sua palavra e de seu convívio. A maioria deles se apegava aos discípulos, como que querendo reter as últimas expressões de sua mensagem carinhosa e imortal. [...] Foi quando Simão Pedro e alguns outros salientaram a necessidade do regresso a Cafarnaum, para os labores indispensáveis da vida. Em breves dias, as velhas redes mergulhavam de novo no Tiberíades, por entre as cantigas rústicas dos pescadores. [...] Mas, ao pé do monte onde o Cristo se fizera ouvir algumas vezes, exalçando as belezas do Reino de Deus e da sua justiça, reuniam-se invariavelmente todos os antigos seguidores mais fiéis, que se haviam habituado ao doce alimento de sua palavra inesquecível. [...] Numa tarde de azul profundo, a reduzida comunidade de amigos do Messias, ao lado da pequena multidão, reuniu-se em preces, no sítio solitário. João havia comentado as promessas do Evangelho, enquanto na encosta se amontoava a assembleia dos fiéis seguidores do Mestre. Viam-se, ali, algumas centenas de rostos embevecidos e ansiosos. Eram romanos de mistura com judeus desconhecidos, mulheres humildes conduzindo os filhos pobres e descalços, velhos respeitáveis, cujos cabelos alvejavam da neve dos repetidos invernos da vida.[10]

As tradições cristãs nos relatam que, naquele dia, Jesus apareceu a aproximadamente quinhentas pessoas — denominadas, mais tarde, de *Os Quinhentos da Galileia* —, prestando-lhes os seguintes esclarecimentos:

— Amados [...] —, eis que retorno a vida em meu Pai para regressar à luz do meu Reino!... Enviei meus discípulos como ovelhas ao meio de lobos e vos recomendo que lhes sigais os passos no escabroso caminho. Depois deles, é a vós que confio a tarefa sublime da redenção pelas verdades do Evangelho. Eles serão os semeadores, vós sereis o fermento divino. Instituo-vos os primeiros trabalhadores, os herdeiros iniciais dos bens divinos. Para entrardes na posse do tesouro celestial, muita vez experimentareis o martírio da cruz e o fel da ingratidão... Em conflito permanente com o mundo, estareis na Terra, fora de suas leis implacáveis e egoísticas, até que as bases do meu Reino de concórdia e justiça se estabeleçam no espírito das criaturas. Negai-vos a vós mesmos, como neguei a minha própria vontade na execução dos desígnios de Deus, e tomai a vossa cruz para seguir-me.[11]

Assinalando na mente e no coração os seus ensinamentos imorredouros, e voltando o olhar para o futuro o Mestre lhes alerta:

Séculos de luta vos esperam na estrada universal. É preciso imunizar o coração contra todos os enganos da vida transitória, para a soberana grandeza da vida imortal. Vossas sendas estarão repletas de fantasmas de aniquilamento e de visões da morte. O mundo inteiro se levantará contra vós, em obediência espontânea às forças tenebrosas do mal, que ainda lhes dominam as fronteiras. Sereis escarnecidos e aparentemente desamparados; a dor vos assolará as esperanças mais caras; andareis esquecidos na Terra, em supremo abandono do coração. Não participareis do venenoso banquete das posses materiais, sofrereis a perseguição e o terror, tereis o coração coberto de cicatrizes e de ultrajes. A chaga é o vosso sinal, a coroa de espinhos o vosso símbolo, a cruz o recurso ditoso da redenção. Vossa voz será a do deserto, provocando, muitas vezes, o escárnio e a negação da parte dos que dominam na carne perecível. Mas, no desenrolar das batalhas incruentas do coração, quando todos os horizontes estiverem abafados pelas sombras da crueldade, dar-vos-ei da minha paz, que representa a água viva. Na existência ou na morte do corpo, estareis unidos ao meu Reino.[12]

Prosseguindo nas suas orientações, Jesus enfatiza:

Amados, eis que também vos envio como ovelhas aos caminhos obscuros e ásperos. Entretanto, nada temais! Sede fiéis ao meu coração, como vos sou fiel, e o bom ânimo representará a vossa estrela! Ide ao mundo, onde teremos que vencer o mal! Aperfeiçoemos a nossa escola milenária, para que aí seja interpretada e posta em prática a lei de amor do nosso Pai, em obediência feliz à sua vontade augusta![13]

Esclarece-nos o Espírito Humberto de Campos que, a partir daquela "[...] noite de imperecível recordação, foi confiado aos quinhentos da Galileia o serviço glorioso da evangelização das coletividades terrestres, sob a inspiração de Jesus Cristo."[14]

[...] Mal sabiam eles, na sua mísera condição humana, que a palavra do Mestre alcançaria os séculos do porvir. E foi assim que, representando o fermento renovador do mundo, eles reencarnaram em todos os tempos, nos mais diversos climas religiosos e políticos do planeta, ensinando a Verdade e abrindo novos caminhos de luz, por meio dos bastidores eternos do Tempo.

Foram eles os primeiros a transmitir a sagrada vibração de coragem e confiança aos que tombaram nos campos do martírio, semeando a fé no coração pervertido das criaturas. Nos circos da vaidade humana, nas fogueiras e nos suplícios, ensinaram a lição de Jesus, com resignado heroísmo. Nas Artes e nas Ciências, plantaram concepções novas de desprendimento do mundo e de belezas do Céu e, no seio das mais variadas religiões da Terra, continuam revelando o desejo do Cristo, que é de união e de amor, de fraternidade e concórdia.

Na qualidade de discípulos sinceros e bem-amados, desceram aos abismos mais tenebrosos, redimindo o mal com os seus sacrifícios purificadores, convertendo, com as luzes do Evangelho, à corrente da redenção, os Espíritos mais empedernidos. Abandonados e desprotegidos na Terra, eles passam, edificando no silêncio as magnificências do Reino de Deus, nos países dos corações e, multiplicando as notas de seu cântico de glória por entre os que se constituem instrumentos sinceros do bem com Jesus Cristo, formam a caravana sublime que nunca se dissolverá.[14]

Cedo ou tarde a Humanidade terá que optar por Jesus, mantendo-se fiel ao seu Evangelho.

— Na causa de Deus, a fidelidade deve ser uma das primeiras virtudes. Onde o filho e o pai que não desejam estabelecer, como ideal de união, a confiança integral e recíproca? Nós não podemos duvidar da fidelidade do nosso Pai para conosco. Sua dedicação nos cerca os espíritos, desde o primeiro dia. Ainda não o conhecíamos e já Ele nos amava. E, acaso, poderemos desdenhar a possibilidade da retribuição? [...][7]

A respeito deste assunto, relata ainda o Espírito Humberto de Campos que, em diálogo com Jesus, Judas Tadeu inquiriu do Mestre: "De que modo, porém, se há de viver como homem e como apóstolo do Reino de Deus na face deste mundo?"[8]

A resposta de Jesus, luminosa e firme, como não poderia deixar de ser, foi:

— Em verdade [...] ninguém pode servir, simultaneamente, a dois senhores. Fora absurdo viver ao mesmo tempo para os prazeres condenáveis da Terra e para as virtudes sublimes do Céu. O discípulo da Boa Nova tem de servir a Deus, servindo à sua obra neste mundo. Ele sabe que se acha a laborar com muito esforço num grande campo, propriedade de seu Pai, que o observa com carinho e atenta com amor nos seus trabalhos. [...] É certo que as forças destruidoras reclamarão a indiferença e a submissão do filho de Deus; mas o filho de coração fiel a seu Pai se lança ao trabalho com perseverança e boa vontade. Entrará em luta silenciosa com o meio, sofrer-lhe-á os tormentos com heroísmo espiritual, por amor do Reino que traz no coração plantará uma flor na qual haja um espinho; abrirá uma senda, embora estreita, em que estejam em confusão os parasitos da Terra; cavará pacientemente, buscando as entranhas do solo, para que surja uma gota de água onde queime um deserto. Do íntimo desse trabalhador brotará sempre um cântico de alegria, porque Deus o ama e segue com atenção.[8]

Esses edificantes esclarecimentos nos conduzem a outro diálogo de Jesus com um dos apóstolos, no caso, com André. Este apóstolo perguntou a Jesus: "Como poderei ser fiel a Deus, estando enfermo?" Obteve do Senhor a seguinte resposta à sua indagação:

[...] Nos dias de calma, é fácil provar-se fidelidade e confiança. Não se prova, porém, dedicação, verdadeiramente, senão nas horas tormentosas, em que tudo parece contrariar e perecer. [...]

André, se algum dia teus olhos se fecharem para a luz do Terra, serve a Deus com a tua palavra e com os teus ouvidos; se ficares mudo, toma, assim mesmo, a charrua, valendo-te das tuas mãos. Ainda que ficasses privado dos olhos e da palavra, das mãos e dos pés, poderias servir a Deus com a paciência e a coragem, porque a virtude é o verbo dessa fidelidade que nos conduzirá ao amor dos amores![9]

Referências

1. KARDEC, Allan. *O evangelho segundo o espiritismo*. Tradução de Guillon Ribeiro. 125. ed. Rio de Janeiro: FEB, 2006. Cap. 21, item 9, p. 366-367.
2. GRUPO ESPÍRITA EMMANUEL. *Luz imperecível*. Estudo interpretativo do evangelho à luz da doutrina espírita. Coordenação de Honório Onofre de Abreu. Edição comemorativa aos 40 anos do Grupo Espírita Emmanuel, Belo Horizonte: Grupo Espírita Emmanuel, 1997. Cap. 171 (Trabalho e redenção), p. 469.
3. PEREIRA, Sandra B. *Refletindo sobre Jesus e os recursos humanos*. http:// www.fern.org.br/artigoago.htm
4. SCHUTEL, Cairbar. *O espírito do cristianismo*. 8. ed. Matão: O Clarim, 2001, Cap. 15 (A missão dos setenta), p. 106.
5. SIMONETTI, Richard. *Para viver a grande mensagem*. 7. ed. Rio de Janeiro: FEB, 1998. Item: Para abrir alas, p. 103.
6. XAVIER, Francisco Cândido. *A caminho da luz*. Pelo Espírito Emmanuel. 32 ed. Rio de Janeiro: FEB, 2005. Cap. 14 (A edificação cristã), item: Os primeiros cristãos, p. 121-122.
7. _____. *Boa nova*. Pelo Espírito Humberto de Campos. 33. ed. Rio de Janeiro, 2005. Cap. 6 (Fidelidade a Deus), p.44. 8.
8. _____. _____. p. 47.

9. _____._____. p. 48.

10. _____._____. Cap. 29 (Os quinhentos da Galileia), p. 190-191.

11. _____._____. p. 192-193.

12. _____._____. p. 193.

13. _____._____. p. 194.

14. _____._____. p. 195.

15. _____. *Fonte viva*. Pelo Espírito Emmanuel. 34. ed. Rio de Janeiro: FEB, 2006. Cap. 58 (Discípulos), p. 145-146.

16. _____. *Roteiro*. Pelo Espírito Emmanuel. 1ed. Rio de Janeiro: FEB, 2004. Cap. 13 (A mensagem cristã), p. 60-61.

Orientações ao monitor

Solicitar aos participantes que se organizem em grupos, cabendo-lhes a tarefa de elaborar um mural, de forma que os grupos apresentem as principais características: a) dos verdadeiros discípulos de Jesus; b) da missão dos *Setenta Discípulos*; c) da missão dos *Quinhentos Discípulos da Galileia*.

EADE – LIVRO I | MÓDULO II

O CRISTIANISMO

Roteiro 9

A ÚLTIMA CEIA

Objetivos

» Identificar os principais ensinos e orientações transmitidos por Jesus na última ceia.

» Interpretar à luz do Espiritismo acontecimentos significativos que ocorreram antes da crucificação de Jesus.

Ideias principais

» *E, chegada a hora, pôs-se à mesa, e, com ele, os doze apóstolos. E disse--lhes: Desejei muito comer convosco esta Páscoa, antes que padeça, porque vos digo que não a comerei mais até que ela se cumpra no Reino de Deus. E, tomando o cálice e havendo dado graças, disse: Tomai-o e reparti-o entre vós, porque vos digo que já não beberei do fruto da videira, até que venha o Reino de Deus. E, tomando o pão e havendo dado graças, partiu-o e deu-lho, dizendo: Isto é o meu corpo, que por vós é dado; fazei isso em memória de mim. Semelhantemente, tomou o cálice, depois da ceia, dizendo: Este cálice é o Novo Testamento no meu sangue, que é derramado por vós* (Lucas, 22:14-20).

» *Mas eis que a mão do que me trai está comigo à mesa. E, na verdade, o Filho do Homem vai segundo o que está determinado; mas ai daquele homem por quem é traído! E começaram a perguntar entre si qual deles seria o que havia de fazer isso* (Lucas, 22: 21-23).

> Levantou-se da ceia, tirou as vestes e, tomando uma toalha, cingiu-se. Depois, pôs água numa bacia e começou a lavar os pés aos discípulos e a enxugar-lhos com a toalha com que estava cingido (João, 13:4-5).

> Um novo mandamento vos dou: que vos ameis uns aos outros; como eu vos amei a vós [...] (João 13:34).

> Não se turbe o vosso coração; credes em Deus, crede também em mim. Na casa do Pai há muitas moradas; se não fosse assim eu vo-lo teria dito, pois vou prepararvos o lugar (João 14:1-2).

> Se me amardes, guardareis os meus mandamentos. E rogarei ao Pai e ele vos dará outro Consolador, para que fique convosco para sempre [...] (João, 14:15-16).

Subsídios

1. A última ceia

A última ceia de Jesus com os seus apóstolos representa mais um apelo do Mestre à vivência da lei de amor, segundo os princípios da verdadeira fraternidade que devem reinar na Humanidade. Nessa ceia, o Mestre transmite também orientações finais aos discípulos, anuncia acontecimentos e empenha, mais uma vez, o seu amor e proteção a todos que o aceitarem como orientador maior.

Jesus, ao iniciar a última ceia destaca a sua importância: "E, chegada a hora, pôs-se à mesa, e, com Ele, os doze apóstolos. E disse-lhes: Desejei muito comer convosco esta Páscoa, antes que padeça, porque vos digo que não a comerei mais até que ela se cumpra no Reino de Deus. E, tomando o cálice e havendo dado graças, disse: Tomai-o e reparti-o entre vós, porque vos digo que já não beberei do fruto da vide, até que venha o Reino de Deus. E, tomando o pão e havendo dado graças, partiu-o e deu-lho, dizendo: Isto é o meu corpo, que por vós é dado; fazei isso em memória de mim. Semelhantemente, tomou o cálice, depois da ceia, dizendo: Este cálice é o Novo Testamento no meu sangue, que é derramado por vós (Lucas, 22:14-20).

— Amados — disse Jesus, com emoção —, está muito próximo o nosso último instante de trabalho em conjunto e quero reiterar-vos as minhas recomendações de amor, feitas desde o primeiro dia do apostolado. Este pão significa o do banquete do Evangelho; este vinho é o sinal do espírito renovador dos meus ensinamentos. Constituirão o símbolo de nossa comunhão perene, no sagrado idealismo do amor, com que operaremos no mundo até o último dia. Todos os que partilharem conosco, através do tempo, desse pão eterno e desse vinho sagrado da alma, terão o espírito fecundado pela luz gloriosa do Reino de Deus, que representa o objetivo santo dos nossos destinos.[7]

O simbolismo do pão e do vinho, que seria posteriormente incorporado ao ritual da missa católica, sob o nome de eucaristia, tem significado específico, segundo o Espiritismo.

A verdadeira eucaristia evangélica não é a do pão e do vinho materiais, como pretende a igreja de Roma, mas, a identificação legítima e total do discípulo com Jesus, de cujo ensino de amor e sabedoria deve haurir a essência profunda, para iluminação dos seus sentimentos e do seu raciocínio, através de todos os caminhos da vida.[14]

A mensagem evangélica demonstra claramente, ainda que sob o véu do símbolo, que Jesus não estava fazendo referência ao pão, alimento material, nem ao vinho, "[...] mas de sua doutrina, que é o alimento do Espírito, e precisa ser repartido com todos, para que todos os Espíritos não sintam fome de conhecimentos religiosos; para que todos sejam saciados com esse Pão que nos dá um corpo novo, incorruptível, imortal."[2]

Cairbar Schutel esclarece assim:

As duas espécies: *pão* e *vinho*, não são mais que alegorias, que dão ideia da *letra* e do *espírito*; assim como a *carne* e o *sangue* especificam a mesma ideia: *letra* e *espírito*. Queria Jesus mais uma vez lembrar a seus discípulos que o seu corpo — que é a sua Doutrina — não pode ser assimilada unicamente à letra, mas precisa ser estudada e compreendida em *espírito* e *verdade* [...].[2]

Os registros existentes no plano espiritual nos fornecem detalhes a respeito dos fatos acontecidos naquele dia inesquecível, de conformidade com as anotações do Espírito Humberto de Campos.

Reunidos os discípulos em companhia de Jesus, no primeiro dia das festas da Páscoa, como de outras vezes, o Mestre partiu o pão com a costumeira ternura. Seu olhar, contudo, embora sem trair a serenidade de todos os momentos, apresentava misterioso fulgor, como se sua alma, naquela instante, vibrasse ainda mais com os altos planos do Invisível.

[...]

Em dado instante, tendo-se feito longa pausa entre os amigos palradores, o Messias acentuou com firmeza impressionante:

— Amados, é chegada a hora em que se cumprirá a profecia da Escritura. Humilhado e ferido, terei de ensinar em Jerusalém a necessidade do sacrifício próprio, para que não triunfe apenas uma espécie de vitória, tão passageira quanto as edificações do egoísmo ou do orgulho humanos. Os homens têm aplaudido, em todos os tempos, as tribunas douradas, as marchas retumbantes dos exércitos que se glorificaram com despojos sangrentos, os grandes ambiciosos que dominaram à força o espírito inquieto das multidões; entretanto, eu vim de meu Pai para ensinar como triunfam os que tombam no mundo, cumprindo um sagrado dever de amor, como mensageiros de um mundo melhor, onde reinam o bem e a verdade. Minha vitória é a dos que sabem ser derrotados entre os homens, para triunfarem com Deus, na divina construção de suas obras, imolando-se, com alegria, para a glória de uma vida maior.[5]

Lucas afirma que, em seguida, Jesus anuncia a traição que lhe aconteceria: "Mas eis que a mão do que me trai está comigo à mesa. E, na verdade, o Filho do Homem vai segundo o que está determinado; mas ai daquele homem por quem é traído! E começaram a perguntar entre si qual deles seria o que havia de fazer isso" (Lucas, 22:21-23).

O impacto de tais palavras provocou angústias e ansiedades nos apóstolos. O Mestre, porém, lhes tranquiliza, dizendo:

— Não vos perturbeis com as minhas afirmativas, porque, em verdade, um de vós outros me há de trair!... As mãos, que eu acariciei, voltam-se agora contra mim. Todavia, minha alma está pronta para execução dos desígnios de meu Pai.

A pequena assembleia fez-se lívida. Com exceção de Judas, que entabulara negociações particulares com os doutores do Templo, faltando apenas o ato do beijo, a fim de consumar-se a sua defecção, ninguém poderia contar com as palavras amargas do Messias. Penosa sensação de mal-estar se estabelecera entre todos. O filho de Iscariotes fazia o possível por dissimular as suas dolorosas impressões, quando os companheiros se dirigiam ao Cristo com perguntas angustiadas:

— Quem será o traidor? — disse Filipe, com estranho brilho nos olhos.

— Serei eu? — indagou André ingenuamente.

— Mas, afinal — objetou Tiago, filho de Alfeu, em voz alta —, onde está Deus que não conjura semelhante perigo?

Jesus, que se mantivera em silêncio ante as primeiras interrogações, ergueu o olhar para o filho de Cleofas e advertiu:

Tiago, faze calar a voz de tua pouca confiança na sabedoria que nos rege os destinos. Uma das maiores virtudes do discípulo do Evangelho é a de estar sempre pronto ao chamado da Providência divina. Não importa onde e como seja o testemunho de nossa fé. O essencial é revelarmos a nossa união com Deus, em todas as circunstâncias. É indispensável não esquecer a nossa condição de servos de Deus, para bem lhe atendermos ao chamado, nas horas de tranquilidade ou de sofrimento.

A esse tempo, havendo-se calado novamente o Messias, João interveio, perguntando:

— Senhor, compreendo a vossa exortação e rogo ao Pai a necessária fortaleza de ânimo; mas, por que motivo será justamente um dos vossos discípulos o traidor de vossa causa? Já nos ensinastes que, para se eliminarem do mundo os escândalos, outros escândalos se tornam necessários; contudo, ainda não pude atinar com a razão de um possível traidor em nosso próprio colégio de edificação e de amizade.[6]

Judas Iscariotes passou para História como o traidor do Cristo. (João, 13:21-30). Entretanto, o apóstolo amava profundamente Jesus, jamais imaginando que o Mestre seria aprisionado, condenado e crucificado. Isso não lhe passara pela cabeça. Foi um discípulo que se deixou levar pelas ilusões do mundo. Não conseguiu compreender a profundidade da mensagem cristã. Entendia que o Evangelho somente poderia "[...] vencer com o amparo dos prepostos de César ou das autoridades administrativas de Jerusalém".[3] Na sua concepção o Messias deveria deter em suas mãos todos os poderes, não compreendendo que: "As ideias do Mestre são do Céu e seria sacrilégio misturarmos a sua pureza com as organizações viciadas do mundo!...".[4]

O Espírito Irmão X também explica:

Não obstante amoroso, Judas era, muita vez, estouvado e inquieto. Apaixonara-se pelos ideais do Messias, e, embora esposasse os novos princípios, em muitas ocasiões surpreendia em choque contra Ele. Sentia-se dono da Boa Nova e, pelo desvairado apego a Jesus, quase sempre lhe tomava a dianteira nas deliberações importantes.[10]

Entretanto, conhecendo-lhe as fraquezas, Jesus sempre permaneceu "em missão de auxílio a Judas."[11]

2. Ensinos e orientações de Jesus pronunciados na última ceia

» Advento de outro consolador

Jesus identifica a sinceridade nos pronunciamentos dos apóstolos, relativa ao anúncio da traição. Percebe, porém, que eles ainda não têm condições de compreenderem os acontecimentos em toda a sua extensão. Prorroga essa compreensão para o futuro, anunciando-lhes o advento de outro consolador, que lhes forneceria todos os esclarecimentos: "Se me amardes guardareis os meus mandamentos. E eu rogarei ao Pai, e Ele vos dará outro Consolador, para que fique convosco para sempre, o Espírito da verdade, que o mundo não pode receber, porque não o vê, nem o conhece; mas vós o conheceis, porque habita convosco e estará em vós. Não vos deixarei órfãos; voltarei para vós. Ainda um pouco, e o mundo não me verá mais, mas vós me vereis; porque eu vivo, e vós vivereis. Naquele dia, conhecereis que estou em meu Pai, e vós, em mim, e eu, em vós. Aquele que tem os meus mandamentos e os guarda, este é o que me ama; e aquele que me ama será amado de meu Pai, e eu o amarei e me manifestarei a Ele. [...] Mas aquele Consolador, o Espírito Santo, que o Pai enviará em meu nome, vos ensinará todas as coisas e vos fará lembrar de tudo quanto vos tenho dito" (JOÃO, 14:14-21; 26).

Jesus promete outro consolador: o *Espírito de Verdade*, que o mundo ainda não conhece, por não estar maduro para o compreender, consolador que o Pai enviará para ensinar todas as coisas e para relembrar o que o Cristo há dito. [...]

O Espiritismo vem, na época predita, cumprir a promessa do Cristo: preside ao seu advento o Espírito de Verdade. Ele chama os homens à observância da lei; ensina todas as coisas fazendo compreender o que Jesus só disse por parábolas. Advertiu o Cristo: "Ouçam os que têm ouvidos para ouvir". O Espiritismo vem abrir os olhos e os ouvidos, porquanto fala sem figuras, nem alegorias; levanta o véu intencionalmente lançado sobre certos mistérios. Vem, finalmente, trazer a consolação suprema aos deserdados filhos da Terra e a todos os que sofrem, atribuindo causa justa e fim útil a todas as dores.

[...]

Assim, o Espiritismo realiza o que Jesus disse do Consolador prometido: conhecimento das coisas, fazendo que o homem saiba donde vem, para onde vai e por que está na Terra; atrai para os verdadeiros princípios da Lei de Deus e consola pela fé e pela esperança.[1]

» O maior será menor no Reino dos céus

Concluídas as elucidações sobre o pão e o vinho, e o anúncio da traição, os apóstolos começaram a discutir quem, entre eles, seria o maior: "E houve entre eles contenda. E ele lhes disse: Os reis dos gentios dominam sobre eles, e os que têm autoridade sobre eles são chamados benfeitores. Mas não sereis vós assim; antes, o maior entre vós seja como o menor; e quem governa, como quem serve. Pois qual é maior: quem está à mesa ou quem serve? Porventura, não é quem está à mesa? Eu, porém, entre vós, sou como aquele que serve" (LUCAS, 22:24-27).

Altamente tocados pelas suas exortações solenes, porém, maravilhados ainda mais com as promessas daquele reinado venturoso e sem-fim, que ainda não podiam compreender claramente, a maioria dos discípulos começou a discutir as aspirações e conquistas do futuro.

Enquanto Jesus se entretinha com João, em observações afetuosas, os filhos de Alfeu examinavam com Tiago as possíveis realizações dos tempos vindouros, antecipando opiniões sobre qual dos companheiros poderia ser o maior de todos, quando chegasse o Reino com as suas inauditas grandiosidades. Filipe afirmava a Simão Pedro que, depois do triunfo, todos deviam entrar em Nazaré para revelar aos doutores e aos ricos da cidade a sua superioridade espiritual. Levi dirigia-se a Tomé e lhe fazia sentir que, verificada a vitória, se lhes constituía uma obrigação a marcha para o Templo ilustre, em que exibiriam seus poderes supremos. Tadeu esclarecia que o seu intento era dominar os mais fortes e impenitentes do mundo, para que aceitassem, de qualquer modo, a lição de Jesus.

O Mestre interrompera a sua palestra íntima com João, e os observava. As discussões iam acirradas. As palavras "maior de todos" soavam insistentemente aos seus ouvidos. Parecia que os componentes do sagrado colégio estavam na véspera da divisão de uma conquista material e, como os triunfadores do mundo, cada qual desejava a maior parte da presa. Com exceção de Judas, que se fechava num silêncio sombrio, quase todos discutiam com veemência. Sentindo-lhes a incompreensão, o Mestre pareceu contemplá-los com entristecida piedade.[8]

» Jesus exemplifica que o maior discípulo é o que se torna servidor

"Levantou-se da ceia, tirou as vestes e, tomando uma toalha, cingiu-se. Depois, pôs água numa bacia e começou a lavar os pés aos discípulos e a enxugar-lhos com a toalha com que estava cingido. Aproximou-se, pois, de Simão Pedro, que lhe disse: Senhor, tu lavas-me os pés a mim?

Respondeu Jesus e disse-lhe: O que eu faço, não o sabes tu, agora, mas tu o saberás depois. Disse-lhe Pedro: Nunca me lavarás os pés. Respondeu-lhe Jesus: Se eu te não lavar, não tens parte comigo. Disse-lhe Simão Pedro: Senhor, não só os meus pés, mas também as mãos e a cabeça. Disse-lhe Jesus: Aquele que está lavado não necessita de lavar senão os pés, pois no mais todo está limpo. Ora, vós estais limpos, mas não todos. Porque bem sabia ele quem o havia de trair; por isso, disse: Nem todos estais limpos. Depois que lhes lavou os pés, e tomou as suas vestes, e se assentou outra vez à mesa, disse-lhes: Entendeis o que vos tenho feito? Vós me chamais Mestre e Senhor e dizeis bem, porque eu o sou. Ora, se eu, Senhor e Mestre, vos lavei os pés, vós deveis também lavar os pés uns aos outros. Porque eu vos dei o exemplo, para que, como eu vos fiz, façais vós também. Na verdade, na verdade vos digo que não é o servo maior do que o seu senhor, nem o enviado, maior do que aquele que o enviou. Se sabeis essas coisas, bem-aventurados sois se as fizerdes" (João, 13: 4-17).

> Entregando-se a esse ato [lavar os pés dos apóstolos], queria o divino Mestre testemunhar às criaturas a suprema lição da humildade, demonstrando, ainda uma vez, que, na coletividade cristã, o maior para Deus seria sempre aquele que se fizesse o menor de todos.[12]

> Da mesma forma, ao cingir o corpo com a toalha, reproduz Jesus a forma de agir dos escravos, em relação aos seus senhores. Na verdade, "[...] quis proceder desse modo para revelar-se o escravo pelo amor à Humanidade [...], na abnegação e no sacrifício supremos".[13]

» Jesus anuncia novo mandamento

Em dois momentos, na última ceia, Jesus expressa que o amor deve ser o fundamento que deve guiar as relações dos seus discípulos: "Um novo mandamento vos dou: Que vos ameis uns aos outros; como eu vos amei a vós, que também vós uns aos outros vos ameis. Nisto todos conhecerão que sois meus discípulos, se vos amardes uns aos outros" (João, 13:34-35).

"O meu mandamento é este: que vos ameis uns aos outros, assim como eu vos amei. Ninguém tem maior amor do que este: de dar alguém a sua vida pelos seus amigos" (João, 15:12-13).

» Jesus destaca o valor da confiança no seu amor e na sua proteção

Jesus esclarece que o amor deve estar fundamentado na confiança, mesmo perante as adversidades: "Não se turbe o vosso coração; credes em Deus, crede também em mim. Na casa de meu Pai há muitas moradas; se não fosse assim, eu vo-lo teria dito, pois vou preparar-vos lugar. E, se eu for e vos preparar lugar, virei outra vez e vos levarei para mim mesmo, para que, onde eu estiver, estejais vós também. Mesmo vós sabeis para onde vou e conheceis o caminho. Disse-lhe Tomé: Senhor, nós não sabemos para onde vais e como podemos saber o caminho? Disse-lhe Jesus: Eu sou o caminho, e a verdade, e a vida. Ninguém vem ao Pai senão por mim. Se vós me conhecêsseis a mim, também conheceríeis a meu Pai; e já desde agora o conheceis e o tendes visto. Disse-lhe Filipe: Senhor, mostra-nos o Pai, o que nos basta. Disse-lhe Jesus: Estou há tanto tempo convosco, e não me tendes conhecido, Filipe? Quem me vê a mim vê o Pai; e como dizes tu: Mostra-nos o Pai? Não crês tu que eu estou no Pai e que o Pai está em mim? As palavras que eu vos digo, não as digo de mim mesmo, mas o Pai, que está em mim; crede-me, ao menos, por causa das mesmas obras. Na verdade, na verdade vos digo que aquele que crê em mim também fará as obras que eu faço e as fará maiores do que estas, porque eu vou para meu Pai. E tudo quanto pedirdes em meu nome, eu o farei, para que o Pai seja glorificado no Filho. Se pedirdes alguma coisa em meu nome, eu o farei" (João, 14:1-14).

» Jesus é o caminho, e a verdade e a vida

Cedo ou tarde iremos compreender que somente por Jesus atingiremos o estágio de Espíritos iluminados.

> Jesus é o Caminho, a Verdade e a Vida. Sua luz imperecível brilha sobre os milênios terrestres, como o Verbo do princípio, penetrando o mundo, há quase vinte séculos. Lutas sanguinárias, guerras de extermínio, calamidades sociais não lhe modificaram um til nas palavras que se atualizam, cada vez mais, com a evolução multiforme da Terra. Tempestades de sangue e lágrimas nada mais fizeram que avivar-lhes a grandeza. Entretanto, sempre tardios no aproveitamento das oportunidades preciosas, muitas vezes, no curso das existências renovadas, temos desprezado o Caminho, indiferentes ante os patrimônios da Verdade e da Vida.
>
> O Senhor, contudo, nunca nos deixou desamparados. Cada dia reforma os títulos de tolerância para com as nossas dívidas; todavia, é de nosso próprio interesse levantar o padrão da vontade, estabelecer disciplinas para uso pessoal e reeducar a nós mesmos, ao contato do Mestre divino. Ele é o amigo generoso, mas tantas vezes lhe olvidamos o conselho que somos suscetíveis de atingir obscuras zonas de adiamento indefinível de nossa iluminação interior para a vida eterna.[15]

» Jesus é a videira

"Eu sou a videira verdadeira, e meu Pai é o lavrador. Toda vara em mim que não dá fruto, a tira; e limpa toda aquela que dá fruto, para que dê mais fruto. Vós já estais limpos pela palavra que vos tenho falado. Estai em mim, e eu, em vós; como a vara de si mesma não pode dar fruto, se não estiver na videira, assim também vós, se não estiverdes em mim. Eu sou a videira, vós, as varas; quem está em mim, e eu nele, este dá muito fruto, porque sem mim nada podereis fazer. Se alguém não estiver em mim, será lançado fora, como a vara, e secará; e os colhem e lançam no fogo, e ardem. Se vós estiverdes em mim, e as minhas palavras estiverem em vós, pedireis tudo o que quiserdes, e vos será feito. Nisto é glorificado meu Pai: que deis muito fruto; e assim sereis meus discípulos" (João, 15:1-8).

> Jesus é o bem e o amor do princípio. Todas as noções generosas da Humanidade nasceram de sua divina influenciação. Com justiça, asseverou aos discípulos, nesta passagem do Evangelho de João, que seu espírito sublime representa a árvore da vida e seus seguidores sinceros as frondes promissoras, acrescentando que, fora do tronco, os galhos se secariam, caminhando para o fogo da purificação. Sem o Cristo, sem a essência de sua grandeza, todas as obras humanas estão destinadas a perecer.
>
> A ciência será frágil e pobre sem os valores da consciência, as escolas religiosas estarão condenadas, tão logo se afastem da verdade e do bem. Infinita é a misericórdia de Jesus nos movimentos da vida planetária. No centro de toda expressão nobre da existência pulsa seu coração amoroso, repleto da seiva do perdão e da bondade.
>
> Os homens são varas verdes da árvore gloriosa. Quando traem seus deveres, secam-se porque se afastam da seiva, rolam ao chão dos desenganos, para que se purifiquem no fogo dos sofrimentos reparadores, a fim de serem novamente tomados por Jesus, à conta de sua misericórdia, para a renovação. É razoável, portanto, positivemos nossa fidelidade ao divino Mestre, refletindo no elevado número de vezes em que nos ressecamos, no passado, apesar do imenso amor que nos sustenta em toda a vida.[16]

» O valor da prece

Concluídas as orientações aos apóstolos, Jesus se retira para orar a Deus. Segue para o Horto das Oliveiras (Getsêmani) acompanhado de Pedro, João e Tiago Maior. Mais tarde, Judas os encontraria, vindo acompanhado dos oficiais e soldados dos principais sacerdotes que iriam aprisioná-lo (João, 18: 1-11).

Antes de se entregar à elevadas vibrações da prece, Jesus pede aos três apóstolos para orarem em conjunto.

— Esta é a minha derradeira hora convosco! Orai e vigiai comigo, para que eu tenha a glorificação de Deus no supremo testemunho!

Assim dizendo, afastou-se, a pequena distância, onde permaneceu em prece, cuja sublimidade os apóstolos não podiam observar. Pedro, João e Tiago [Maior] estavam profundamente tocados pelo que viam e ouviam. Nunca o Mestre lhes parecera tão solene, tão convicto, como naquele instante de penosas recomendações. Rompendo o silêncio que se fizera, João ponderou:

— Oremos e vigiemos, de acordo com a recomendação do Mestre, pois, se Ele aqui nos trouxe, apenas nós três, em sua companhia, isso deve significar para o nosso espírito a grandeza da sua confiança em nosso auxílio.

Puseram-se a meditar silenciosamente. Entretanto, sem que lograssem explicar o motivo, adormeceram no decurso da oração.[9]

No momento em que Jesus vai ser preso, ocorre o conhecido episódio de Pedro cortar a orelha direita de Malco, servo do sumo sacerdote. Jesus aproveita o ensejo para nos legar mais uma das suas preciosas lições quando, repreendendo o apóstolo, anuncia: "Mete a tua espada na bainha; não beberei eu o cálice que o Pai me deu?" (JOÃO, 18:11).

Sustentando a contenda com o próximo, destruidora tempestade de sentimentos nos desarvora o coração. Ideais superiores e aspirações sublimes longamente acariciados por nosso espírito, construções do presente para o futuro e plantações de luz e amor, no terreno de nossas almas, sofrem desabamento e desintegração, porque o desequilíbrio e a violência nos fazem tremer e cair nas vibrações do egoísmo absoluto que havíamos relegado à retaguarda da evolução.

Depois disso, muitas vezes devemos atravessar aflitivas existências de expiação para corrigir as brechas que nos aviltam o barco do destino, em breves momentos de insânia... Em nosso aprendizado cristão, lembremo-nos da palavra do Senhor: "Embainha tua espada..."

Alimentando a guerra com os outros, perdemo-nos nas trevas exteriores, esquecendo o bom combate que nos cabe manter em nós mesmos.

Façamos a paz com os que nos cercam, lutando contra as sombras que ainda nos perturbam a existência, para que se faça em nós o reinado da luz. De lança em riste, jamais conquistaremos o bem que desejamos. A cruz do Mestre tem a forma de uma espada com a lâmina voltada para baixo. Recordemos, assim, que, em se sacrificando sobre uma espada simbólica, devidamente ensarilhada, é que Jesus conferiu ao homem a bênção da paz, com felicidade e renovação.[17]

Referências

1. KARDEC, Allan. *O evangelho segundo o espiritismo*. Tradução de Guillon Ribeiro. 125. ed. Rio de Janeiro: FEB, 2006. Cap. 6 (O Cristo consolador), item 4, p. 140-141.

2. SCHUTEL, Cairbar. *Parábolas e ensinos de Jesus*. 13. ed. Matão, SP: O Clarim. 2000. Item: A ceia pascoal, p. 258.

3. XAVIER, Francisco Cândido. *Boa nova*. Pelo Espírito Humberto de Campos 34. ed. Rio de Janeiro: FEB, 2005. Cap. 24 (A ilusão do discípulo), p. 160.

4. _____._____. p. 161.

5. _____._____. Cap. 25 (A última ceia), p. 165-166.

6. _____._____. p. 166-167.

7. _____._____. p. 168.

8. _____._____. p. 169-170.

9. _____._____. Cap. 27 (A oração do horto), p. 180.

10. _____. *Luz acima*. Pelo Espírito Irmão X. 9.ed. Rio de Janeiro: FEB, 2004. Cap.44 (Do aprendizado de Judas), p.187.

11. _____. *Pontos e contos*. Pelo Espírito Irmão X. 10. ed. Rio de Janeiro: FEB. Cap. 35 (Nas palavras do caminho), p. 186.

12. _____. *O consolador*. Pelo Espírito Emmanuel. 26. ed. Rio de Janeiro: FEB, 2006. Questão 314, p. 182.

13. _____._____. Questão 315, p. 182.

14. _____._____. Questão 318, p. 183.

15. XAVIER, Francisco Cândido. *Caminho, verdade e vida*. Pelo Espírito Emmanuel. 27. ed. Rio de Janeiro: FEB. 2006. Item: Interpretação dos textos sagrados (Introdução do livro), p. 13-14.

16. _____._____. Cap. 55 (As varas da videira), p. 125-126.

17. _____. *Fonte viva*. Pelo Espírito Emmanuel. 35. ed. Rio de Janeiro: FEB. 2006. Cap. 114 (Embainha tua espada), p. 291-292.

Orientações ao monitor

Pedir aos participantes que realizem leitura silenciosa dos subsídios deste roteiro, analisando, em seguidas as ideias aí desenvolvidas.

O CRISTIANISMO

Roteiro 10

O CALVÁRIO, A CRUCIFICAÇÃO E A RESSURREIÇÃO DE JESUS

Objetivos

» Relatar os principais acontecimentos ocorridos no calvário, na crucificação e na ressurreição de Jesus, interpretando-os à luz do entendimento espírita.

Ideias principais

» *E os que prenderam Jesus o conduziram à casa do sumo sacerdote Caifás, onde os escribas e os anciãos estavam reunidos* (MATEUS, 26:57).

» *E foi Jesus apresentado ao governador, e o governador o interrogou, dizendo: És tu o Rei dos judeus? E disse-lhe Jesus: Tu o dizes. E, sendo acusado pelos príncipes dos sacerdotes e pelos anciãos, nada respondeu* (MATEUS, 27:11-12).

» *Disse-lhes Pilatos: Que farei, então, de Jesus, chamado Cristo? Disseram-lhe todos:*

Seja crucificado! O governador, porém, disse: Mas que mal fez ele? E eles mais clamavam, dizendo: Seja crucificado! Então, Pilatos, vendo

> que nada aproveitava, antes o tumulto crescia, tomando água, lavou as mãos diante da multidão, dizendo: Estou inocente do sangue deste justo; considerai isso. E, respondendo todo o povo, disse: O seu sangue caia sobre nós e sobre nossos filhos (MATEUS, 27:22-25).

» *E, despindo-o, o cobriram com uma capa escarlate. E, tecendo uma coroa de espinhos, puseram-lha na cabeça e, em sua mão direita, uma cana; e, ajoelhando diante dele, o escarneciam, dizendo: Salve, Rei dos judeus! E, cuspindo nele, tiraram-lhe a cana e batiam-lhe com ela na cabeça. E, depois de o haverem escarnecido, tiraram-lhe a capa, vestiram-lhe as suas vestes e o levaram para ser crucificado. E, quando saíam, encontraram um homem cireneu, chamado Simão, a quem constrangeram a levar a sua cruz. E, chegando ao lugar chamado Gólgota, que significa Lugar da Caveira, deram-lhe a beber vinho misturado com fel; mas ele, provando-o, não quis beber* (MATEUS, 27:28-34).

» *E Jesus, clamando outra vez com grande voz, entregou o espírito. E eis que o véu do templo se rasgou em dois, de alto a baixo; e tremeu a terra, e fenderam-se as pedras* (MATEUS, 27:50-51).

» Após a crucificação e sepultamento do corpo de Jesus (MARCOS, 15:27-37, 42-47), o Senhor ressuscita, aparecendo a Maria de Madalena, aos apóstolos e a alguns discípulos (JOÃO, 20:11-31; 21:1-20).

Subsídios

1. O calvário de Jesus

O calvário de Jesus começa quando Ele é aprisionado, no Getsêmani (Horto das Oliveiras), no momento em que orava na companhia de Pedro, João, e seu irmão Tiago (LUCAS, 22:39; MATEUS, 26:36-41; JOÃO, 18:1-11).

Nesse momento, os soldados e oficiais romanos chegam acompanhados de sacerdotes, assim como do apóstolo Judas Iscariotes. Este se aproxima do Mestre, beija-o na face para ser identificado pelas autoridades presente (LUCAS, 22:47-48).

Em seguida à prisão de Jesus, os apóstolos se revelam apreensivos, temendo que alguma coisa ruim poderia lhes acontecer. Pedro, inclusive, nega conhecer Jesus quando, por três vezes, é inquirido, conforme Jesus tinha previsto (Lucas, 22:54-62; João, 13:38).

A negação de Pedro serve para significar a fragilidade das almas humanas, perdidas na invigilância e na despreocupação da realidade espiritual, deixando-se conduzir, indiferentemente, aos torvelinhos mais tenebrosos do sofrimento, sem cogitarem de um esforço legítimo e sincero, na definitiva edificação de si mesmas.[14]

A excelsitude do Espírito Jesus é especialmente notada durante o seu calvário e crucificação. O amor e a renúncia são expressivamente demonstrados, sobretudo após a traição, a humilhação e o abandono a que foi submetido.

[...] poucos sabem partir, por algum tempo, do lar tranquilo, ou dos braços adorados de uma afeição, por amor ao Reino que é o tabernáculo da vida eterna! Quão poucos saberão suportar a calúnia, o apodo, a indiferença, por desejarem permanecer dentro de suas criações individuais, cerrando ouvidos à advertência do Céu para que se afastem tranquilamente!... [...] os discípulos necessitam aprender a partir e a esperar aonde as determinações de Deus os conduzam, porque a edificação do Reino do céu no coração dos homens deve constituir a preocupação primeira, a aspiração mais nobre da alma, as esperanças centrais do Espírito!...[9]

Aprisionado, Jesus foi conduzido pelos mensageiros dos sacerdotes, manietando-lhe as mãos, como se ele fosse um criminoso vulgar.[10]

Depois das cenas descritas com fidelidade nos Evangelhos, observamos as disposições psicológicas dos discípulos, no momento doloroso. Pedro e João foram os últimos a se separarem do Mestre bem-amado, depois de tentarem fracos esforços pela sua libertação.

No dia seguinte, os movimentos criminosos da turba arrefeceram o entusiasmo e o devotamento dos companheiros mais enérgicos e decididos na fé. As penas impostas a Jesus eram excessivamente severas para que fossem tentados a segui-lo. Da Corte Provincial ao palácio de Ântipas, viu-se o condenado exposto ao insulto e à zombaria. Com exceção do filho de Zebedeu, que se conservou ao lado de Maria até o instante derradeiro, todos os que integravam o reduzido colégio do Senhor debandaram. Receosos da perseguição, alguns se ocultaram nos sítios próximos, enquanto outros, trocando as túnicas habituais, seguiam, de longe, o inesquecível cortejo, vacilando entre a dedicação e o temor.

O Messias, no entanto, coroando a sua obra com o sacrifício máximo, tomou a cruz sem uma queixa, deixando-se imolar, sem qualquer reprovação aos que o haviam abandonado na hora última. Conhecendo que cada criatura tem o seu instante de testemunho, no caminho de redenção da existência, observou às piedosas mulheres que o cercavam, banhadas em lágrimas:

— Filhas de Jerusalém, não choreis por mim; chorai por vós mesmas e por vossos filhos!...

Exemplificando a sua fidelidade a Deus, aceitou serenamente os desígnios do Céu, sem que uma expressão menos branda contradissesse a sua tarefa purificadora.

Apesar da demonstração de heroísmo e de inexcedível amor, que ofereceu do cimo do madeiro, os discípulos continuaram subjugados pela dúvida e pelo temor, até que a ressurreição lhes trouxesse incomparáveis hinos de alegria.[11]

Na manhã seguinte, Jesus é levado à presença de Pilatos, o governador romano da Galileia, para ser interrogado.

E Pilatos lhe perguntou: Tu és o Rei dos judeus? E ele, respondendo, disse-lhe: Tu o dizes. E os principais dos sacerdotes o acusavam de muitas coisas, porém ele nada respondia. E Pilatos o interrogou outra vez, dizendo: Nada respondes? Vê quantas coisas testificam contra ti. Mas Jesus nada mais respondeu, de maneira que Pilatos se maravilhava. Ora, no dia da festa costumava soltar-lhes um preso qualquer que eles pedissem. E havia um chamado Barrabás, que, preso com outros amotinadores, tinha num motim cometido uma morte. E a multidão, dando gritos, começou a pedir que fizesse como sempre lhes tinha feito. E Pilatos lhes respondeu, dizendo: Quereis que vos solte o Rei dos judeus? Porque ele bem sabia que, por inveja, os principais dos sacerdotes o tinham entregado. Mas os principais dos sacerdotes incitaram a multidão para que fosse solto antes Barrabás. E Pilatos, respondendo, lhes disse outra vez: Que quereis, pois, que faça daquele a quem chamais Rei dos judeus? E eles tornaram a clamar: Crucifica-o. Mas Pilatos lhes disse: Mas que mal fez? E eles cada vez clamavam mais: Crucifica-o. Então, Pilatos, querendo satisfazer a multidão, soltou-lhes

Barrabás, e, açoitado Jesus, o entregou para que fosse crucificado (MARCOS, 15: 2-15).

Antes da crucificação, os soldados conduziram Jesus ao Pretório, no interior do palácio governamental, e convocaram toda a coorte. Em seguida, vestiram-no de púrpura e tecendo uma coroa de espinhos, lha impuseram. E começaram a saudá-lo: Salve, rei dos judeus! E batiam-lhe na cabeça com um caniço. Cuspiam nele e, de joelhos, o adoravam. Depois de caçoarem dele, despiram-lhe a púrpura e tornaram a vesti-lo com as suas próprias vestes (MARCOS, 15: 16-20).

Os transeuntes injuriavam-no, meneando a cabeça dizendo: Ah! tu, que destróis o Templo e em três dias o reedificas, salva-te a ti mesmo, descendo da cruz! Do mesmo modo, também os chefes dos sacerdotes, caçoando dele entre si e com os escribas diziam: A outros salvou, a si mesmo não pode salvar! O Messias, o Rei de Israel... que desça agora da cruz, para que vejamos e creiamos! E até os que haviam sido crucificados com ele o ultrajavam (MARCOS, 15: 29-32).

Um dos malfeitores que suspensos à cruz insultava, dizendo: Não és tu o Cristo? Salva-te a ti mesmo, e a nós. Mas o outro, tomando a palavra, o repreendia: Nem sequer temes a Deus, estando na mesma condenação? Quanto a nós, é de justiça, pagarmos por nossos atos; mas ele não fez nenhum mal. E acrescentou: Jesus, lembra-te de mim, quando vieres com teu reino. Ele respondeu: Em verdade, te digo, que hoje estarás comigo no Paraíso (LUCAS, 23: 39-43).

2. A crucificação de Jesus

Prosseguindo com os relatos do Evangelho, vimos que Pilatos entregou Jesus para ser crucificado. Ele saiu, carregando sua cruz e chegou ao chamado *Lugar da Caveira* — em hebraico, chamado Gólgota —, onde o crucificaram; e, com Ele, dois outros: um de cada lado e Jesus no meio. Pilatos redigiu também um letreiro e o fez colocar sobre a cruz; nele estava escrito: "*Jesus, Nazareno, rei dos judeus.* [...] E estava escrito em hebraico, latim e grego" (JOÃO, 19:17-20).

Depois da crucificação os soldados repartiram entre eles, as vestes e a túnica de Jesus. Ora a túnica era inconsútil [peça inteira, sem costura]. Disseram entre si: não a rasguemos, mas, lancemos sorte sobre elas, para ver de quem será" (JOÃO, 19:23-24).

Perto da cruz permaneciam Maria, a mãe de Jesus, sua irmã, mulher de Clopas e Maria Madalena. Vendo Jesus a sua mãe e, próximo a ela, o apóstolo João, disse: "Mulher, eis aí o teu filho. Depois, disse ao discípulo: Eis aí tua mãe. E desde aquela hora o discípulo a recebeu em sua casa" (João, 19:25-27).

Após a crucificação, alguns judeus não querendo permanecer mais tempo ali porque era o dia da Preparação da Páscoa, pediram a Pilatos para autorizar quebrassem as pernas dos crucificados (Jesus e os dois ladrões). Os soldados, porém, transpassaram uma lança no corpo de Jesus, de onde jorrou sangue e água (João, 19:31-34).

A ingratidão recebida por Jesus, após os inúmeros benefícios que proporcionou, nos conduzem a profundas reflexões. Percebemos, de imediato o sublime amor por todos nós.

> [...] o amor verdadeiro e sincero nunca espera recompensas. A renúncia é o seu ponto de apoio, como o ato de dar é a essência de vida. [...] Todavia, quando a luz do entendimento tardar no espírito daqueles a quem amamos, deveremos lembrar-nos de que temos a sagrada compreensão de Deus, que nos conhece os propósitos mais puros.[...][8]

Um pouco antes da sua morte, conforme foi mencionado, Jesus entrega Maria aos cuidados de João, filho de Zebedeu. Trata-se de outra valiosa lição, como todas as que o Mestre nos legou.

> [...] ensinava que o amor universal era o sublime coroamento de sua obra. Entendeu que, no futuro, a claridade do Reino de Deus revelaria aos homens a necessidade da cessação de todo egoísmo e que, no santuário de cada coração, deveria existir a mais abundante cota de amor, não só para o círculo familiar, senão também para todos os necessitados do mundo, e que no templo de cada habitação permaneceria a fraternidade real, para que a assistência recíproca se praticasse na Terra, sem serem precisos os edifícios exteriores, consagrados a uma solidariedade claudicante.[12]

No momento da morte de Jesus, relata o Evangelho que, à hora sexta, surgiram trevas sobre a Terra, até a hora nona. Jesus, então, dando um grande grito, expirou. E o véu do Santuário (do Templo) se rasgou em duas partes, de cima a baixo. O centurião, que se achava bem defronte dele, vendo que havia expirado deste modo, disse: "Verdadeiramente, este homem era filho de Deus" (MARCOS, 15:33,37-39).

Quanto ao fenômeno das trevas, Kardec nos elucida:

É singular que tais prodígios, operando-se no momento mesmo em que a atenção da cidade se fixava no suplício de Jesus, que era o acontecimento do dia, não tenham sido notados, pois que nenhum historiador os menciona. Parece impossível que um tremor de terra e o ficar toda a Terra envolta em trevas durante três horas, num país onde o céu é sempre de perfeita limpidez, hajam podido passar despercebidos. A duração de tal obscuridade teria sido quase a de um eclipse do Sol, mas os eclipses dessa espécie só se produzem na lua nova, e a morte de Jesus ocorreu em fase de lua cheia, a 14 de Nissan, dia da Páscoa dos judeus. O obscurecimento do Sol também pode ser produzido pelas manchas que se lhe notam na superfície. Em tal caso, o brilho da luz se enfraquece sensivelmente, porém, nunca ao ponto de determinar obscuridade e trevas. Admitido que um fenômeno desse gênero se houvesse dado, ele decorreria de uma causa perfeitamente natural. [...] Compungidos com a morte de seu Mestre, os discípulos de Jesus sem dúvida ligaram a essa morte alguns fatos particulares, aos quais noutra ocasião nenhuma atenção houveram prestado. Bastou, talvez, que um fragmento de rochedo se haja destacado naquele momento, para que pessoas inclinadas ao maravilhoso tenham visto nesse fato um prodígio e, ampliando-o, tenham dito que as pedras se fenderam. Jesus é grande pelas suas obras e não pelos quadros fantásticos de que um entusiasmo pouco ponderado entendeu de cercá-lo.[1]

Em relação aos sofrimentos de Jesus, Emmanuel acrescenta:

A dor material é um fenômeno como o dos fogos de artifício, em face dos legítimos valores espirituais. Homens do mundo, que morreram por uma ideia, muitas vezes não chegaram a experimentar a dor física, sentindo apenas a amargura da incompreensão do seu ideal. Imaginai, pois, o Cristo, que se sacrificou pela Humanidade inteira, e chegareis a contemplá-lo na imensidão da sua dor espiritual, augusta e indefinível para a nossa apreciação restrita e singela.[13]

Ainda na tormenta dos seus últimos instantes, seu ânimo era de paciência, de benignidade, de compaixão. Já pregado na cruz, tendo o corpo e a alma lanceados, com os pregos a lhe dilacerarem as carnes, e os acúleos da ingratidão a lhe ferirem o espírito, vendo a seus pés, indiferentes ou raivosos, aqueles a quem abençoara, protegera, ensinara e curara, pedia ao Pai que lhes perdoasse, porque eles não sabiam o que estavam fazendo. E assim partiu o Salvador da Humanidade. Este homem, este herói, este mártir, este santo, este Espírito excelso foi que regou com suas lágrimas e seu sangue a árvore hoje bendita do Cristianismo.[6]

3. A ressurreição de Jesus

Os exemplos de Jesus são roteiros que nos ensinam agir perante as provas. No sábado, Maria de Magdala e Maria, mãe de Tiago, e Salomé compraram aromas param irem ungir o corpo. De madrugada, no primeiro dia da semana, elas foram ao túmulo ao nascer do Sol. E diziam entre si: "Quem rolará a pedra da entrada do túmulo para nós?" E erguendo os olhos, viram que a pedra fora removida. Ora, a pedra era muito grande. Tendo entrado no túmulo, elas viram um jovem sentado à direita, vestido com uma túnica branca, e ficaram cheias de espanto. Ele, porém, lhes disse: "Não vos espanteis! Procurais Jesus de Nazaré, o Crucificado. Ressuscitou, não está aqui. Vede o lugar onde o puseram. Mas ide dizer aos seus discípulos e a Pedro que ele vos precede na Galileia. Lá o vereis, como vos tinha dito (MARCOS, 16:1-7).

Estava, então, Maria junto ao sepulcro, de fora, chorando. Enquanto chorava, inclinou-se para o interior do sepulcro e viu dois anjos, vestidos de branco, sentados no lugar onde o corpo de Jesus fora colocado, um à cabeceira e outro aos pés. Disseram-lhe então: "Mulher, por que choras?". Ela lhes diz: "Porque levaram meu Senhor e não sei onde o puseram!". Dizendo isso, voltou-se e viu Jesus de pé. Mas não sabia que era Jesus. Jesus lhe diz: "Mulher, por que choras? A quem procuras?". Pensando ser o jardineiro, ela lhe diz: "Senhor, se foste tu que o levaste, dize-me onde o puseste e eu o irei buscar!". Diz-lhe Jesus: "Maria!". Voltando-se, ela lhe diz em hebraico: "Rabboni!", que quer dizer Mestre. Jesus lhe diz: "Não me toques, pois ainda não subi ao Pai. Vai, porém, a meus irmãos e dize-lhes: Subo a meu Pai e vosso Pai; a meu Deus e vosso Deus". Maria Madalena foi anunciar aos discípulos: "Vi o Senhor, e as coisas que ele lhe disse" (JOÃO, 20: 11-18).

Todos os evangelistas narram as aparições de Jesus, após sua morte, com circunstanciados pormenores que não permitem se duvide da realidade do fato. Elas, aliás, se explicam perfeitamente pelas leis fluídicas e pelas propriedades do perispírito e nada de anômalo apresentam em face dos fenômenos do mesmo gênero, cuja história, antiga e contemporânea, oferece numerosos exemplos, sem lhes faltar sequer a tangibilidade. Se notarmos as circunstâncias em que se deram as suas diversas aparições, nele reconheceremos, em tais ocasiões, todos os caracteres de um ser fluídico.[2]

A ressurreição do Cristo nos oferece oportunas lições.

Jesus [...] essa alma poderosa, que em nenhum túmulo poderia ser aprisionada, aparece aos que na Terra havia deixado tristes, desanimados e abatidos. Vem dizer-lhes que a morte nada é. Com a sua presença lhes restitui a energia, a força moral necessária para cumprirem a missão que lhes fora confiada.

As aparições do Cristo são conhecidas e tiveram numerosos testemunhos. Apresentam flagrantes analogias com as que em nossos dias são observadas em diversos graus, desde a forma etérea, sem consistência, com que aparece à Maria Madalena e que não suportaria o mínimo contato, até a completa materialização, tal como a pôde verificar Tomé, que tocou com a própria mão as chagas do Cristo.[3]

Após a aparição a Maria Madalena, Jesus reencontra os discípulos: fechadas as portas onde se achavam os discípulos, por medo dos judeus, Jesus veio e, pondo-se no meio deles, lhes disse: "A paz esteja convosco!" Tendo dito isso, mostrou-lhes as mãos e o lado. Os discípulos, então, ficaram cheios de alegria por verem o Senhor. Ele lhes disse de novo: "A paz esteja convosco! Como o Pai me enviou também eu vos envio". Dizendo isso, soprou sobre eles e lhes disse: "Recebei o Espírito Santo". Aqueles a quem perdoardes os pecados ser-lhes-ão perdoados; aqueles aos quais retiverdes ser-lhes-ão retidos. Um dos Doze, Tomé, chamado Dídimo, não estava com eles, quando veio Jesus. Os outros discípulos, então, lhe disseram: Vimos o Senhor! Mas ele lhes disse: Se eu não vir em suas mãos o lugar dos cravos e se não puser meu dedo no lugar dos cravos e minha mão no seu lado, não crerei. Oito dias depois, achavam-se os discípulos, de novo, dentro da casa, e Tomé com eles. Jesus veio, estando as portas fechadas, pôs-se no meio deles e disse: A paz esteja convosco! Disse depois a Tomé: Põe teu dedo aqui e vê minhas mãos! Estende tua mão e põe-na no meu lado e não sejas incrédulo, mas crê! Respondeu-lhe

Tomé: Meu Senhor e meu Deus! Jesus lhe disse: Porque viste, creste. Felizes os que não viram e creram! (João, 20: 19-29).

> Jesus aparece e desaparece instantaneamente. Penetra numa casa a porta fechadas. Em Emaús conversa com dois discípulos que o não reconhecem, e desaparece repentinamente. Acha-se de posse desse corpo fluídico, etéreo, que há em todos nós, corpo sutil que é o invólucro inseparável de toda alma e que um alto Espírito como o seu sabe dirigir, modificar, condensar, rarefazer à vontade. E a tal ponto o condensa, que se torna visível e tangível aos assistentes.[4]

As provas da ressurreição de Jesus são incontestáveis. Não há como ter dúvidas.

> As aparições diárias de Jesus àquela gente que deveria secundá-lo no ministério da divina Lei, haviam abrasado seus corações; e seus suaves e edificantes ensinamentos, cheios de mansidão e humildade, tinham exaltado aquelas almas, elevando-as às culminâncias da espiritualidade, saneando-lhes o cérebro e preparando-os, vasos sagrados, para receber os Espíritos santificados pela Palavra, como antes lhes havia Ele prometido, conforme narra o evangelista João. [...] Avizinhava-se o momento da partida. Ele iria, mas com ampla liberdade de ação. Sempre que lhe aprouvesse viria observar o movimento que se teria de operar entre as "ovelhas desgarradas de Israel", as quais Ele queria reconduzir ao "sagrado redil". [...] Deveriam os discípulos identificar-se com o Espírito e conhecer o Espírito de Verdade, para, com justos motivos, anunciar às gentes, a Nova da Salvação que libertá-las-ia do mal.[7]

Todos esses acontecimentos, relatados pelos evangelistas depois da crucificação de Jesus, servem de base para o conhecimento histórico do Cristianismo, daí ter Paulo afirmado: "Se o Cristo não ressuscitou, é vã a vossa fé."

> O Cristianismo não é uma esperança, é um fato natural, um fato apoiado no testemunho dos sentidos. Os apóstolos não acreditavam somente na ressurreição; estavam dela convencidos. [...] O Cristo, porém, lhes apareceu e a sua fé se tornou tão profunda que, para a confessar, arrostaram todos os suplícios. As aparições do Cristo depois da morte asseguraram a persistência da ideia cristã, oferecendo-lhe como base todo um conjunto de fatos.[5]

EADE • Livro I • Módulo II • Roteiro 10

Referências

1. KARDEC, Allan. *A gênese*. Tradução de Guillon Ribeiro. 50. ed. Rio de Janeiro: FEB, 2006. Cap. 15, item 55, p. 392-393.

2. _____._____. Cap. 15, item 61, p. 349.

3. DENIS, Léon. *Cristianismo e espiritismo*. 12. ed. Rio de Janeiro: FEB, 2004. Cap. 5 (Relações com os espíritos dos mortos), p. 53-54.

4. _____._____. p. 54.

5. _____._____. p. 54-55.

6. IMBASSAHY, Carlos. *Religião*. 5. ed. Rio de Janeiro: FEB. 2002. Cap. O Espiritismo entre as religiões, item: (O Cristo), p. 204.

7. SCHUTEL, Cairbar. *Parábolas e ensinos de Jesus*. 20. ed. Matão, SP: O Clarim. 2004. Cap. A ressurreição — o espírito e a fé, p. 340.

8. XAVIER, Francisco Cândido. *Boa nova*. Pelo Espírito Humberto de Campos 33. ed. Rio de Janeiro: FEB. 2005. Cap. 12 (Amor e renúncia), p. 82.

9. _____._____. p. 84.

10. _____._____. p. 181.

11. _____._____. Cap. 27 (A oração do horto), p. 181-182

12. _____._____. Cap. 30 (Maria), p. 198-199.

13. _____. *O consolador*. Pelo Espírito Emmanuel. 26. ed. Rio de Janeiro: FEB. 2006. Questão 287, p. 169-170.

14. _____._____. Questão 320, p.183.

Orientações ao monitor

Introduzir o tema por meio de breve exposição. Formar grupos para estudo e resumo das principais ideias relativas ao calvário, à crucificação e à ressurreição de Jesus.

O CRISTIANISMO

Roteiro 11

ESTÊVÃO, O PRIMEIRO MÁRTIR DO CRISTIANISMO

Objetivos

» Elaborar breve biografia de Estêvão.
» Destacar a importância do seu trabalho na edificação da igreja cristã.

Ideias principais

» Estêvão foi o nome adotado por Jeziel quando se converteu ao Cristianismo.

Judeu helenista de Corinto, era filho de Jochedeb e irmão de Abigail, futura noiva de Saulo de Tarso. Emmanuel: *Paulo e Estêvão*. Primeira parte. Cap. 2.

» No ano de 34, os judeus que viviam em Corinto — cidade incorporada ao Império Romano — sofreram atormentada perseguição conduzida pelo Precônsul Licínio Minúcio, preposto de César, na província de Acaia, que culminou com o assassinato de Jochebed, prisão e encaminhamento de Jeziel a trabalho forçado nas galeras (galés) romanas. Abigail fugiu para Jerusalém, mantida sob a proteção do casal Zacarias e Ruth, que a adotou como filha. Emmanuel: *Paulo e Estêvão*. Primeira parte. Cap. 2.

» Libertado do serviço forçado pelo generoso romano Sérgio Paulo, Jeziel chega extremamente enfermo a Jerusalém onde é acolhido por Simão Pedro na "Casa do Caminho", instituição de auxílio aos necessitados, fundada pelo apóstolo. Emmanuel: *Paulo e Estêvão*. Primeira parte. Cap. 3.

» Estêvão foi um dos mais destacados cristãos nos primeiros tempos da edificação da igreja cristã. Um "Espírito cheio de graça e de poder que operava prodígios e grandes sinais entre o povo" (ATOS DOS APÓSTOLOS, 6:8).

Subsídios

1. Dados biográficos de Estêvão

Estêvão era um judeu helenista, nascido na cidade de Corinto, província de Acaia, dominada pelos romanos.

> A cidade, reedificada por Júlio César, era a mais bela joia da velha Acaia, servindo de capital à formosa província. Não se podia encontrar, na sua intimidade, o espírito helênico em sua pureza antiga, mesmo porque, depois de um século de lamentável abandono [...], restaurando-a, o grande imperador transformara Corinto em colônia importante de romanos, para onde ocorrera grande número de libertos ansiosos de trabalho remunerador, ou proprietários de promissoras fortunas. A estes, associara-se vasta corrente de israelitas e considerável percentagem de filhos de outras raças que ali se aglomeravam, transformando a cidade em núcleo de convergência de todos os aventureiros do Oriente e do Ocidente.[2]

Descendente da tribo de Issacar,[10] Estêvão se revelou, desde jovem, destacado estudioso das escrituras, apreciando, em especial, os ensinamentos de Isaías que anunciavam a promessa da vinda do Messias.[10] A sua vida foi marcada por grandes sacrifícios e renúncias, sobretudo quando se converteu ao Cristianismo. A partir deste momento, Jeziel rompe definitivamente com as tradições do Judaísmo, adotando o pseudônimo de Estêvão, o primeiro mártir do movimento cristão.

Possuidor de personalidade envolvente, Estêvão "cheio de graça e de força, operava grandes prodígios e sinais entre o povo" (ATOS DOS APÓSTOLOS, 6:8).

No ano de 34 d. C., os habitantes de Corinto sofreram dolorosa perseguição do Procônsul romano, Licínio Minúcio, que,

> [...] cercado de grande número de agentes políticos e militares e estabelecendo o terror entre todas as classes, com seus processos infamantes. [...]
>
> Numerosas famílias de origem judaíca foram escolhidas como vítimas preferenciais da nefanda extorsão.[3]

A família de Estêvão se resumia ao pai Jochedeb e a irmã Abigail — que futuramente seria noiva de Paulo de Tarso —, uma vez que a sua mãe era falecida. Essa família foi diretamente atingida pela perseguição do preposto de César, quando o idoso Jochedeb foi covardemente assassinado, Estêvão foi feito prisioneiro e atirado ao trabalho forçado nas galeras (galés) romanas.[4, 5, 7] Abigail fugiu para Jerusalém sob a proteção de uma família judia, Zacarias e Ruth, também vítima de perseguição, que teve os filhos mortos. Esse casal adotou a jovem irmã de Jeziel como uma filha querida.[6]

Estêvão, ou Jeziel, enfrentou com coragem e grande fortaleza moral as provações que a vida lhe reservara. Nas galés romanas o valoroso seguidor do Cristo foi submetido às mais ásperas privações, mas, estoicamente, tudo suportou, jamais perdendo a fé em Deus.

> Voltando de Cefalônia, a galera recebeu um passageiro ilustre. Era o jovem romano Sérgio Paulo, que se dirigia para a cidade de Citium, em comissão de natureza política. [...] Dada a importância do seu nome e o caráter oficial da missão a ele cometida, o comandante Sérvio Carbo lhe reservou as melhores acomodações.
>
> Sérgio Paulo, entretanto [...] adoeceu com febre alta, abrindo-se-lhe o corpo em chagas purulentas. [...] O médico de bordo não conseguiu explicar a enfermidade e os amigos do enfermo começaram a retrair-se com indisfarçável escrúpulo. Ao fim de três dias, o jovem romano achava-se quase abondonado. O comandante, preocupado por sua vez, com a própria situação e receoso por si mesmo, chamou Lisipo [feitor da galera], pedindo-lhe que indicasse um escravo dos mais educados e maneirosos, capaz de incumbir-se de toda assistência ao passeiro ilustre. O feitor designou Jeziel, incontinenti, e, na mesma tarde, o moço hebreu penetrou o camarote do enfermo, com o mesmo espírito de serenidade que costumava testemunhar nas situações díspares e arriscadas.[8]

Estêvão cuidou do romano com extremada dedicação, conquistando-lhe a simpatia. Entre ambos estabeleceu-se laços de amizade sincera, de sorte que usando do prestígio político que possuia, Sérgio Paulo obteve a libertação do seu dedicado enfermeiro, fazendo-o aportar em Jerusalém.[9]

Estêvão chegou em Jerusalém extremamente enfermo, pois contraíra a estranha doença que atingira o seu libertador. Um desconhecido, denominado Irineu de Crotona, encaminhou a Efraim, um cristão, conhecido como seguidor do "Caminho" (designação primitiva do Cristianismo) que, por sua vez, o conduziu à "Casa do Caminho", moradia do apóstolo Pedro, transformada em local de atendimento a todos os necessitados.[10]

Na Casa do Caminho, Estêvão recebeu o amparo que necessitava, encontrando no apóstolo Pedro um verdadeiro amigo, que lhe prestou esclarecimentos a respeito de Jesus e da sua iluminada mensagem de amor.[12]

O valoroso Simão Pedro, após tomar conhecimento do drama vivido por Jeziel, desde a perseguição ocorrida em Corinto até a liberdade alcançada por intercessão de Sérgio Paulo, recomenda-lhe manter-se em anonimato, afirmando:

[...] Jerusalém regurgita de romanos e não seria justo comprometer o generoso amigo que te restituiu à liberdade.

[...]

— Serás meu filho, doravante — exclamou Simão num transporte de júbilo.

[...]

— Para que não te esqueças da Acaia, onde o Senhor se dignou de buscar-te para o seu ministério divino, eu te batizarei no credo novo com o nome grego de Estêvão.[13]

A partir desse momento, Estêvão absorveu-se no estudo dos ensinos do Cristo, participando da difusão da mensagem da Boa Nova na modesta moradia da Casa do Caminho, cujos serviços de alimentação, enfermagem e de semeadura da palavra divina cresciam celeremente.

Com a ampliação dos serviços prestados à comunidade, surgiu, então, a necessidade de dividir as tarefas, evitando que um servidor ficasse mais sobrecarregado que outro.

Na primeira reunião da Igreja humilde, Simão Pedro pediu, então, nomeassem sete auxiliares para o serviço de enfermarias e dos refeitórios, resolução que foi aprovada com geral aprazimento. Entre os sete irmãos escolhidos, Estêvão foi designado com a simpatia de todos.

Começou para o jovem de Corinto uma vida nova. Aquelas mesmas virtudes espirituais que iluminavam a sua personalidade e que tanto haviam contribuído para a cura do patrício, que o restituíra à liberdade, difundiam entre os doentes e indigentes de Jerusalém os mais santos consolos. [...]

Simão Pedro não cabia em si de contente, em face das vitórias do filho espiritual. Os necessitados tinham a impressão de haver recebido um novo arauto de Deus para o alívio de suas dores.

Em pouco tempo, Estêvão tornou-se famoso em Jerusalém, pelos seus feitos quase miraculosos. Considerado o escolhido do Cristo, sua ação resoluta e sincera arregimentara, em poucos meses, as mais vastas conquistas para o Evangelho do amor e do perdão. [...][14]

2. Estêvão, o primeiro mártir do Cristianismo

Após a crucificação de Jesus numerosos judeus se converteram ao Cristianismo. Os sacerdotes e membros do Sinédrio, entretanto, temiam que a propagação dos preceitos cristãos provocasse desestabilização no Judaísmo.

Sendo assim, iniciou-se um movimento de perseguição aos cristãos, a princípio realizado portas adentro das sinagogas, posteriormente em público, nas ruas e no interior das residências, durante as festividades corriqueiramente, ou nas atividades diárias.

Vieram então alguns da sinagoga chamada dos Libertos, dos Cirineus e Alexandrinos, dos da Cilícia e da Ásia, e puseram-se a discutir com Estêvão. Mas não podiam resistir à sabedoria e ao Espírito que o levavam a falar. Pelo que subornaram homens que atestassem: "Ouvimo-lo pronunciar palavras blasfematórias contra Moisés e contra Deus". Amotinaram assim o povo, os anciãos e os escribas e, chegando de improviso, arrebataram-no e levaram-no à presença do Sinédrio. Lá apresentaram falsas testemunhas que depuseram: "Esse homem não cessa de falar contra o Lugar Santo e contra a Lei. Ouvimo-lo dizer que Jesus Nazareno destruiria este lugar e modificaria as tradições que Moisés nos legou". Ora, todos os membros do Sinédrio estavam com os olhos fixos nele, e viram-lhe o rosto semelhante ao de um anjo.¹

Essa farsa montada contra Estêvão, foi apoiada por Saulo de Tarso. O apóstolo dos gentios aparece no cenário da história cristã como o principal elemento do julgamento, condenação e morte, por apedrejamento, de Estêvão, considerado o primeiro mártir do Cristianismo.

Esses fatos aconteceram no ano 35 de nossa Era.

O jovem Saulo apresentava toda a vivacidade de um homem solteiro, bordejando os seus trinta anos. Na fisionomia cheia de virilidade e máscula beleza, os traços israelitas fixavam-se particularmente nos olhos profundos e percucientes, próprios dos temperamentos apaixonados e indomáveis, ricos de agudeza e resolução. Trajando a túnica do patriciato, falava de preferência o grego, a que se afeiçoara na cidade natal, ao convívio dos mestres bem-amados, trabalhados pelas escolas de Atenas e Alexandria.[15]

Chegando a Jerusalém, vindo de Damasco, Saulo se encontra com o amigo Sadoque que lhe fornece informações a respeito de Estêvão e o efeito que este provocava nas pessoas. Cheio de zelo religioso, interpreta equivocadamente as preleções de Estêvão, considerando-o blasfemador. Influenciando o espírito de Saulo, acrescenta:

— Não me conformo em ver os nossos princípios aviltados e proponho-me a cooperar contigo [...], para estabelecermos a imprescindível repressão a tais atividades. Com as tuas prerrogativas de futuro rabino, em destaque no Templo, poderás encabeçar uma ação decisiva contra esses mistificadores e falsos taumaturgos.[16]

Tempos depois, num sábado, Saulo e Sadoque se dirigem até a humilde igreja de Jerusalém para ouvirem a pregação de Estêvão. Os apóstolos "Tiago [Maior], Pedro e João surpreenderam-se com a presença do jovem doutor da Lei, que se popularizara na cidade pela sua oratória veemente e pelo acurado conhecimento das Escrituras".[17]

A despeito de ter ficado impressionado com a pregação de Estêvão, Saulo interpela o expositor, por meio de ríspida conversa, na tentativa de desacreditá-lo perante a assembleia. Estêvão, porém, manteve-se sereno, respondendo com gentileza e firmeza os apartes do doutor da Lei.

Desse momento em diante destacam-se, nas sinagogas, os debates religiosos entre Saulo, o orgulhoso fariseu, e Estêvão, o humilde e iluminado cristão.

Gamaliel, o generoso e brilhante rabino, orientador de Saulo, sempre presente aos debates, contribuía com palavras ponderadas, buscando acalmar os ânimos.

Incorformado com as serenas proposições de Estêvão, Saulo perturbou-se, e, deixando levar-se pelo orgulho, denunciou Estêvão ao Sinédrio, onde montou um ardiloso esquema de condenação com apoio de amigos.[18]

Durante o julgamento, a defesa de Estêvão no Sinédrio foi brilhante, revelando a grandeza do seu Espírito. Teve oportunidade também de demonstrar o domínio que possuía das Escrituras, discursando com serenidade e segurança (ATOS DOS APÓSTOLOS, 7:11-54).

Foi, entretanto, implacavelmente julgado e condenado à morte por apedrejamento, homicídio aprovado por Saulo (ATOS DOS APÓSTOLOS, 7:55-60). Mesmo sendo acusado de blasfemador, caluniador e feiticeiro[19] Estêvão manteve-se firme até o final, quando entregou sua alma a Deus.

> Nessa hora suprema, recordava os mínimos laços de fé que o prendiam a uma vida mais alta. Lembrou de todas as orações prediletas da infância. Fazia o possível por fixar na retina o quadro da morte do pai supliciado e incompreendido. Intimamente, repetia o *Salmo 23* de Davi, qual fazia junto da irmã, nas situações que pareciam insuperáveis. "O Senhor é meu pastor. Nada me faltará..." As expressões dos Escritos Sagrados, como as promessas do Cristo no Evangelho, estavam-lhe no âmago do coração. O corpo quebrantava-se no tormento, mas o Espírito estava tranquilo e esperançoso.[20]

Antes de emitir o último suspiro, Estêvão perdoa Saulo e os demais perseguidores, adentrando vitorioso no mundo espiritual. Para o futuro Apóstolo dos Gentios, entretanto, iniciava-se a sua *via crucis*, marcada por uma dor extrema: acabara de perseguir, condenar e aprovar a matança do irmão de Abigail, o seu amor adorado.[21] Compreendeu, assim, que os seus sonhos conjugais e familiares estavam definitivamente comprometidos.

EADE • Livro I • Módulo II • Roteiro 11

Referências

1. A BÍBLIA DE JERUSALÉM. Atos dos Apóstolos, 6:8-15.

2. XAVIER, Francisco Cândido. *Paulo e Estêvão*. Pelo Espírito Emmanuel. 43. ed. Rio de Janeiro: FEB, 2006. Primeira parte. Cap. 1 (Corações flagelados), p. 11.

3. _____._____. p. 13.

4. _____._____. p. 13-38.

5. _____._____. Cap. 2 (Lágrimas e sacrifícios), p. 39-52.

6. _____._____. p. 55-57.

7. _____._____. Cap. 3 (Em Jerusalém), p. 58-59.

8. _____._____. p. 61-62.

9. _____._____. p. 63-66.

10. _____._____. p. 68-72.

11. _____._____. p. 75.

12. _____._____. p. 74-79.

13. _____._____. p. 80-81.

14. _____._____. p. 82-83.

15. _____._____. Cap. 4 (Nas estradas de Jope), p. 84.

16. _____._____. p. 90.

17. _____._____. Cap. 5 (A preparação de Estêvão), p. 102.

18. _____._____. 120-121.

19. _____._____. Cap. 6 (Ante o Sinédrio), p. 129-131.

20. _____._____. Cap. 8 (A morte de Estêvão), p. 190. 21.

21. _____._____. p. 191- 96.

Orientações ao monitor

Debater em grupo, e, em plenária, características da personalidade de Estêvão, reveladoras da grandeza do seu Espírito.

O CRISTIANISMO

Roteiro 12

CONVERSÃO E MISSÃO DE PAULO DE TARSO

Objetivos

» Elaborar breve biografia de Paulo, o apóstolo dos gentios.
» Identificar características da conversão e da missão de Paulo de Tarso.

Ideias principais

» Paulo de Tarso é conhecido como o *Apóstolo dos Gentios* (ATOS DOS APÓSTOLOS, 9:15. GÁLATAS, 1:15-23. EFÉSIOS, 3:1-6). Nasceu em Tarso, capital da Cilícia, no início do séc. I da nossa Era (ATOS DOS APÓSTOLOS, 9:11; 21:39; 22:3). Fazia parte de uma família judaica da tribo de Benjamim (FILIPENSES, 3:5 e ROMANOS, 11:1). Era também cidadão romano (ATOS DOS APÓSTOLOS, 16:37-40; 22:25-28; 23:27). Era fariseu e teve como preceptor o rabino Gamaliel (ATOS DOS APÓSTOLOS, 5:34 e 22:3).

» A conversão de Saulo de Tarso ao Cristianismo, que teve início numa viagem de perseguição aos cristãos, representa [...] *a dádiva santa da visão gloriosa do Mestre, às portas de Damasco* [...].

» [...]

> *O Mestre chama-o da sua esfera de claridades imortais. Paulo tateia na treva das experiências humanas e responde:*
>
> *— Senhor, que queres que eu faça?* Emmanuel: *Paulo e Estêvão*. Breve Notícia.

> A missão de Paulo pode ser resumida em três palavras: fé, esperança e caridade.
>
> *[...] Coloca assim sem equívoco, a caridade acima até da fé. É que a caridade está ao alcance de toda gente: do ignorante, como do sábio, do rico, como do pobre, e independe de qualquer crença particular.* Allan Kardec: *O evangelho segundo o espiritismo*. Cap. XV, item 7.

Subsídios

1. Dados biográficos de Saulo de Tarso

Paulo é conhecido como o *Apóstolo dos Gentios* (ATOS DOS APÓSTOLOS, 9:15; GÁLATAS, 1:15-23; EFÉSIOS, 3:1-6), em razão do devotado trabalho evangélico que realizou junto aos povos pagãos. Nasceu em Tarso, capital da Cilícia, no início do séc. I da nossa Era (ATOS DOS APÓSTOLOS, 9:11; 21:39; 22:3), recebendo o nome hebraico de Saulo. Fazia parte de uma família judaica helenística, da tribo de Benjamim (FILIPENSES, 3:5 e ROMANOS, 11:1), cujos integrantes eram judeus da diáspora. Na infância, aprendeu sobre a sua herança judaica na sinagoga local de Tarso. No entanto, obteve os estágios finais de sua educação religiosa em Jerusalém, sob a orientação do rabino Gamaliel (ATOS DOS APÓSTOLOS, 5:34 e 22:3). Era também cidadão romano, por ter nascido numa província de Roma (ATOS DOS APÓSTOLOS, 22:25--28; 23:27). A Cilícia era um distrito da Ásia Menor, situado próximo da Síria, pertencendo à província de Acaia.

> O limite, ao norte, era o monte Tauro [ou Taurus]. Estava dividida em duas províncias: Cilícia Traquéa e Cilícia Pádias, a primeira muito montanhosa e agreste, e a segunda, embora também em parte coberta de rochedos, dispunha de algumas planícies férteis. Importante estrada cortava o país de este a oeste, passando pela cidade de Tarso. [...] Nos tempos romanos a Cilícia exportava grande quantidade de lã caprina, chamada *cilicium*, da qual se faziam tendas. Esse foi, aliás o ofício de

Saulo, uma vez que era praxe entre os de sua raça, inclusive os mais ricos e ilustrados, aprender sempre um ofício manual.[4]

Atualmente, a Cilícia pertence à Turquia. Pelo Ocidente se liga a Europa, através do estreito de Bosfóro; pelo Oriente, com o Irã e a Rússia; fazendo fronteira com o Iraque e a Síria, ao sul.[5] A terra natal do apóstolo contava com cerca de 500 mil habitantes, na época do seu nascimento, possuindo um bom porto e um centro comercial movimentado e importante. Era uma cidade cosmopolita que desempenhou relevante papel nas guerras civis dos romanos e estava isenta de pagar impostos a Roma. Tarso era formada de uma população heterogênea de marcada influência grega.

> A Cilícia era altamente civilizada ao longo da costa, mas bárbara nos altiplanos do monte Taurus. Tarso, a capital, era famosa pelos seus filósofos e por suas escolas. Os judeus da diáspora estabeleceram ali importante colônia, como também em Antioquia, Mileto, Éfeso, Esmirna [...].[6]

Essas cidades fariam parte do roteiro da pregação evangélica do apóstolo. Em Jerusalém, conquistou uma posição de importância, como fariseu (ATOS DOS APÓSTOLOS, 23: 6; 26:5 e FILIPENSES, 3:5), tornando-se membro do Sinédrio. Paulo possuía poderosa inteligência e considerável cultura, fatores que muito o favoreceram em suas viagens missionárias. Falava fluentemente o grego, o latim, além do hebraico. Elevado à posição de doutor da Lei, vivia em Jerusalém, desfrutando do prestígio que a posição lhe impunha, junto ao sinédrio, e em razão das relações de sua família.

2. A perseguição de Saulo de Tarso aos cristãos

Com a morte de Estêvão, a vida do impetuoso doutor da Lei sofre profunda e irreversível transformação. Alucinado por descobrir que Estêvão é o mesmo Jeziel, irmão desaparecido da sua amada noiva Abigail, vê desmoronar os seus sonhos matrimoniais.[12]

Abigail, por outro lado, afastada de Saulo, se converte ao Cristianismo, recebendo de Ananias as luzes sagradas da nova revelação.[14]

Não muito tempo depois da sua conversão ao Cristianismo, Abigail cai irremediavelmente doente, vindo a morrer nos braços de um Saulo enlouquecido de dor.[14]

Durante três dias, Saulo deixou-se ficar em companhia dos amigos generosos, recordando a noiva inesquecível. Profundamente abatido, procurava remédio para as mágoas íntimas, na contemplação da paisagem que Abigail tanto amara. [...] Acusava a si próprio de não haver chegado mais cedo para arrebatá-la à enfermidade dolorosa.

Pensamentos amargos o atormentavam, tomado de angustioso arrependimento. Afinal, com a rigidez das suas paixões, aniquilara todas as possibilidades de ventura. Com o rigorismo de sua perseguição implacável, Estêvão encontrara o suplício terrível; com o orgulho inflexível do coração, atirara a noiva ao antro indevassável do túmulo. Entretanto, não podia esquecer que devia todas as coincidências penosas àquele Cristo crucificado, que não pudera compreender.[16]

Ensandecido pela dor, o orgulhoso fariseu transferiu sua mágoa e revolta para Jesus e para seus seguidores.

[...] Saulo de Tarso galvanizara o ódio pessoal ao Messias escarnecido. Agora que se encontrava só [...] buscaria concentrar esforços na punição e corretivo de quantos encontrasse transviados da Lei. Julgando-se prejudicado pela difusão do Evangelho, renovaria processos da perseguição infamante. Sem outras esperanças, sem novos ideais, já que lhe faltavam os fundamentos para constituir um lar, entregar-se-ia de corpo e alma à defesa de Moisés, preservando a fé e a tranquilidade dos compatrícios.[15]

Elabora então um plano de perseguição aos cristãos, especialmente dirigido a Ananias, responsável direto pela conversão de Abigail.

Posteriormente, apresenta esse plano ao Sinédrio, esclarecendo que, a despeito da paz reinante em Jerusalém, obtida pelo encarceramento dos principais líderes da igreja do "Caminho", o mesmo não acontecia nas cidades de Jope e Cesareia onde eram frequentes os distúrbios provocados pelos adeptos do Cristo.[15] Concluindo a exposição, afirma:

[...] Não somente nesses núcleos precisamos desenvolver a obra saneadora mas, ainda agora, chegam-se notícias alarmantes de Damasco, a requerem providências imediatas. Localizam-se ali perigosos elementos. Um velho, chamado Ananias, lá está perturbando a vida de quantos necessitam de paz nas sinagogas. Não é justo que o mais alto tribunal da raça se desinteresse das coletividades israelitas noutros setores. Proponho, então, estendermos o benefício dessa campanha a outras cidades. Para esse fim, ofereço todos os meus préstimos pessoais, sem ônus à causa que servimos. Bastar-me-á, tão só, o necessário documento de habilitação, a fim de acionar todos os recursos que me pareçam acertados, inclusive o da própria pena de morte, quando se julgue necessária e oportuna.[17]

3. A conversão de Saulo de Tarso ao Cristianismo

O plano de Saulo foi totalmente aceito pelo Sinédrio que lhe concedeu liberdade para agir livremente.

De posse das cartas de habilitação para agir convenientemente, em cooperação com as sinagogas de Damasco, aceitou a companhia de três varões respeitáveis, que se ofereceram a acompanhá-lo na qualidade de servidores muito amigos.

A fim de três dias, a pequena caravana se deslocou de Jerusalém para a extensa planície da Síria.[18]

As ações de Paulo antes da sua conversão, iniciada, propriamente, na estrada de Damasco foram guiadas por uma consciência mal informada. Assume a postura do inquisidor religioso que não oferece espaço mental para as orientações superiores ou para ponderações justas proferidas por amigos, por exemplo, as de Gamaliel. Não satisfeito com a perseguição que promoveu em Jerusalém, pediu cartas ao príncipe dos sacerdotes para aprisionar, nas sinagogas de Damasco, os cristãos que ali buscavam abrigo (ATOS DOS APÓSTOLOS, 9:1-2).

Aproximando-se de Damasco, subitamente uma luz vinda do céu o envolveu de claridade. Caindo por terra, ouviu uma voz que lhe dizia: "Saulo, Saulo, por que me persegues?". Ele perguntou: "quem és, Senhor?". E a resposta: "Eu sou Jesus, a quem tu estás perseguindo. Mas levante-te, entra na cidade, e te dirão o que deves fazer". Os homens que com ele viajavam detiveram-se, emudecidos de espanto, ouvindo a voz, mas não vendo ninguém. Saulo ergueu-se do chão. Mas, embora tivesse os olhos abertos, não via nada. Conduzindo-o, então, pela mão, fizeram-no entrar em Damasco. Esteve três dias sem ver, e nada comeu ou bebeu. Ora, vivia em Damasco um discípulo chamado Ananias. O Senhor lhe disse em visão: "Ananias!". Ele respondeu: "Estou aqui Senhor!". E o Senhor prosseguiu: "Levanta-te, vai pela rua chamada Direita e procura, na casa de Judas, por alguém de nome Saulo, de Tarso. Ele está orando e acaba de ver numa visão um homem chamado Ananias entrar e lhe impor as mãos para que recobre a vista". Ananias respondeu: "Senhor, ouvi de muitos, a respeito deste homem, quantos males fez a teus santos em Jerusalém. E está aqui com a autorização dos chefes dos sacerdotes para prender a todos os que invocam o teu nome". Mas o Senhor insistiu: "Vai, porque este homem é para mim um instrumento de escol para levar o meu nome diante das nações pagãs, dos reis, e dos filhos de Israel. Eu mesmo lhe mostrarei quanto lhe é preciso sofrer em favor do meu nome". Ananias partiu. Entrou na casa, impôs sobre ele as mãos e disse:

"Saulo, meu irmão, o Senhor me enviou, Jesus o mesmo que te apareceu no caminho por onde vinhas. É para que recuperes a vista e fique repleto do Espírito Santo". Logo caíram-lhe dos olhos como que umas escamas, e recobrou a vista. Recebeu, então, o batismo e, tendo tomado alimento, sentiu-se reconfortado. Saulo esteve alguns dias com os discípulos em Damasco e, imediatamente, nas sinagogas, começou a proclamar Jesus, afirmando que ele é o filho de Deus. Todos os que o ouviam ficavam estupefatos e diziam: "mas não é este o que devastava em Jerusalém os que invocavam esse nome, e veio para cá expressamente com o fim de prendê-los e conduzi-los aos chefes sacerdotes?". Saulo, porém, crescia mais e mais em poder e confundia os judeus que moravam em Damasco, demonstrando que Jesus é o Cristo (ATOS DOS APÓSTOLOS, 9: 3-22).

Os acontecimentos relativos à conversão de Saulo, merecem reflexões mais aprofundadas.

O socorro concedido a Paulo de Tarso oferece, porém, ensinamento profundo. Antes de recebê-lo, o ex-perseguidor rende-se incondicionalmente ao Cristo; penetra a cidade, em obediência à recomendação divina, derrotado e sozinho, revelando extrema renúncia, onde fora aplaudido triunfador. Acolhido em hospedaria singela, abandonado de todos os companheiros, confiou em Jesus e recebeu-lhe a sublime cooperação.

É importante notar, contudo, que o Senhor, utilizando a instrumentalidade de Ananias, não lhe cura senão os olhos, restituindo-lhe o dom de ver. Paulo sente que lhe caem escamas dos órgãos visuais e, desde então, oferecendo-se ao trabalho do Cristo, entra no caminho do sacrifício, a fim de extrair, por si mesmo, as demais escamas que lhe obscureciam as outras zonas do ser.[19]

É raro alguém transformar-se tão rapidamente, como aconteceu com Saulo. Sob o influxo da presença e chamamento do Mestre, na estrada de Damasco, o impetuoso fariseu muda radicalmente a sua posição na vida: de perseguidor passa a ser protetor de todos os cristãos.

Não é difícil imaginar os sacrifícios e conflitos que o doutor de Tarso vivenciou para se transformar em discípulo sincero do Evangelho. Deve ter experimentado enormes dificuldades nos inevitáveis testemunhos. Importa considerar, porém, o significativo amparo fraternal que recebeu de muitos, um bálsamo para aliviar as suas chagas morais. Neste sentido, esclarece Emmanuel:

> O Mestre, para estender a sublimidade do seu programa salvador, pede braços humanos que o realizem e intensifiquem. Começou o apostolado, buscando o concurso de Pedro e André, formando, em seguida, uma assembleia de doze companheiros para atacar o serviço da regeneração planetária.
>
> [...]
>
> Ainda mesmo quando surge, pessoalmente, buscando alguém para a sua lavoura de luz, qual aconteceu na conversão de Paulo, o Mestre não dispensa a cooperação dos servidores encarnados. Depois de visitar o doutor de Tarso, diretamente, procura Ananias, enviando-o a socorrer o novo discípulo.[11]

4. A missão de Paulo

Todos os Apóstolos do Mestre haviam saído do teatro humilde de seus gloriosos ensinamentos; mas, se esses pescadores valorosos eram elevados Espíritos em missão, precisamos considerar que eles estavam muito longe da situação de espiritualidade do Mestre, sofrendo as influências do meio a que foram conduzidos. Tão logo se verificou o egresso do Cordeiro às regiões da Luz, a comunidade cristã, de modo geral, começou a sofrer a influência do Judaísmo, e quase todos os núcleos organizados, da doutrina, pretenderam guardar feição aristocrática, em face das novas igrejas e associações que se fundavam nos mais diversos pontos do mundo.

É então que Jesus resolve chamar o Espírito luminoso e enérgico de Paulo de Tarso ao exercício do seu ministério. Essa deliberação foi um acontecimento dos mais significativos na história do Cristianismo. As ações e as epístolas de Paulo tornam-se poderoso elemento de universalização da nova doutrina. De cidade em cidade, de igreja em igreja, o convertido de Damasco, com o seu enorme prestígio, fala do Mestre, inflamando os corações. A princípio, estabelece entre ele e os demais apóstolos uma penosa situação de incompreensibilidade, mas sua influência providencial teve por fim evitar uma aristocracia injustificável dentro da comunidade cristã, nos seus tempos inesquecíveis de simplicidade e pureza.[10]

Concluindo o seu período em Damasco, em que recebeu o auxílio de Ananias e conheceu a mensagem de Jesus, Saulo parte para o deserto, vivendo no oásis de Palmira como humilde tecelão de tendas. Nessa localidade, prossegue no seu aprendizado, tendo oportunidade de vir a conhecer o idoso Esequias, irmão de Gamaliel, cristão valoroso, assim como o casal Prisca (Priscila) e Áquila, judeus também convertidos ao Cristianismo. (Veja, a propósito, maiores informações sobre esse período da vida de Saulo, no livro de Emmanuel, *Paulo e Estêvão*, segunda parte, capítulos 1 e 2).

Retornando a Jerusalém, após estágio no deserto, os cristãos fugiam dele, temerosos. Por influência de Barnabé, Saulo foi conduzido aos apóstolos que, após ouvirem o relato dos acontecimentos na estrada de Damasco, passaram a aceitá-lo como discípulo. Sendo, porém, ameaçado de morte por alguns judeus, os apóstolos levaram-no a Cesareia e, depois, a Tarso (ATOS DOS APÓSTOLOS, 9: 2-30).

Os cristãos que se dispersaram após a morte de Estêvão, em consequência da perseguição de Saulo, espalharam-se pela Fenícia, Chipre e Antioquia, pregando, nessas localidades, os ensinamentos de Jesus. A notícia desta pregação, porém, se espalhou, chegando aos ouvidos de Barnabé, que se encontrava em Jerusalém. Entusiasmado, este apóstolo partiu para Tarso em busca de Paulo e, durante um ano, pregaram juntos o Evangelho na igreja recém-criada de Antioquia, para judeus e gentios. Foi em Antioquia, que os discípulos, pela primeira vez, foram chamados de "cristãos" (ATOS DOS APÓSTOLOS, 11: 25-26) A palavra cristão significa "[...] partidários ou sectários do Cristo (gr. *Khristós*, forma popular de Chrestós). Ao criarem esta alcunha, os gentios de Antioquia tomaram o título de 'Cristo' (Ungido, Messias) por um nome próprio".²

A missão de Paulo não foi fácil. Sofreu toda sorte de atribulações. No entanto, a partir da sua conversão na estrada de Damasco, por volta do ano 36 da nossa Era, [...] ele vai consagrar toda a sua vida ao serviço de Cristo que o "conquistou" (FILIPENSES, 3:12). Depois de uma temporada na Arábia e do regresso a Damasco (GÁLATAS, 1:17), onde ele já prega (ATOS DOS APÓSTOLOS, 9:20), sobe a Jerusalém pelo ano 39 (GÁLATAS, 1:18; ATOS DOS APÓSTOLOS, 9: 30), de onde é reconduzido a Antioquia por Barnabé, com o qual ensina (ATOS DOS APÓSTOLOS, 9:26-27 e 11: 25-26).³

A missão de Paulo pode ser resumida em três palavras: fé, esperança e caridade. "Agora, portanto, permanecem fé, esperança e caridade, estas três coisas. A maior delas, porém, é a caridade" (I CORÍNTIOS, 13:13).

> A fé é uma posse antecipada do que se espera, um meio de demonstrar as realidades que não se veem. E para demonstrá-lo, discorreu longamente sobre todas as coisas maravilhosas que os hebreus haviam aceitado, no passado, pelo puro e singular testemunho da fé. Ancorava-se a fé na retidão do homem, pois o justo vive pela sua fé, sustentando-se nela, confiante nela. Não, contudo uma fé passiva, de braços cruzados, nem uma fé apoiada simplesmente nos velhos preceitos da lei de Moisés. A fé precisava ser ativa, construtiva, fraterna, atuante, fortalecida na esperança, dinamizada na caridade.⁷

A esperança, em Paulo, está intimamente ligada à fé "[...] que, por sua vez, vem do testemunho daqueles que viram e falaram com um ser oficialmente morto."⁹

A ressurreição do Cristo é o seu argumento decisivo em relação à esperança. Na estrada de Damasco, ele viu o Cristo vivo e recoberto de luz, depois de estar oficialmente morto há vários anos. Dessa forma, para Paulo, a descoberta mais retumbante foi que o ser não morre para sempre; que existe a grandeza da imortalidade, a existência de outro corpo leve e luminoso que permite a sobrevivência do Espírito; de que há um reino de glórias e alegrias à espera de cada um de nós; de que é preciso aceitar a leve tribulação do momento que passa, como Ele afirmava, em troca de um enorme caudal de glória eterna.

A fé e esperança, porém, embora pessoais, e, muitas vezes, incomunicáveis, intransferíveis por simples tradição, não seriam conquistas inativas, estáticas e infrutíferas. Na dinâmica do amor, convertido em caridade, elas poderiam expandir-se, acendendo em outros corações o fogo sagrado. Da esperança primeiro, para, só mais tarde, chegar à terceira irmã: a fé, como um retorno sobre si mesma. [...] A fé e o amor devem contemplar o futuro com o olhar da confiança e, portanto, da esperança. A fé, unida à esperança, pode ser apenas egoísmo. A esperança e o amor podem não ser suficientes para construir a fé e, nesse caso, a felicidade seria apenas uma hipótese. É preciso as três, como acentuou Paulo, e todos aspirassem às três, mas a maior delas é o amor...[8]

Fica claro, assim, porque um dos mais belos textos de sua autoria é o capítulo 13, da primeira epístola aos coríntios, que versa sobre a caridade e o amor. Assim como o capítulo 11, epístola aos hebreus, que trata da fé.

Não nos esqueçamos, contudo, de que, balanceado as duas, em sua mente privilegiada, ele conclui que o amor ainda é mais importante do que a própria fé, especialmente a dinâmica do amor que se expressa na caridade, no serviço ao próximo, a tônica do pensamento de Jesus.[7]

A fé foi, sem dúvida, o instrumento que garantiu a Paulo a força moral para vencer as vicissitudes da vida. Todavia, soube compreender que somente o amor faz o homem elevar-se aos píncaros da felicidade verdadeira.

[...] Coloca assim, sem equívoco, a caridade acima até da fé. É que a caridade está ao alcance de toda gente: do ignorante, como do sábio, do rico, como do pobre, e independe de qualquer crença em particular.

Faz mais: define a verdadeira caridade, mostra-a não só na beneficência, como no conjunto de todas as qualidades do coração, na bondade e na benevolência para com o próximo.[1]

Referências

1. KARDEC, Allan. *O evangelho segundo o espiritismo*. Tradução de Guillon Ribeiro. 124. ed. Rio de Janeiro: FEB, 2004. Cap. 15, item 7, p. 249.

2. A BÍBLIA DE JERUSALÉM. São Paulo: Paulus, 2002, p. 1922 (Atos dos Apóstolos, 11:26 e nota de rodapé; "h").

3. _____._____. Atos dos Apóstolos, 9:26-27, p. 1918; 11:25-26, p. 1922.

4. MIRANDA, Hermínio C. *As marcas do Cristo*. Volume 4. ed. Rio de Janeiro: FEB, 1999, p. 25.

5. _____._____. p. 26.

6. _____._____. p. 27.

7. _____. *Cristianismo: a mensagem esquecida*. 1.ed. Matão: O Clarim, 1998. Cap. 11 (Fé, esperança e caridade) p. 22

8. _____._____. p. 221-222.

9. _____._____. p. 226-227.

10. XAVIER, Francisco Cândido. *A caminho da luz*. Pelo Espírito Emmanuel. 32. ed. Rio de Janeiro: FEB, 2005. Cap. 14 (A edificação cristã) p. 125-126 (A missão de Paulo).

11. _____. *Fonte viva*. Pelo Espírito Emmanuel. 24. ed. Rio de Janeiro: FEB, 2006. Cap. 17 (Cristo e nós).

12. _____. *Paulo e Estêvão*: episódios históricos do Cristianismo primitivo. Pelo Espírito Emmanuel. 43 ed. Rio de Janeiro: FEB, 2006. Primeira parte, cap. 8 (A morte de Estevão), p. 175-207.

13. _____._____. p. 217.

14. _____._____. Cap. 9 (Abigail cristã), p. 227.

15. _____._____. Cap. 10 (No caminho de Damasco), p. 230.

16. _____._____. p. 237.

17. _____._____. p. 237-238.

18. _____._____. p. 238-239.

19. _____. *Vinha de luz*. Pelo Espírito Emmanuel. 34. ed. Rio de Janeiro: FEB, 2006. Cap. 149 (Escamas).

Orientações ao monitor

Organizar grupos de estudo para analisar e debater as características da conversão e missão de Paulo de Tarso.

O CRISTIANISMO

Roteiro 13

AS VIAGENS MISSIONÁRIAS DO APÓSTOLO PAULO

Objetivos

» Destacar os acontecimentos significativos que marcaram as viagens do apóstolo Paulo.

Ideias principais

» As viagens missionárias de Paulo revelaram a sua missão especial como "Apóstolo dos gentios". Iniciadas, aproximadamente, no ano 33 da Era Cristã, Paulo consagrou toda a sua existência ao serviço do Cristo. *Bíblia de Jerusalém*: As epístolas de Paulo, p. 1954.

» Paulo realizou quatro viagens missionárias. *A primeira missão apostólica, no início dos anos 40, fá-lo anunciar o evangelho em Chipre, Pontífia, Psídia e Licaônia (At 13-14), foi então, segundo Lucas, que ele começou a usar seu nome romano Paulo, de preferência ao nome judaico Saulo (At 13:9) [...]. Bíblia de Jerusalém*: As epístolas de Paulo, p. 1954.

» Na segunda viagem apostólica, Paulo se separa de Barnabé e João Marcos, que seguem para Chipre (At 15:36-39), enquanto o apóstolo dos gentios, em companhia de Silas, vai para a Síria e Cilícia; Derbe e Listra (onde encontra Timóteo — não o apóstolo); Frígia e Galácia; Mísia e Trôade (At 15:40-41; 16:1-8).

> A terceira viagem de Paulo ocorreu ao longo das localidades situadas no mediterrâneo, saindo de Antioquia, indo a Éfeso, Filipos, Tessalônica, Acaia e seguindo o roteiro que o conduziria a Jerusalém, passando por Tiro e Cesareia.

> A última viagem missionária foi a Roma, saindo de Jerusalém, passando por Chipre, Rodes e Creta, na Grécia, alcançando a Sicília e o sul da Itália. Após a sua estadia em Roma, segue viagem para a Espanha, segundo informações de Emmanuel.

Subsídios

Paulo estava convencido que na estrada de Damasco o Senhor o encarregara de levar o Evangelho aos povos gentílicos. Entretanto, compreendia que os judeus, seus irmãos de raça, deveriam também conhecer a mensagem de Jesus. Segundo relata Atos dos Apóstolos, "[...] sua prática usual era ir primeiro à sinagoga local. GÁLATAS, 2:7-9, no entanto, indica que sua atividade era, de maneira manifesta, dirigida aos gentios".[2]

Nas suas viagens visitou a maioria dos centros urbanos de destaque do mundo antigo, como os da Grécia, da Ásia Menor, além de Roma e Espanha.

Passou por muitas atribulações, mas, de Espírito inquebrantável, conseguiu levar o Evangelho a inúmeros corações sequiosos de paz e de esclarecimento.

Por onde passava, fundou igrejas ou núcleos de estudo do Evangelho.

Os convertidos ao Cristianismo e seguidores de Paulo eram, em geral, escravos do Império Romano. A sua oratória exuberante atraía, também, romanos cultos, pertencentes à classe alta.

Alguns eram claramente pessoas influentes, do tipo que levava litígios pessoais aos tribunais de justiça, e que podia se permitir fazer doações para as boas causas. Os companheiros de trabalho de Paulo desfrutavam também do estilo de vida tipicamente móvel das classes mais altas; na ausência das igrejas instaladas em prédios, a comunidade cristã dependia da generosidade de seus membros mais ricos para fornecer instalações para o culto coletivo e hospitalidade para pregadores ambulantes. Ao mesmo tempo, Paulo tinha a convicção de que o Evangelho transcendia as barreiras de raça, sexo e classe, e insistia na igualdade de todos os crentes.[3]

1. As viagens missionárias do apóstolo Paulo

1.1 A primeira viagem

A missão apostólica, propriamente dita, tem início em Antioquia, entre os anos de 45 e 49. Paulo e Barnabé — seguidos do jovem João Marcos, autor do segundo evangelho — partem para propagar a Boa Nova, em terras distantes (ATOS DOS APÓSTOLOS, 12:25).

De Antioquia vai a Chipre e Salamina; daí seguem até Pafos, onde encontra um mago, falso profeta, chamado Bar-Jesus (ou Elimas) que tudo fez para impedir o Procônsul Sérgio Paulo de ouvir a pregação de Paulo e Barnabé. Paulo, entretanto, neutralizou a ação de Elimas, de forma que o Procônsul ficou maravilhado pela Doutrina do Senhor (ATOS DOS APÓSTOLOS, 13:4-12).

De Pafos, alcançam Perge, da Panfília. João Marcos se separa do grupo, retornando a Jerusalém.

Paulo e Barnabé saem de Perge e chegam a Antioquia da Psídia (ATOS DOS APÓSTOLOS, 13:13-14).

Nessa localidade, os apóstolos atraíram grande multidão para ouví-los. Entretanto, os judeus encheram-se de inveja e promoveram acirrada perseguição, obrigando Paulo e Barnabé seguirem viagem para Icônio (ATOS DOS APÓSTOLOS, 13:44-52).

Em Icônio, os dois mensageiros do Evangelho sofrem ultrajes e apedrejamentos por parte dos membros da sinagoga, enciumados da boa receptividade dos judeus e gregos que se maravilharam com os ensinos de Jesus. Paulo e Barnabé fogem então, para Listra e Derbe, cidades da Licaônia (ATOS DOS APÓSTOLOS, 14: 1-7).

Devido à boa recepção dos povos pagãos, o apóstolo começa a usar o "[...] *seu nome grego Paulo, de preferência ao nome judaico Saulo* [...], *e é também então que ele suplanta seu companheiro Barnabé, em razão de sua preponderância na pregação.*"[1] (Atos dos Apóstolos, 14:12).

Retornando a Antioquia, levanta-se ali a primeira controvérsia entre os cristãos, procedentes de Jerusalém e ainda presos às tradições do Judaísmo, que pretendiam impor a observância da lei moisaica aos cristãos convertidos, provenientes do paganismo. Os cristãos de Antioquia decidem, então, enviar Paulo e Barnabé a Jerusalém, para discutir o assunto com os apóstolos (ATOS DOS APÓSTOLOS, 15:2). Assim, 14 anos após a sua conversão (GÁLATAS, 2:1), em 49, volta Paulo a Jerusalém para participar de um concílio apostólico, onde seria aceito como apóstolo, com missão junto aos gentios, oficialmente reconhecida[1] (GÁLATAS, 2:2). Reuniram-se Pedro, Tiago e seus colaboradores, constituindo o chamado "Assembleia ou Concílio de Jerusalém".

Nesse concílio ficou determinado que os cristãos de origem gentílica ou judaica, teriam total liberdade para seguir, ou não, os rituais disciplinares impostos pela lei moisaica, evitando, porém, manifestações idólatras (ATOS DOS APÓSTOLOS, 15:1-30).

1.2 A segunda viagem de Paulo

Esta viagem ocorreu, possivelmente, entre os anos 50 e 52. Paulo se encontrava em Antioquia (ATOS DOS APÓSTOLOS, 15:30-35) em companhia do apóstolo Barnabé, do evangelista João Marcos e de mais dois amigos: Silas — cristão da igreja de Antioquia — e Timóteo, discípulo da igreja de Listra (Licaônia), que seriam seus companheiros de viagem, uma vez que Barnabé e Marcos foram pregar em Chipre.

Os três viajantes (Paulo, Silas e Timóteo), por onde passavam fundavam igrejas "[...] confirmadas na fé e crescidas em número, de dia a dia" (ATOS DOS APÓSTOLOS, 16:4-5). Mais tarde, os três atravessaram a Frígia, indo até Listra e Icônio. Seguiram para o norte passando pela região da Galácia: Trôade, Filipos, Anfípolis, Bereia chegando à Ásia Menor (ATOS DOS APÓSTOLOS, 16:6-10). Em Trôade Paulo teve uma visão de um macedônio que pedia-lhe auxílio (ATOS DOS APÓSTOLOS, 16:9-10). Ao acordar, seguiu viagem para a Macedônia que até a sua principal cidade, Filipos, uma colônia romana. Aí, Paulo libertou uma mulher, que praticava a arte da adivinhação, subjugada por um Espírito malévolo. A libertação espiritual da médium, porém, provocou ira nos que se beneficiam das consultas mediúnicas. Assim, aprisionaram Paulo e Silas, levando-os à presença dos magistrados sob alegação que eles estavam perturbando a ordem imposta pelos romanos, relacionada às pregações religiosas. Os dois discípulos sofreram graves agressões físicas, inclusive uma surra de vara, antes de serem jogados na prisão, com os pés amarrados a um cepo (ATOS DOS APÓSTOLOS, 16: 16-24). À noite, Paulo e Silas puseram-se a orar dentro da prisão. De repente, sobreveio um terremoto de tal intensidade que abalou os alicerces do cárcere. Imediatamente abriram-se todas as portas e os grilhões se soltaram, libertando-os (ATOS DOS APÓSTOLOS, 16: 25-40).

Saindo de Filipos, partiram para Tessalônica, atravessando Anfípolis e Apolônia. Por três sábados seguidos pregou na sinagoga tessalonicense, explicando que Jesus era o Messias aguardado (ATOS DOS APÓSTOLOS, 17: 1-4). A opinião dos judeus ficou, então, dividida, ocorrendo conflitos que obrigaram Paulo e Silas a partirem para Bereia, onde foram bem recebidos. No entanto, os convertidos de Beréia providenciaram a partida dos dois para Atenas, uma vez que os judeus enfurecidos da Tessalônica haviam seguido Paulo e Silas para prendê-los (ATOS DOS APÓSTOLOS, 17:10-14).

O sonho de Paulo era pregar em Atenas, terra dos filósofos e de homens cultos. A sua pregação no areópago, no entanto, a despeito de fervorosa e bela, não mereceu a devida atenção dos intelectuais, vaidosos e superficiais, que zombaram das sinceras convicções do pregador do Cristo, especialmente quando este abordou a questão da ressurreição. Raros, como Dionísio, o areopagita (membro do tribunal, juiz), e uma mulher por nome Dâmaris, ouviram e aceitaram as ideias expostas por Paulo (ATOS DOS APÓSTOLOS, 17:15-34).

> O contato de Paulo com os atenienses, no Areópago, apresenta lição interessante aos discípulos novos. [...] É possível que a assembleia o aclamasse com fervor, se sua palavra se detivesse no quadro filosófico das primeiras exposições. Atenas reverenciá-lo-ia, então, por sábio [...]. Paulo, todavia, refere-se à ressurreição dos mortos, deixando entrever a gloriosa continuação da vida, além das ninharias terrestres. Desde esse instante, os ouvintes sentiram-se menos bem e chegaram a escarnecer-lhe a palavra amorosa e sincera, deixando-o quase só.
>
> O ensinamento enquadra-se perfeitamente nos dias que correm. Numerosos trabalhadores do Cristo [...] são atenciosamente ouvidos e respeitados por autoridades nos assuntos em que se especializaram; contudo, ao declararem sua crença na vida além do corpo, em afirmando a lei de responsabilidade, para lá do sepulcro, recebem, de imediato, o riso escarninho dos admiradores de minutos antes, que os deixam sozinhos, proporcionando-lhes a impressão de verdadeiro deserto.[4]

Saindo de Atenas, Paulo foi para Corinto, onde conheceu o casal Áquila e Priscilla, judeus recém-chegados da Itália. Ficou quase dois anos em Corinto, pregando na sinagoga e dedicando-se à fabricação de tendas. Muitos se converteram ao Cristianismo e aceitaram Jesus como o Messias (ATOS DOS APÓSTOLOS, 18:1-4). Em Corinto, ele escreveu as duas cartas aos tessalonicenses. Sendo continuamente hostilizado por alguns judeus, regressa a Antioquia, acompanhado, até Éfeso, por Áquila e Priscila (ATOS DOS APÓSTOLOS, 18:19-22), permanecendo algum tempo em Cesareia.

1.3 A terceira viagem de Paulo

Esta viagem aconteceu no período de 53 a 58 da nossa Era. Começa em Antioquia e termina em Jerusalém. De Antioquia Paulo viaja para Éfeso. Por dois anos anda por toda a Ásia Menor, anunciando o Evangelho, fundando inúmeras igrejas e promovendo a conversão de inúmeros gentios. Os seus companheiros de viagem, apoio imprescindível na difusão do Cristianismo, foram Timóteo (não um dos doze apóstolos) e Erasto (ATOS DOS APÓSTOLOS, 19:1-22). Nesse período escreve as cartas aos gálatas e a primeira aos coríntios. Retorna a Éfeso onde fica algum tempo com João, o evangelista.

O progresso do Cristianismo em Éfeso produziu um decréscimo no movimento comercial e religioso, do célebre santuário de Artemis (Artemisa ou Diana) ali existente. Tal situação provocou um motim, encabeçado pelos ourives e negociantes devocionais, obrigando Paulo abandonar a cidade (ATOS DOS APÓSTOLOS, 19:23-41). Seguiu, então, para Macedônia e Acaia, acompanhado por alguns discípulos: Sópratos, Aristarco, Segundo, Gaio, Timóteo, Tíquico e Trófimo (ATOS DOS APÓSTOLOS, 19:21-40; 20:1-6).

Embarcando em Filipos, escreve a Segunda Epístola aos Coríntios, e empreende viagem para Jerusalém.

Fez escalas em Trôade, Mileto, Tiro e outras cidades, chegando a Jerusalém, no ano 58. Paulo e seus companheiros foram bem recebidos pelos irmãos cristãos, e por Tiago e Pedro (ATOS DOS APÓSTOLOS, 20:7-38; 21:1-26).

Antes de seguir viagem para Jerusalém, Paulo sofreu perseguição de alguns judeus enfurecidos que o mantiveram prisioneiro em Cesareia por dois anos. Nessa cidade, Paulo estreitou os laços de amizade com Filipe, um dos doze apóstolos, que ali vivia com as suas quatro filhas profetisas (ATOS DOS APÓSTOLOS 21:8-10).

Chegando em Jerusalém Paulo foi até a casa de Tiago (possivelmente, Tiago filho de Alfeu) e, indo ao Templo, foi preso (ATOS DOS APÓSTOLOS, 21:17- 34).

Percebendo que seria morto se permanecesse prisioneiro em Jerusalém, Paulo apela ao Procurador da Galileia (Festo) para ser submetido ao julgamento de César uma vez que era cidadão romano (ATOS DOS APÓSTOLOS, 21:34-40; 22:1-29).

Após os esclarecimentos que Paulo prestou ao tribuno romano, foi, então, enviado a Roma para ser julgado (ATOS DOS APÓSTOLOS, 23:10-11).

1.4 A última viagem de Paulo (viagem a Roma)

Lucas narra todas as peripécias dessa viagem marítima: o naufrágio, o refúgio em Malta e chegada em Roma (ATOS DOS APÓSTOLOS, 27:3-28;15). Ali permaneceu em prisão domiciliar durante dois anos, recebendo visitas e trabalhando na pregação do Evangelho (ATOS DOS APÓSTOLOS, 28:30-31). São deste período as cartas do cativeiro: a Filemon, aos colossenses, aos efésios e aos filipenses.

Há indicações que Paulo foi libertado no ano 63, situação que lhe permitiu executar antigo projeto de pregar o Evangelho na Espanha, "nos confins do mundo", como afirmou em sua epístola aos ROMANOS, 15:24.

Alguns estudiosos têm dúvidas se, efetivamente, Paulo pregou a Boa Nova na Espanha, até porque não é fácil reconstruir o itinerário dessa última viagem. Sabemos que ele voltou a Éfeso e dali partiu para Macedônia. Também esteve em Creta (I TIMÓTEO, 1:5), em Corinto e em Mileto (II TIMÓTEO, 4:19-20). Nesse período escreveu duas cartas: a primeira a Timóteo e a de Tito. Foi preso em 66 e levado de volta a Roma.

Emmanuel esclarece que Paulo foi à Espanha onde difundiu o Evangelho, partindo para este país quando da chegada de Pedro a Roma.

> Alegando que Pedro o substituíra com vantagem, deliberou embarcar no dia prefixado, num pequeno navio que se destinava à costa gaulesa. [...] Acompanhado de Lucas, Timóteo e Dimas, o velho advogado dos gentios partiu ao amanhacer de um dia lindo, cheio de projetos generosos. A missão visitou parte das Gálias, dirigindo-se ao território espanhol, demorando-se mais na região de Tortosa.[5]

Enquanto Paulo estava na Espanha ocorreu a prisão do apóstolo João, que ficou mantido sob vigilância nos cárceres imundos do Esquilino; Pedro envia mensagem a Paulo, suplicando-lhe intercessão junto às autoridades romanas, seus conhecidos, em benefício do filho de Zebedeu. Paulo interrompe, então, seu trabalho evangélico na Espanha e retorna imediatamente a Roma. O ano 64 seguia o seu curso normal, indiferente às aflições que se abatiam sobre numerosos cristãos.[6]

Tempos depois, Paulo é outra vez aprisionado em Roma.

Este segundo cativeiro foi mais penoso do que o primeiro, pois o apóstolo ficou em prisão comum, considerado malfeitor (desde o ano de 64, o nome cristão era sinônimo de marginal por ordem do imperador Nero). Escreve a segunda epístola a Timóteo. O texto existente em II Timóteo, 4:11, é considerado o testamento do apóstolo. Supõe-se que escreveu a epístola aos hebreus entre os anos 64–66, em Roma, ou talvez em Atenas. Segundo a tradição, foi decapitado no ano 67, em Roma.

São tocantes momentos finais do apóstolo Paulo. Emocionadíssimo, escreve a sua última epístola (a segunda, destinada a Timóteo), amparado pela presença amiga de Lucas.[7] A firmeza de sua fé, a convicção irredutível no amor do Cristo são grandiosas, envolvendo Tigilino, seu carrasco, que, trêmulo, lastima ter que decapitá-lo.[8]

Do outro lado, no plano espiritual, amigos sinceros o aguardavam, sendo inicialmente abraçado por Ananias, aquele que lhe restituiu a visão nos idos tempos, após os acontecimentos na estrada de Damasco.[9] Mais tarde, encontra Gamaliel que, reunidos em caravana, viajam por todos os lugares onde peregrinou, chegando em Jerusalém, no calvário, local onde Jesus foi crucificado. A luminosa caravana espiritual ora fervorosamente, envolvidos em júbilos elevados. Paulo vê, então, surgir à sua frente a radiante figura de Jesus que tem, ao seu lado, Estêvão e Abigail. "[...] Deslumbrado, arrebatado, o Apóstolo apenas pôde estender os braços, porque a voz lhe fugia no auge da comoção."[10]

Referências

1. BÍBLIA DE JERUSALÉM. *As epístolas de São Paulo*. Nova edição, revista e ampliada. São Paulo: Paulus, 2002, p. 1954.

2. DICIONÁRIO DA BIBLIA. *Vol. 1: As pessoas e os lugares*. Organizado por Bruce M. Metzger e Michael D. Coogan. Tradução de Maria Luiza X. de A. Borges. Rio de Janeiro: Zahar, 2002, p. 247.

3. _____._____. p. 247-248.

4. XAVIER, Francisco Cândido. *Pão nosso*. Pelo Espírito Emmanuel. 27. ed. Rio de Janeiro: FEB, 2006. Cap. 114 (Novos atenienses), p. 243-244.

5. _____. *Paulo e Estêvão*. Episódios históricos do Cristianismo primitivo. Pelo Espírito Emmanuel. 43. ed. Rio de Janeiro: FEB, 2006. Segunda parte, cap. 10 (Ao encontro do Mestre), p. 648.

6. _____._____. p. 650-652.

7. _____._____. p. 678-679.

8. _____._____. p. 683.

9. _____._____. p. 684-685.

10. _____._____. p. 688-689.

Orientações ao monitor

Realizar um estudo que tenha como base o levantamento dos fatos mais importantes que caracterizem as viagens de Paulo, em seu trabalho de evangelização. Veja, em anexo, o roteiro das viagens.

Anexo

Primeira viagem de Paulo

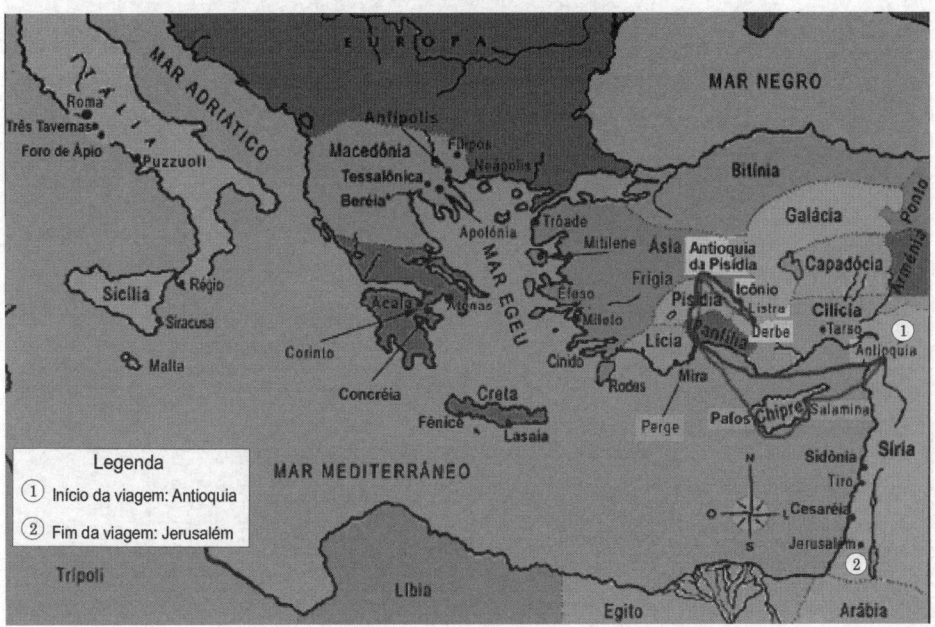

Legenda
① Início da viagem: Antioquia
② Fim da viagem: Jerusalém

http://www.teos.com.br/bibliaonline/bi_mapas.php

Segunda viagem de Paulo

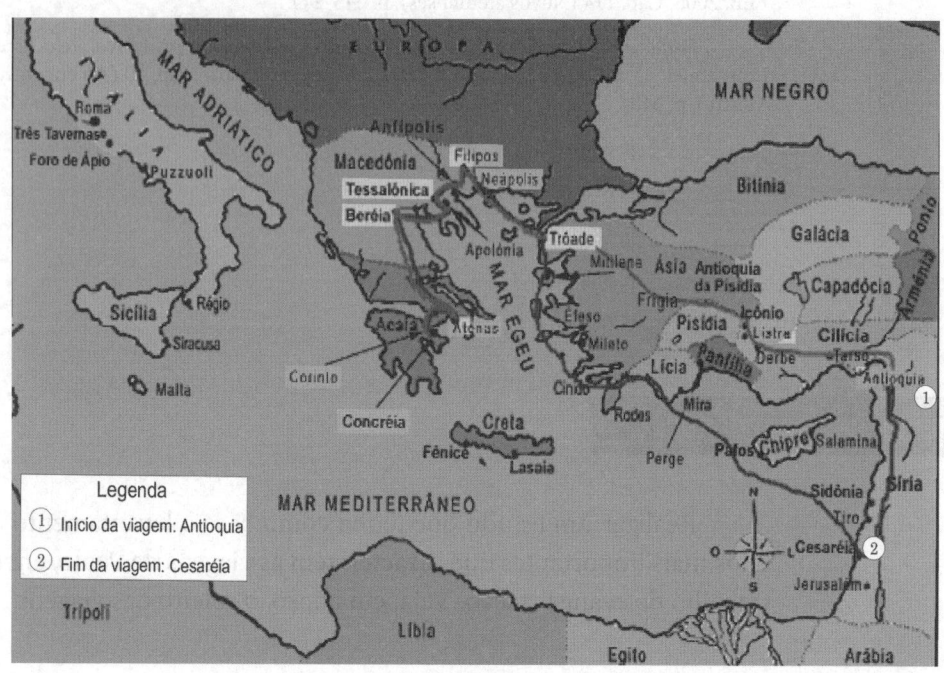

http://www.teos.com.br/bibliaonline/bi_mapas.php

Terceira viagem de Paulo

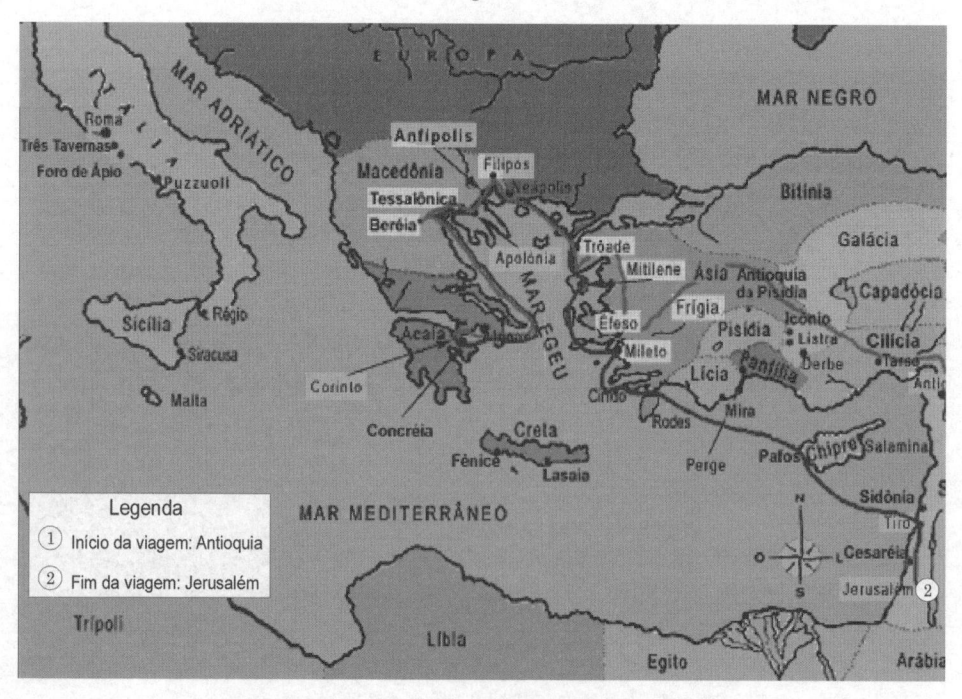

http://www.teos.com.br/bibliaonline/bi_mapas.php

Quarta viagem de Paulo

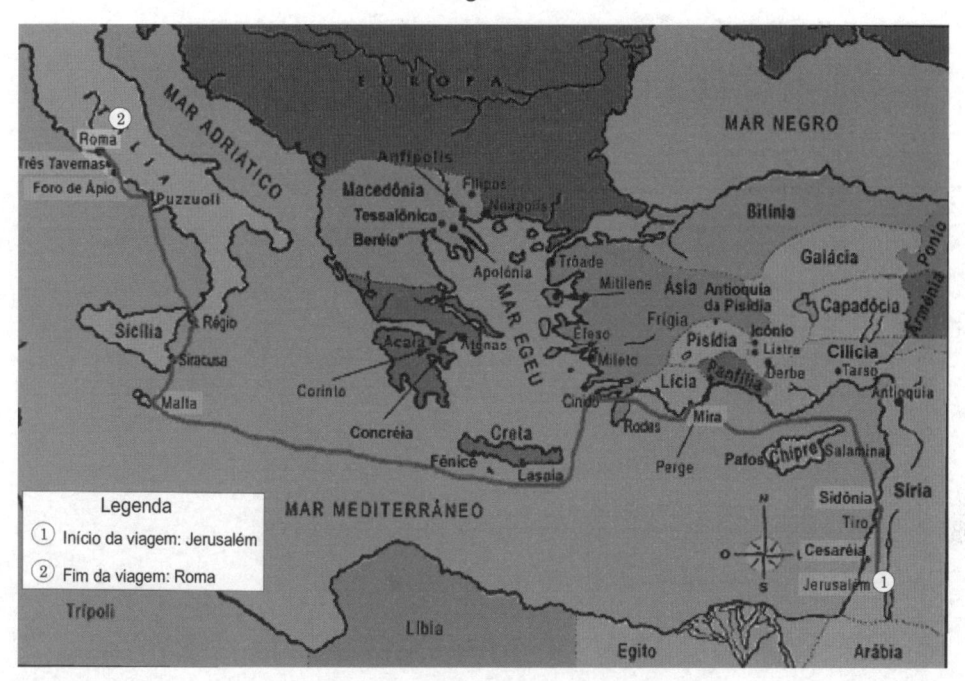

http://www.teos.com.br/bibliaonline/bi_mapas.php

EADE – LIVRO I | MÓDULO II

O CRISTIANISMO

Roteiro 14

AS EPÍSTOLAS DE PAULO (1)

Objetivos

» Assinalar características da personalidade de Paulo.

» Identificar os motivos que conduziram Paulo a escrever epístolas.

» Analisar os principais ensinos existentes nas epístolas destinadas aos romanos e aos coríntios.

Ideias principais

» *As epístolas que Paulo [...] não são tratados de teologia, mas respostas a situações concretas. Verdadeiras cartas que se inspiram no formulário então em uso [...], não são nem "cartas" meramente particulares, nem "epístolas" puramente literárias, mas explanações que Paulo destina a leitores concretos e, para além deles, a todos os fiéis de Cristo.* Bíblia de Jerusalém. Item: Introdução às epístolas de Paulo, p. 1956.

» Paulo iniciou o movimento das [...] *cartas imortais, cuja essência espiritual provinha da esfera do Cristo, por intermédio da contribuição [espiritual] amorosa de Estêvão* [...]. Emmanuel: *Paulo e Estêvão*. Segunda parte, cap. 7.

» Na epístola aos Romanos Paulo analisa as divergências existentes entre os judeus e gentílicos convertidos ao Cristianismo. Representa, porém

[...] *uma das mais belas sínteses da doutrina paulina. Bíblia de Jerusalém.* Item: Introdução às epístolas de Paulo, p. 1959-1960.

» Nas duas epístolas aos coríntios Paulo faz uma reflexão do Cristo como a sabedoria de Deus. *Bíblia de Jerusalém*. Item: Introdução às epístolas de Paulo, p. 1959.

» Na epístola aos gálatas, assim como na que foi dirigida aos romanos, Paulo revela o Cristo como a justiça de Deus. *Bíblia de Jerusalém*. Item: Introdução às epístolas de Paulo, p. 1959.

Subsídios

1. As epístolas de Paulo

Através de suas epístolas, Paulo transmitiu aos seus discípulos uma fervorosa fé em Jesus Cristo e na sua ressurreição. As cartas ou epístolas de Paulo são denominadas *pastorais* porque estão dirigidas a um destinatário específico. Trata-se de instruções, conselhos, repreensões ou exortações do apóstolo aos seus discípulos. As demais epístolas existentes no Evangelho (Pedro, João, Judas Tadeu), ao contrário, são de caráter *universal* porque destinadas aos cristãos, em geral.

Quem pretenda conhecer Paulo deve estudar as suas epístolas e os Atos dos Apóstolos "[...] duas fontes independentes que se confirmam e se completam, não obstante algumas divergências em pormenores".[1]

> As epístolas e os Atos [dos Apóstolos] nos traçam também um retrato surpreendente da personalidade do Apóstolo. Paulo é apaixonado, alma de fogo que se consagra sem limites a um ideal. E esse ideal é essencialmente religioso. Para ele, Deus é tudo e ele o serve com uma lealdade absoluta, primeiro perseguindo aqueles que ele tem na conta de hereges (Gl 1:13; At 24: 5, 14), depois pregando o Cristo, após haver entendido por revelação que só nele está a salvação. Esse zelo incondicional traduz-se pela abnegação total ao serviço daquele que ama. Trabalhos, fadigas, sofrimentos, privações, perigos de morte (1 Cor 4:8-13; 2 Cor 4:8; 6:4-10; 11:23-27), nada lhe importa, contando que cumpra a missão pela qual sente responsável (1 Cor 9:16). [...] O ardor do seu coração sensível se traduz bem nos sentimentos que demonstra por seus fiéis.[2]

Há historiadores que enxergam aspectos místicos no caráter de Paulo, outros o consideram, sob certas circunstâncias, exaltado e doentio.

Nada é menos fundamentado. [...] Ele nada tem do imaginativo, se julgarmos pelas imagens pouco numerosas e corriqueiras que emprega [...]. Paulo é, antes, cerebral. Nele se une a um coração ardente inteligência lúcida, lógica, exigente, preocupada em expor a fé segundo as necessidades dos ouvintes. [...] Paulo argumenta muitas vezes como rabino, segundo métodos exegéticos que recebeu do seu meio e da sua educação (por exemplo, Gl 3:16; 4:21-31). [...] Além disso, esse semita tem boa cultura grega, recebida talvez desde a infância em Tarso, enriquecida por repetidos contatos com o mundo greco-romano, e esta influência se reflete na sua maneira de pensar, bem como em sua linguagem e no estilo.[3]

É possível que Paulo tenha escrito muitas outras cartas, mas somente 14 chegaram até nós. As epístolas paulinas são as seguintes, segundo a ordem existente no Novo Testamento:

1. Romanos

2. Coríntios (primeira e segunda)

3. Gálatas

4. Efésios

5. Filipenses

6. Colossenses

7. Tessalonicenses (primeira e segunda)

8. Timóteo (primeira e segunda)

9. Tito

10. Filemon

11. Hebreus

As epístolas paulinas [...] não são tratados de teologia, mas respostas a situações concretas. Verdadeiras cartas que se inspiram no formulário então em uso [...], não são nem "cartas" meramente particulares, nem "epístolas" puramente literárias, mas explanações que Paulo destina a leitores concretos e, para além deles, a todos os fiéis de Cristo. Não se deve, pois, buscar aí exposição sistemática e completa do pensamento do Apóstolo; sempre se deve supor, por detrás delas, a palavra viva, de que são o comentário em pontos particulares.[...] Embora dirigidas em ocasiões e a auditórios diferentes, descobre-se nelas uma mesma doutrina fundamental, centrada em torno de Cristo morto e ressuscitado, mas que se adapta, se desenvolve e se enriquece no decurso desta vida consagrada totalmente a todos[4] (1 Cor 9:19-22).

Emmanuel esclarece como e por que Paulo teve a ideia de escrever as suas cartas. Onde quer que o apóstolo estivesse sempre chegavam emissários das igrejas por ele fundadas, portadores de assuntos urgentes, que solicitavam a presença de Paulo, na localidade, para resolver conflitos ali existentes. Evidentemente, ele não podia atender a todos, pois os deslocamentos, de uma cidade para outra, eram demorados e nem sempre os dedicados discípulos, Silas e Timóteo, estavam disponíveis para substituí-lo. Preocupado com a situação e sem saber como atender às rogativas dos fiéis, Paulo orou fervorosamente a Jesus, pedindo-lhe solução para o problema.[10] Após a prece, ouviu, sob inspiração, Jesus dizer-lhe:

> Não te atormentes com as necessidades de serviço. É natural que não possas assistir pessoalmente a todos, ao mesmo tempo. Mas é possível a todos satisfazeres, simultaneamente, pelos poderes do espírito. [...] Poderás resolver o problema escrevendo a todos os irmãos em meu nome; os de boa vontade saberão compreender, porque o valor da tarefa não está na presença pessoal do missionário, mas do conteúdo espiritual do seu verbo, da sua exemplificação e da sua vida. Doravante, Estêvão permanecerá mais conchegado a ti, transmitindo-te meus pensamentos, e o trabalho de evangelização poderá ampliar-se em benefício dos sofrimentos e das necessidades do mundo. [...] Assim começou o movimento dessas cartas imortais, cuja essência espiritual provinha da esfera do Cristo, através da contribuição amorosa de Estêvão — companheiro abnegado e fiel daquele que se havia arvorado, na mocidade, em primeiro perseguidor do Cristianismo.[11]

Há escritores que contestam a genuinidade de algumas epístolas de Paulo, tendo como base razões teológicas, de estilo e literárias. É possível que algumas epístolas, por exemplo, aos dirigidas aos efésios, aos colossenses e aos tessalonicenses, tenham sido escritas por um discípulo que teria servido de secretário ao apóstolo dos gentios. Entretanto, nada disso diminui o trabalho missionário de Paulo nem ofusca a sua fenomenal missão.[7]

2. Epístola aos romanos

Nessa epístola, encontramos os seguintes assuntos: a) desejo de Paulo de viajar a Roma para encontrar com os membros desta a igreja cristã; b) o homem justificado pela fé está a caminho da salvação; c) combate a idolatria e vida dissoluta dos gentios e impenitência dos judeus.

Paulo se encontrava em Corinto, em vias de partir para Jerusalém, quando escreveu a sua epístola aos romanos (no inverno de 55-56 d.C.).[5] Por essa carta se percebe que Paulo não esteve presente, nem fundou a igreja cristã de Roma, como já se pensou no passado. Na verdade, parece que ele tinha escassas informações a respeito dessa comunidade.

> As [...] raras alusões de sua epístola deixam apenas vislumbrar uma comunidade em que os convertidos do Judaísmo e do paganismo correm o perigo de se desentenderem. Assim, para preparar sua chegada acha útil enviar por sua patrona Febe (Rm 16:1) uma carta em que expõe sua solução do problema judaísmo-cristianismo, tal como acaba de amadurecer devido à crise gálata.[5]

Romanos "[...] oferece explanação continuada, em que algumas grandes seções se concatenam harmoniosamente com o auxílio de temas que primeiro anunciam e depois são retomados."[5] Não existem dúvidas relacionadas à autenticidade da epístola aos romanos. Apenas se tem perguntado se os capítulos 15 e 16 não teriam sido acrescentados posteriormente. Supõe-se que o capítulo 16, repleto de saudações, teria sido, originalmente, um bilhete que o apóstolo enviou à igreja cristã de Éfeso.[5]

O desenvolvimento das ideias sobre a fé é, nessa carta, mais elaborado e mais completo do que em qualquer outra, escrita por Paulo. Neste sentido, começa por afirmar que não se envergonha do Evangelho, porque ele é força de Deus para a salvação de todos os que creem, independentemente se é judeu ou grego. "O justo viverá pela fé", afirma (ROMANOS, 1:16-17) Em seguida, apresenta uma tese e ardorosa defesa sobre a salvação do homem pela fé (ROMANOS, 1 a 5).

Os membros da igreja cristã romana, formada de judeus e gentílicos convertidos ao Cristianismo, se desentendiam continuamente. O motivo básico, que produzia intranquilidade a Paulo, era o culto, idolatria e costumes que os romanos e demais gentios tinham dificuldades de abandonar: "E, como eles se não importaram de ter conhecimento de Deus, assim Deus os entregou a um sentimento perverso, para fazerem coisas que não convém; estando cheios de toda iniquidade, prostituição, malícia, avareza, maldade; cheios de inveja, homicídio, contenda, engano, malignidade; sendo murmuradores, detratores, aborrecedores de Deus, injuriadores, soberbos, presunçosos, inventores de males, desobedientes ao pai e à mãe; néscios, infiéis nos contratos, sem afeição natural, irreconciliáveis, sem misericórdia. [...] E bem sabemos que o juízo de Deus é segundo a verdade sobre os que tais coisas fazem. E tu, ó homem, que julgas os que fazem tais coisas, cuidas que, fazendo-as tu, escaparás ao juízo e Deus? (Rm 1:28-31; 2:2-3).

2.1 Síntese dos principais ensinamentos da epístola aos romanos

» A Justiça de Deus

Para que ocorra a salvação, Paulo esclarece que todos os seres humanos devem estar cientes de que, sendo julgados por Deus, devem agir de acordo com os princípios da sua justiça (Rm 2:1-16). Os homens que se afastaram de Deus, ou que o desconhecem, que trazem o coração impenitente, que pecam contra a Lei, serão submetidos à justiça divina "a qual recompensará cada um segundo as suas obras" (Rm 2:7). A justiça de Deus se fundamenta naquilo que o homem faz ou deixa de fazer: "Porque todos os que sem lei pecaram sem lei também perecerão; e todos os que sob a lei pecaram pela lei serão julgados. Porque os que ouvem a lei não são justos diante de Deus, mas os que praticam a lei hão de ser justificados" (Rm 2:12-13). Os que têm conhecimento espiritual e não o colocam em prática, serão julgados com mais rigor.

Eis que tu, que tens por sobrenome judeu, e repousas na lei, e te glorias em Deus; e sabes a sua vontade, e aprovas as coisas excelentes, sendo instruído por lei; e confias que és guia dos cegos, luz dos que estão em trevas, instruidor dos néscios, mestre de crianças, que tens a forma da ciência e da verdade na lei; tu, pois, que ensinas a outro, não te ensinas a ti mesmo? Tu, que pregas que não se deve furtar, furtas? Tu, que dizes que não se deve adulterar, adulteras? Tu, que abominas os ídolos, cometes sacrilégio? Tu, que te glorias na lei, desonras a Deus pela transgressão da lei? Porque, como está escrito, o nome de Deus é blasfemado entre os gentios por causa de vós. Porque a circuncisão é, na verdade, proveitosa, se tu guardares a lei; mas, se tu és transgressor da lei, a tua circuncisão se torna em incircuncisão. Se, pois, a incircuncisão guardar os preceitos da lei, porventura, a incircuncisão não será reputada como circuncisão? E a incircuncisão que por natureza o é, se cumpre a lei, não te julgará, porventura, a ti, que pela letra e circuncisão és transgressor da lei? Porque não é judeu o que o é exteriormente, nem é circuncisão a que o é exteriormente na carne. Mas é judeu o que o é no interior, e circuncisão, a que é do coração, no espírito, não na letra, cujo louvor não provém dos homens, mas de Deus (ROMANOS, 2:17-29).

» A fé em Jesus como medida de salvação

Paulo reconhece que no atual estágio evolutivo da Humanidade, todos somos pecadores, "como está escrito: não há um justo, nenhum sequer" (Rm 3:10). Entretanto, analisa que podemos nos salvar pela fé em Jesus: "Mas, agora, se manifestou, sem a lei, a justiça de Deus, tendo o testemunho da Lei e dos Profetas, isto é, a justiça de Deus pela fé em Jesus Cristo para todos e sobre todos os que creem; porque não há diferença" (Rm 3:21-22).

» A fé em Jesus e a paz com Deus

"Sendo, pois, justificados pela fé, temos paz com Deus por nosso Senhor Jesus Cristo; pelo qual também temos entrada pela fé a esta graça, na qual estamos firmes; e nos gloriamos na esperança da glória de Deus. E não somente isto, mas também nos gloriamos nas tribulações, sabendo que a tribulação produz a paciência; e a paciência, a experiência; e a experiência, a esperança" (Rm 5: 1-4).

» O homem sem o Cristo vive em pecado

"Portanto, agora, nenhuma condenação há para os que estão em Cristo Jesus, que não andam segundo a carne, mas segundo o espírito. Porque a lei do Espírito de vida, em Cristo Jesus, me livrou da lei do pecado e da morte. Porquanto, o que era impossível à lei, visto como estava enferma pela carne, Deus, enviando o seu Filho em semelhança da carne do pecado, pelo pecado condenou o pecado na carne, para que a justiça da lei se cumprisse em nós, que não andamos segundo a carne, mas segundo o Espírito. Porque os que são segundo a carne inclinam-se para as coisas da carne; mas os que são segundo o Espírito, para as coisas do Espírito. Porque a inclinação da carne é morte; mas a inclinação do Espírito é vida e paz. [...] E, se Cristo está em vós, o corpo, na verdade, está morto por causa do pecado, mas o espírito vive por causa da justiça" (Rm 8: 1-6; 10).

3. Epístolas aos coríntios

Paulo escreveu duas epístolas aos coríntios, destacando, em ambas, Jesus como a sabedoria de Deus.

Corinto, capital da província de romana de Acaia, foi importante cidade fundada pelos gregos. Situada no istmo que separa as duas cidades portuárias de Lecaion, no golfo de Corinto, de Cencreia, no golfo Sarônico, foi centro de grande trânsito de viajantes e imenso posto comercial da antiguidade. As duas epístolas aos coríntios compõem-se, provavelmente, de várias pequenas cartas ou bilhetes escritos por Paulo à igreja cristã de Corinto, no início da quinta década d.C. Por causa do seu conteúdo, e extensão, essas epístolas se situam entre as mais importantes.[6]

Revela preocupação com as ideias e os costumes gregos, amplamente difundidos em Corinto.[6] Um dos problemas, era a imoralidade sexual, como o incesto, mantida pelos convertidos ao Cristianismo. Outro problema era a prática, herdada dos costumes romanos, de cobrir a cabeça quando se orava ou profetizava, como sinal de culto e devoção. Uma terceira dificuldade era o hábito que existia em certos cristãos de fazer refeições, na forma de banquetes, no templo de algum deus. Por último, havia o uso e abuso dos poderes mediúnicos.[6]

Existia, pois, na igreja de Corinto, fortes disputas entre os cristãos: os de origem judaica abominavam as práticas politeístas gentílicas, consideradas bárbaras e imorais. Foi uma comunidade continuamente sacudida por escândalos, mas que recebeu muita atenção e cuidados por parte do apóstolo dos gentios.

> O [...] ex-doutor da Lei procurou enriquecer a igreja de Corinto de todas as experiências que trazia da instituição antioquense. Os cristãos da cidade viviam num oceano de júbilos indefiníveis. A igreja possuía seu departamento de assistência aos que necessitavam de pão, de vestuário, de remedios. Venerandas velhinhas revezavam-se na tarefa santa de atender os mais desfavorecidos. Diariamente, à noite, havia reuniões para comentar a passagem da vida do Cristo; em seguida à pregação central e ao movimento das manifestações de cada um, todos entravam em silêncio, a fim de ponderar o que recebiam do Céu através do profetismo. Os não habituados ao dom das profecias possuíam faculdades curadoras, que eram aproveitadas a favor dos enfermos, em uma sala próxima. O mediunismo evangelizado, dos tempos modernos, é o mesmo profetismo das igrejas apostólicas.[12]

A igreja cristã de Corinto, à época de Paulo, foi muito protegida pela presença de certos romanos ricos, como Tito Justo. "Os israelitas pobres encontravam na igreja um lar generoso, onde Deus se manifestava em demonstrações de bondade, ao contrário das sinagogas, em cujo recinto [...] encontravam apenas a rispidez de preceitos tirânicos, nos lábios de sacerdotes sem piedade."[13]

3.1 Síntese dos principais ensinamentos da primeira epístola aos coríntios

» Necessidade da concórdia e união no Cristo

Paulo suplica aos cristãos "Eu rogo-vos, porém, irmãos, pelo nome de nosso Senhor Jesus Cristo, que digais todos uma mesma coisa e que não haja entre vós dissensões; antes, sejais unidos, em um mesmo sentido e em um mesmo parecer. [...] Porque Cristo enviou-me não para batizar, mas para evangelizar; não em sabedoria de palavras, para que a cruz de Cristo se não faça vã. Porque a palavra da cruz é loucura para os que perecem; mas para nós, que somos salvos, é o poder de Deus. [...] Porque os judeus pedem sinal, e os gregos buscam sabedoria; mas nós pregamos a Cristo crucificado, que é escândalo para os judeus e loucura para os gregos. Mas, para os que são chamados, tanto judeus como gregos, lhes pregamos a Cristo, poder de Deus e sabedoria de Deus" (1 Cor 1: 10-11;17-18; 22-24).

» A missão dos pregadores

"Pois quem é Paulo e quem é Apolo, senão ministros pelos quais crestes, e conforme o que o Senhor deu a cada um? Eu plantei, Apolo regou; mas Deus deu o crescimento. Pelo que nem o que planta é alguma coisa, nem o que rega, mas Deus, que dá o crescimento. Ora, o que planta e o que rega são um; mas cada um receberá o seu galardão, segundo o seu trabalho. Porque nós somos cooperadores de Deus; vós sois lavoura de Deus e edifício de Deus. Segundo a graça de Deus que me foi dada, pus eu, como sábio arquiteto, o fundamento, e outro edifica sobre ele; mas veja cada um como edifica sobre ele. Porque ninguém pode pôr outro fundamento, além do que já está posto, o qual é Jesus Cristo" (1 Cor 3:5-11).

» Necessidade de vida moral reta

"Geralmente, se ouve que há entre vós fornicação e fornicação tal, qual nem ainda entre os gentios, como é haver quem abuse da mulher de seu pai. Estais inchados e nem ao menos vos entristecestes, por não ter sido dentre vós tirado quem cometeu tal ação. [...] Alimpai-vos, pois, do fermento velho, para que sejais uma nova massa, assim como estais sem fermento. Porque Cristo, nossa páscoa, foi sacrificado por nós. Pelo que façamos festa, não com o fermento velho, nem com o fermento da maldade e da malícia, mas com os asmos da sinceridade e da verdade. Já por carta vos tenho escrito que não vos associeis com os que se prostituem" (1 Cor 5:1-2; 7-9).

"Ora, quanto às coisas que me escrevestes, bom seria que o homem não tocasse em mulher; mas, por causa da prostituição, cada um tenha a sua própria mulher, e cada uma tenha o seu próprio marido. O marido pague à mulher a devida benevolência, e da mesma sorte a mulher, ao marido. [...] Digo, porém, aos solteiros e às viúvas, que lhes é bom se ficarem como eu. Mas, se não podem conter-se, casem-se. Porque é melhor casar do que abrasar-se (1 Cor 7:1-3; 8-9).

» O cristão não é idólatra, nem faz sacrifícios aos ídolos

"Ora, no tocante às coisas sacrificadas aos ídolos, sabemos que todos temos ciência. A ciência incha, mas o amor edifica. E, se alguém cuida saber alguma coisa, ainda não sabe como convém saber. Mas, se alguém ama a Deus, esse é conhecido dele. Assim que, quanto ao comer das coisas sacrificadas aos ídolos, sabemos que o ídolo nada é no mundo e que não há outro Deus, senão um só. Porque, ainda que haja também alguns que se chamem deuses, quer no céu quer na Terra (como há muitos deuses e muitos senhores), todavia, para nós há um só Deus, o Pai, de quem é tudo e para quem nós vivemos; e um só Senhor, Jesus Cristo, pelo qual são todas as coisas, e nós por ele. [...] Portanto, meus amados, fugi da idolatria" (1 Cor 8: 1-6; 10:14).

» Os dons do Espírito ou carismas

"Acerca dos dons espirituais, não quero, irmãos, que sejais ignorantes. Vós bem sabeis que éreis gentios, levados aos ídolos mudos, conforme éreis guiados. Portanto, vos quero fazer compreender que ninguém que fala pelo Espírito de Deus diz: Jesus é anátema! E ninguém pode dizer que Jesus é o Senhor, senão pelo Espírito Santo. Ora, há diversidade de dons, mas o Espírito é o mesmo. E há diversidade de ministérios, mas o Senhor é o mesmo. E há diversidade de operações, mas é o mesmo Deus que opera tudo em todos. Mas a manifestação do Espírito é dada a cada um para o que for útil. Porque a um, pelo Espírito, é dada a palavra da sabedoria; e a outro, pelo mesmo Espírito, a palavra da ciência; e a outro, pelo mesmo Espírito, a fé; e a outro, pelo mesmo Espírito, os dons de curar; e a outro, a operação de maravilhas; e a outro, a profecia; e a outro, o de discernir os espíritos; e a outro, a variedade de línguas; e a outro, a interpretação das línguas. Mas um só e o mesmo Espírito opera todas essas coisas, repartindo particularmente a cada um como quer" (1 Cor 12: 1-11).

» A necessidade da caridade

"Ainda que eu falasse as línguas dos homens e dos anjos e não tivesse caridade, seria como o metal que soa ou como o sino que tine. E ainda que tivesse o dom de profecia, e conhecesse todos os mistérios e toda a ciência, e ainda que tivesse toda a fé, de maneira tal que transportasse os montes, e não tivesse caridade, nada seria. E ainda que distribuísse toda a minha fortuna para sustento dos pobres, e ainda que entregasse o meu corpo para ser queimado, e não tivesse caridade, nada disso me aproveitaria. A caridade é sofredora, é benigna; a caridade não é invejosa; a caridade não trata com leviandade, não se ensoberbece, não se porta com indecência, não busca os seus interesses, não se irrita, não suspeita mal; não folga com a injustiça, mas folga com a verdade; tudo sofre, tudo crê, tudo espera, tudo suporta. A caridade nunca falha; mas, havendo profecias, serão aniquiladas; havendo línguas, cessarão; havendo ciência, desaparecerá; porque, em parte, conhecemos e, em parte, profetizamos. Mas, quando vier o que é perfeito, então, o que o é em parte será aniquilado. Quando eu era menino, falava como menino, sentia como menino, discorria como menino, mas, logo que cheguei a ser homem, acabei com as coisas de menino. Porque, agora, vemos por espelho em enigma; mas, então, veremos face a face; agora, conheço em parte, mas, então, conhecerei como também sou conhecido. Agora, pois, permanecem a fé, a esperança e a caridade, estas três; mas a maior destas é a caridade" (1 Cor 13: 1-13).

3.2 Síntese dos principais ensinamentos da segunda epístola aos coríntios

» O caráter do ministério cristão

"E graças a Deus, que sempre nos faz triunfar em Cristo e, por meio de nós, manifesta em todo lugar o cheiro do seu conhecimento. Porque para Deus somos o bom cheiro de Cristo, nos que se salvam e nos que se perdem. Para estes, certamente, cheiro de morte para morte; mas, para aqueles, cheiro de vida para vida. E, para essas coisas, quem é idôneo? Porque nós não somos, como muitos, falsificadores da palavra de Deus; antes, falamos de Cristo com sinceridade, como de Deus na presença de Deus. [...] E é por Cristo que temos tal confiança em Deus; não que sejamos capazes, por nós, de pensar alguma coisa, como de nós mesmos; mas a nossa capacidade vem de Deus, o qual nos fez também capazes de ser ministros dum Novo Testamento, não da letra, mas do Espírito; porque a letra mata, e o Espírito vivifica.[...] Como não será de maior glória o ministério do Espírito? [...] Ora, o

Senhor é Espírito; e onde está o Espírito do Senhor, aí há liberdade" (2 Cor 2:14-17; 3: 4-6, 8 e 17).

» As tribulações decorrentes da divulgação do Cristianismo

"Pelo que, tendo este ministério, segundo a misericórdia que nos foi feita, não desfalecemos; antes, rejeitamos as coisas que, por vergonha, se ocultam, não andando com astúcia nem falsificando a palavra de Deus; e assim nos recomendamos à consciência de todo homem, na presença de Deus, pela manifestação da verdade. [...] Porque não nos pregamos a nós mesmos, mas a Cristo Jesus, o Senhor; e nós mesmos somos vossos servos, por amor de Jesus. Porque Deus, que disse que das trevas resplandecesse a luz, é quem resplandeceu em nossos corações, para iluminação do conhecimento da glória de Deus, na face de Jesus Cristo. Temos, porém, esse tesouro em vasos de barro, para que a excelência do poder seja de Deus e não de nós. Em tudo somos atribulados, mas não angustiados; perplexos, mas não desanimados; perseguidos, mas não desamparados; abatidos, mas não destruídos; trazendo sempre por toda parte a mortificação do Senhor Jesus no nosso corpo, para que a vida de Jesus se manifeste também em nossos corpos. E assim nós, que vivemos, estamos sempre entregues à morte por amor de Jesus, para que a vida de Jesus se manifeste também em nossa carne mortal" (2 Cor 4:1-2, 5-11).

» Necessidade do bom ânimo; deter nas coisas espirituais

"Por isso, não desfalecemos; mas, ainda que o nosso homem exterior se corrompa, o interior, contudo, se renova de dia em dia. Porque a nossa leve e momentânea tribulação produz para nós um peso eterno de glória mui excelente, não atentando nós nas coisas que se veem, mas nas que se não veem; porque as que se veem são temporais, e as que se não veem são eternas. [...]Porque sabemos que, se a nossa casa terrestre deste tabernáculo se desfizer, temos de Deus um edifício, uma casa não feita por mãos, eterna, nos céus. E, por isso, também gememos, desejando ser revestidos da nossa habitação, que é do céu; se, todavia, estando vestidos, não formos achados nus. Porque também nós, os que estamos neste tabernáculo, gememos carregados, não porque queremos ser despidos, mas revestidos, para que o mortal seja absorvido pela vida. Ora, quem para isso mesmo nos preparou foi Deus, o qual nos deu também o penhor do Espírito.Pelo que estamos sempre de bom ânimo, sabendo que, enquanto estamos no corpo, vivemos ausentes do Senhor (2 Cor 4:16-18; 5: 1-6).

» Cuidados com os falsos profetas

> "Mas temo que, assim como a serpente enganou Eva com a sua astúcia, assim também sejam de alguma sorte corrompidos os vossos sentidos e se apartem da simplicidade que há em Cristo. Porque, se alguém for pregar-vos outro Jesus que nós não temos pregado, ou se recebeis outro espírito que não recebestes, ou outro evangelho que não abraçastes, com razão o sofrereis. Porque penso que em nada fui inferior aos mais excelentes apóstolos. E, se sou rude na palavra, não o sou, contudo, na ciência; mas já em tudo nos temos feito conhecer totalmente entre vós. Pequei, porventura, humilhando-me a mim mesmo, para que vós fôsseis exaltados, porque de graça vos anunciei o evangelho de Deus?[...] Mas o que eu faço o farei para cortar ocasião aos que buscam ocasião, a fim de que, naquilo em que se gloriam, sejam achados assim como nós. Porque tais falsos apóstolos são obreiros fraudulentos, transfigurando-se em apóstolos de Cristo. E não é maravilha, porque o próprio Satanás se transfigura em anjo de luz. Não é muito, pois, que os seus ministros se transfigurem em ministros da justiça; o fim dos quais será conforme as suas obras" (2 Cor 11: 3-7, 12-15).

A epístola aos romanos é uma maravilhosa apologia à fé, defendida por Paulo, que afirma que o justo viverá pela fé.

> Não poucos aprendizes interpretaram erradamente a assertiva. Supuseram que viver pela fé seria executar rigorosamente as cerimônias exteriores dos cultos religiosos. Frequentar os templos, harmonizar-se com os sacerdotes, respeitar a simbologia sectária, indicariam a presença do homem justo. Mas nem sempre vemos o bom ritualista aliado ao bom homem. E, antes de tudo, é necessário ser criatura de Deus, em todas as circunstâncias da existência. Paulo de Tarso queria dizer que o justo será sempre fiel, viverá de modo invariável, na verdadeira fidelidade ao Pai que está nos céus. Os dias são ridentes e tranquilos? Tenhamos boa memória e não desdenhemos a moderação. São escuros e tristes? Confiemos em Deus, sem cuja permissão a tempestade não desabaria. Veio o abandono do mundo? O Pai jamais nos abandona. Chegaram as enfermidades, os desenganos, a ingratidão e a morte? Eles são todos bons amigos, por trazerem até nós a oportunidade de sermos justos, de vivermos pela fé, segundo as disposições sagradas do Cristianismo.[8]

As epístolas aos coríntios reflete o compromisso de Paulo de sempre confiar e esperar no Cristo, como também nos aconselha Emmanuel.

É natural confiar no Cristo e aguardar nele, mas que dizer da angústia da alma atormentada no círculo de cuidados terrestres, esperando egoisticamente que Jesus lhe venha satisfazer os caprichos imediatos? [...] É imprescindível, portanto, esperar em Cristo com a noção real da eternidade. A filosofia do imediatismo, na Terra, transforma os homens em crianças. Não vos prendais à idade do corpo físico, às circunstâncias e condições transitórias. Indagai da própria consciência se permaneceis com Jesus. E aguardai o futuro, amando e realizando com o bem, convicto de que a esperança legítima não é repouso e, sim, confiança no trabalho incessante.[9]

Referências

1. BÍBLIA DE JERUSALÉM. Nova edição, revista e ampliada. São Paulo: Paulus, 2002. Item: Introdução às epístolas de São Paulo, p. 1954.
2. _____._____. p. 1954-1955.
3. _____._____. p. 1955-1956.
4. _____._____. p. 1956.
5. _____._____. p. 1959.
6. DICIONÁRIO DA BÍBLIA. Vol. 1: As pessoas e os lugares. Organizado por Bruce M. Metzger, Michael D. Coogan. Traduzido por Maria Luiza X. de Borges. Rio de Janeiro: Zahar, 2002, Item: Corinto, p. 44.
7. _____._____. Item: Paulo. Epístolas, p. 248.
8. XAVIER, Francisco Cândido. *Caminho, verdade e vida*. 27. ed. Rio de Janeiro: FEB, 2006. Cap. 23 (Viver pela fé), p. 61-62.
9. _____._____. Cap. 123 (Esperar em Cristo), p. 261-262.
10. _____. *Paulo e Estêvão: episódios históricos do Cristianismo primitivo*. Pelo Espírito Emmanuel. 43. ed. Rio de Janeiro: FEB, 2006. Segunda parte, cap. 7 (As epístolas), p. 525-528.
11. _____._____. p. 529-530.
12. _____._____. p.531.
13. _____._____. p. 531.

Orientações ao monitor

Realizar exposição introdutória do assunto, assinalando características da personalidade de Paulo e identificando os motivos que conduziram o apóstolo dos gentios a escrever epístolas. Em seguida, formar grupos para o estudo dos principais ensinos existentes nas epístolas aos romanos e aos coríntios, cujas conclusões devem ser analisadas em plenária.

O CRISTIANISMO

Roteiro 15

AS EPÍSTOLAS DE PAULO (2)

Objetivos

» Analisar os principais ensinos existentes nas epístolas destinadas aos gálatas, aos efésios, aos filipenses e aos colossenses.

Ideias principais

» Na epístola aos gálatas, Paulo faz uma súplica continuada e apaixonada sobre as necessidades dos cristãos se manterem fiéis ao Evangelho.

» Em efésios, o missivista evidencia preocupação de a comunidade cristã de Éfeso não se deixar conduzir pelas ideias dos filósofos, artistas, retóricos e historiadores contrárias aos ensinos evangélicos.

» Na carta dirigida aos filipenses encontramos refletidos o amor e consideração que o apóstolo dos gentios tinha pelos cristãos de Filipos, dedicados servidores do Cristo.

» A epístola de colossos recebe de Paulo alertas contra ideias estranhas, oriundas das práticas pagãs, que poderiam contaminar a mensagem do Evangelho.

Subsídios

1. Epístola aos gálatas

Os gálatas viveram na Galácia, antiga província romana, região situada no centro da Ásia Menor (atualmente, fica próxima de Ancara, na Turquia). A Galácia original era formada de diversos povos e abrigava várias comunidades cristãs primitivas.[1]

> Os gálatas originais eram celtas que, vindo da Europa central, tinham invadido a Ásia Menor e se estabeleceram ali no século III a.C. Mas os soberanos da Galácia estenderam seu poder sobre os territórios vizinhos, povoados por outros grupos étnicos; esses grupos foram incluídos na província da Galácia e eram gálatas no sentido político, embora não no sentido étnico. Alguns desses grupos pertenciam as cidades de Antioquia da Psídia, Icônio, Listra e Derbe, que foram evangelizadas por Paulo e Barnabé por volta de 47d.C.[2]

Nessa carta, escrita, possivelmente, entre 48 e 55, foi enviada, em especial às igrejas de Antioquia da Psídia, Icônio, Listra e Derbe e, talvez, à Galácia étnica. Paulo faz uma apaixonada súplica aos cristãos das diferentes igrejas para que não se desviem do Evangelho.[3]

> Eles [...] estavam propensos a dar ouvidos a certos mestres que os exortavam a acrescentar à sua fé em Cristo alguns traços característicos do Judaísmo, em particular a circuncisão. Esses mestres tentavam também diminuir a autoridade de Paulo, insistindo em que ele estava em dívida para como os líderes eclesiais de Jerusalém por sua delegação apostólica e não tinham nenhum direito de desviá-los da prática [judaica] de Jerusalém. A epístola pode ser lida contra o pano de fundo do ressugirmento do nacionalismo militante da Judeia nos anos após 44 d.C. Esses militantes (que vieram a ser chamados de zelotes) tratavam os judeus que confraternizavam com gentios como traidores.[3]

1.1 Síntese dos principais ensinos da epístola aos gálatas

A análise dos ensinamentos que se seguem deve considerar, sempre, a ação dos zelotes que desejavam, por um lado, que os judeus convertidos voltassem ao Judaísmo, e, por outro, desmoralizar a mensagem cristã e a Paulo, considerado traidor por ter-se tornado cristão.

» Constância na fé cristã

"Maravilho-me de que tão depressa passásseis daquele que vos chamou à graça de Cristo para outro evangelho, o qual não é outro, mas há alguns que vos inquietam e querem transtornar o evangelho de Cristo. Mas, ainda que nós mesmos ou um anjo do céu vos anuncie outro evangelho além do que já vos tenho anunciado, seja anátema. Assim como já vo-lo dissemos, agora de novo também vo-lo digo: se alguém vos anunciar outro evangelho além do que já recebestes, seja anátema. Porque persuado eu agora a homens ou a Deus? Ou procuro agradar a homens? Se estivesse ainda agradando aos homens, não seria servo de Cristo. Mas faço-vos saber, irmãos, que o evangelho que por mim foi anunciado não é segundo os homens, porque não o recebi, nem aprendi de homem algum, mas pela revelação de Jesus Cristo. [...] Nós somos judeus por natureza e não pecadores dentre os gentios. Sabendo que o homem não é justificado pelas obras da lei, mas pela fé em Jesus Cristo, temos também crido em Jesus Cristo, para sermos justificados pela fé de Cristo e não pelas obras da lei, porquanto pelas obras da lei nenhuma carne será justificada. Pois, se nós, que procuramos ser justificados em Cristo, nós mesmos também somos achados pecadores, é, porventura, Cristo ministro do pecado? De maneira nenhuma. [...] Ó insensatos gálatas! Quem vos fascinou para não obedecerdes à verdade, a vós, perante os olhos de quem Jesus Cristo foi já representado como crucificado? Só quisera saber isto de vós: recebestes o Espírito pelas obras da lei ou pela pregação da fé? Sois vós tão insensatos que, tendo começado pelo Espírito, acabeis agora pela carne?" (Gl 1:8-12; 2:15-17; 3:1-4).

» Fidelidade ao Cristo

"É evidente que, pela lei, ninguém será justificado diante de Deus, porque o justo viverá da fé. Ora, a lei não é da fé, mas o homem que fizer estas coisas por elas viverá. [...] De maneira que a lei nos serviu de aio, para nos conduzir a Cristo, para que, pela fé, fôssemos justificados. Mas, depois que a fé veio, já não estamos debaixo de aio. Porque todos sois filhos de Deus pela fé em Cristo Jesus; porque todos quantos fostes batizados em Cristo já vos revestistes de Cristo. Nisto não há judeu nem grego; não há servo nem livre; não há macho nem fêmea; porque todos vós sois um em Cristo Jesus. E, se sois de Cristo, então, sois descendência de Abraão e herdeiros conforme a promessa" (Gl 3: 11-12, 22-29).

» O homem com o Cristo é livre

"Estai, pois, firmes na liberdade com que Cristo nos libertou e não torneis a meter-vos debaixo do jugo da servidão. Eis que eu, Paulo, vos digo que, se vos deixardes circuncidar, Cristo de nada vos aproveitará. [...] Porque nós, pelo espírito da fé, aguardamos a esperança da justiça. Porque, em Jesus Cristo, nem a circuncisão nem a incircuncisão têm virtude alguma, mas, sim, a fé que opera por caridade. [...] Porque vós, irmãos, fostes chamados à liberdade. Não useis, então, da liberdade para dar ocasião à carne, mas servi-vos uns aos outros pela caridade. Porque toda a lei se cumpre numa só palavra, nesta: Amarás o teu próximo como a ti mesmo. [...] Mas o fruto do Espírito é: caridade, gozo, paz, longanimidade, benignidade, bondade, fé, mansidão, temperança. Contra essas coisas não há lei. E os que são de Cristo crucificaram a carne com as suas paixões e concupiscências. Se vivemos no Espírito, andemos também no Espírito (Gl 5: 1-2, 5-6, 13-14, 22-25).

A carta aos gálatas sintetiza a necessidade de se manter fiel ao Cristo em benefício do próprio progresso espiritual.

Um dos maiores desastres no caminho dos discípulos é a falsa compreensão com que iniciam o esforço na região superior, marchando em sentido inverso para os círculos da inferioridade. Dão, assim, a ideia de homens que partissem à procura de ouro, contentando-se, em seguida, com a lama do charco. [...] Observamos enfermos que se dirigem à espiritualidade elevada, alimentando nobres impulsos e tomados de preciosas intenções; conseguida a cura, porém, refletem na melhor maneira de aplicarem as vantagens obtidas na aquisição do dinheiro fácil. [...] Numerosos aprendizes persistem nos trabalhos do bem; contudo, eis que aparecem horas menos favoráveis e se entregam, inertes, ao desalento, reclamando prêmio aos minguados anos terrestres em que tentaram servir na lavoura do Mestre divino e plenamente despreocupados dos períodos multimilenários em que temos sido servidos pelo Senhor. Tais anomalias espirituais que perturbam consideravelmente o esforço dos discípulos procedem dos filtros venenosos compostos pelos pruridos de recompensa. Trabalhemos, pois, contra a expectativa de retribuição, a fim de que prossigamos na tarefa começada, em companhia da humildade, portadora de luz imperecível.[11]

2. Epístola aos efésios

Os efésios eram os habitantes de Éfeso, cidade situada na costa ocidental da Ásia Menor, atualmente pertencente à Turquia. Era [...] sede da comunidade cristã a que a Epístola aos efésios é dirigida. Geralmente reconhecida como a primeira e a mais notável metrópole da província romana da Ásia. Éfeso desempenhou um papel histórico no movimento do Cristianismo desde a Palestina até Roma. Atos [dos Apóstolos] descreve Éfeso como o ponto culminante da atividade missionária de Paulo, e foi de Éfeso que Paulo escreveu as Epístolas aos coríntios. [...] Do período clássico ao bizantino, Éfeso exerceu hegemonia na região jônica. Era famosa pelos seus filósofos, artistas, poetas, historiadores e retóricos. [...]. Não admira que Paulo seja visto ensinando "todos os dias na escola de Tirano", em Éfeso, durante dois anos (Atos, 19:9), que João tenha, ao que se conta, escrito o Quarto Evangelho em Éfeso, e que tenha sido o local da conversão de Justino Mártir, o primeiro filósofo cristão.[4]

À época da instalação do Cristianismo primitivo, Éfeso possuía cerca de 250 mil habitantes, constituindo-se um dos centros urbanos e comerciais que mais rapidamente cresceram nos domínios romanos do Oriente. Segundo Flávio Josefo, embora na cidade existisse uma expressiva comunidade judaica, de onde saíram inúmeros cristãos convertidos, a cidade também era famosa como centro de magia e taumaturgia. Havia inúmeros exorcitas, judeus e gentílicos, como o famoso pagão Apolônio de Tiana. Existiam também, ali, inúmeros templos e panteões, objeto de cultos e rituais aos deuses, sendo o mais importante o templo consagrado à deusa Artemisa, que foi considerado uma das sete maravilhas do mundo antigo.[4]

A epístola aos efésios foi escrita entre os anos 61–63, quando Paulo estava preso, possivelmente em Roma, e faz parte do grupo das cartas denominadas "epístolas do cativeiro"[4] (Ef 1:1; 3:1-13; 4:1; 6: 19-22).

A autenticidade dessa epístola é questionada. Em 1729, o teólogo inglês Edward Evanson colocou publicamente, pela primeira vez, a questão. No século 19, estudiosos alemães chegaram à mesma conclusão: a epistola não era de Paulo. Este é o pensamento atual, mantido pela maioria dos pesquisadores.

A autoria da carta é atribuída a Onésimo, "[...] o escravo foragido mencionado na epístola de Paulo a Filemon, que é depois identificado também com o bispo de Éfeso que usava o nome Onésimo [...]."⁵

2.1 Síntese dos principais ensinos da epístola aos efésios

» A salvação pela graça

Trata-se de pensamento, existente no capítulo dois da epístola, que contraria a salvação pela fé, defendido por Paulo na epístola aos romanos e na aos gálatas. Este deve ter sido um dos pontos que suscitaram dúvidas nos estudiosos. O estilo e a linguagem são também diferentes (são de natureza mais teológica). Analisemos a seguinte ordem de ideias: "E vos vivificou, estando vós mortos em ofensas e pecados, em que, noutro tempo, andastes, segundo o curso deste mundo, segundo o príncipe das potestades do ar, do espírito que, agora, opera nos filhos da desobediência; entre os quais todos nós também, antes, andávamos nos desejos da nossa carne, fazendo a vontade da carne e dos pensamentos; e éramos por natureza filhos da ira, como os outros também. Mas Deus, que é riquíssimo em misericórdia, pelo seu muito amor com que nos amou, estando nós ainda mortos em nossas ofensas, nos vivificou juntamente com Cristo (pela graça sois salvos), e nos ressuscitou juntamente com ele, e nos fez assentar nos lugares celestiais, em Cristo Jesus [...]. Porque pela graça sois salvos, por meio da fé; e isso não vem de vós; é dom de Deus" (Ef 2: 1-6, 8).

» A unidade da fé no Cristo

"Portanto, lembrai-vos de que vós, noutro tempo, éreis gentios na carne e chamados incircuncisão pelos que, na carne, se chamam circuncisão feita pela mão dos homens; que, naquele tempo, estáveis sem Cristo, separados da comunidade de Israel e estranhos aos concertos da promessa, não tendo esperança e sem Deus no mundo. Mas, agora, em Cristo Jesus, vós, que antes estáveis longe, já pelo sangue de Cristo chegastes perto. Porque ele é a nossa paz, o qual de ambos os povos fez um [...] Rogo-vos, pois, eu, o preso do Senhor, que andeis como é digno da vocação com que fostes chamados, com toda a humildade e mansidão, com longanimidade, suportando-vos uns aos outros em amor, procurando guardar a unidade do Espírito pelo vínculo da paz: há um só corpo e um só Espírito, como também fostes chamados em uma só esperança da vossa vocação; um só Senhor, uma só fé, um só batismo; um só Deus e Pai de todos, o qual é sobre todos, e por todos, e em todos. Mas a graça foi dada a cada um de nós segundo a medida do dom de Cristo" (Ef 2: 11-14; 4: 1-7).

» Santidade dos costumes

"E digo isto e testifico no Senhor, para que não andeis mais como andam também os outros gentios, na vaidade do seu sentido, entenebrecidos no entendimento, separados da vida de Deus, pela ignorância que há neles, pela dureza do seu coração, os quais, havendo perdido todo o sentimento, se entregaram à dissolução, para, com avidez, cometerem toda impureza. [...]Pelo que deixai a mentira e falai a verdade cada um com o seu próximo; porque somos membros uns dos outros. Irai-vos e não pequeis; não se ponha o sol sobre a vossa ira. Não deis lugar ao diabo. Aquele que furtava não furte mais; antes, trabalhe, fazendo com as mãos o que é bom, para que tenha o que repartir com o que tiver necessidade. Não saia da vossa boca nenhuma palavra torpe, mas só a que for boa para promover a edificação, para que dê graça aos que a ouvem" (Ef 4:17-19, 25-29).

» A armadura de Deus

"No demais, irmãos meus, fortalecei-vos no Senhor e na força do seu poder. Revesti-vos de toda a armadura de Deus, para que possais estar firmes contra as astutas ciladas do diabo [...]. Portanto, tomai toda armadura de Deus, para que possais resistir no dia mau e, havendo feito tudo, ficar firmes. Estai, pois, firmes, tendo cingidos os vossos lombos com a verdade, e vestida a couraça da justiça,e calçados os pés na preparação do evangelho da paz; tomando sobretudo o escudo da fé, com o qual podereis apagar todos os dardos inflamados do maligno. Tomai também o capacete da salvação e a espada do Espírito, que é a palavra de Deus [...]" (Ef 6:10-11, 13-17).

A epístola aos efésios indica que os aprendizes do Evangelho devem procurar levar uma vida simples e desprendida, vigiando os pensamentos e atos.

Cada criatura dá sempre notícias da própria origem espiritual. Os atos, palavras e pensamentos constituem informações vivas da zona mental de que procedemos. Os filhos da inquietude costumam abafar quem os ouve, em mantos escuros de aflição. Os rebentos da tristeza espalham o nevoeiro do desânimo. Os cultivadores da irritação fulminam o espírito da gentileza com os raios da cólera.

Os portadores de interesses mesquinhos ensombram a estrada em que transitam, estabelecendo escuro clima nas mentes alheias. Os corações endurecidos geram nuvens de desconfiança, por onde passam. Os afeiçoados à calúnia e à maledicência distribuem venenosos quinhões de trevas com que se improvisam grandes males e grandes crimes.

Os cristãos, todavia, são filhos da luz. E a missão da luz é uniforme e insofismável. Beneficia a todos sem distinção. Não formula exigências para dar. Afasta as sombras sem alarde. Espalha alegria e revelação crescentes. Semeia renovadas esperanças. Esclarece, ensina, ampara e irradia-se.[12]

3. Epístola aos filipenses

Filipenses eram os habitantes de Filipos.

Importante [...] cidade da Macedônia oriental, na Grécia, sede da comunidade cristã a que a Epístola de Paulo aos filipenses é dirigida. Após a batalha decisiva de 42 a.C., nas proximidades da cidade, o imperador Otaviano havia feito de Filipos uma colônia romana e dado a seus cidadãos os direitos e privilégios dos que nasciam e viviam em Roma. Segundo o relato de Atos, a igreja de Filipos começou assim: Paulo, em sua segunda viagem missionária, deixou Ásia Menor pela Macedônia, foi a Filipos, pregou o Evangelho; Lídia, uma mulher proeminente daquela região, e alguns outros se tornaram cristãos. Ao que parece a igreja foi abrigada inicialmente na casa de Lídia. Apesar dos seus começos modestos, cresceu e se tornou uma ativa comunidade cristã, desempenhando importante papel no evangelismo, partilhando prontamente suas próprias posses materiais, mesmo em meio a extrema pobreza, e enviando generosamente um dos seus para ajudar Paulo em seu trabalho para auxiliá-lo quando estava na prisão. Paulo visitou essa igreja em pelo menos três ocasiões [...].[6]

A epístola traz um apelo do apóstolo aos cristãos, pedindo-lhes "[...] que vivam de maneira condigna do Evangelho, em unidade, harmonia e generosidade, sem lamúrias nem queixas, mantendo sempre diante de si Jesus Cristo como modelo supremo de toda ação moral [...]."[7]

A epístola destaca as qualidades de Timóteo e Epafrodito, exemplos de trabalhadores cristãos fiéis, prometendo enviá-los a Filipos.

"[...] Adverte-os contra evangelistas judeus ou judaizantes cujos ensinamentos e práticas são contrários ao Evangelho [...]."[7]

A autenticidade da epístola aos filipenses não é posta em dúvida. O que se supõe é que, originalmente, existiu um conjunto de bilhetes ou três pequenas cartas, posteriormente reunidos numa única epístola.[8]

A comunidade de Filipos devotava especial afeto ao apóstolo dos gentios, cumpriram fielmente as suas orientações e o auxiliou, dentro das suas possibilidades, quando caiu prisioneiro na Tessalônica e em Corinto.[7] Paulo lhes escreve agradecendo o auxílio, recebido por intermédio de Epafrodito (Fl 4, 10-20).

Filipenses faz parte do grupo das "epístolas do cativeiro". Paulo se encontrava prisioneiro quando a escreveu, não se sabe exatamente onde: em Roma, em Cesareia da Palestina ou em Éfeso.[7]

A carta aos filipenses é de natureza pouco doutrinária. "[...] É uma efusão do coração, uma troca de notícias, uma advertência contra os "maus operários" que destroem alhures os trabalhos do Apóstolo e bem poderiam atacar também os seus caros filipenses [...]."[8] A epístola destaca também o valor da humildade.[8]

3.1 Síntese dos principais ensinos da epístola aos filipenses

» Exemplo de vivência do Evangelho

Os filipenses cristãos formavam uma comunidade pobre de bens materiais, mas sinceramente devotada ao Evangelho. Os filipenses jamais esqueceram as lições que lhes foram ensinadas por Paulo, auxiliando-o quando esteve preso e, recebendo deste, os sentimentos de afeto e reconhecimento. Os filipenses foram cristãos que souberam colocar em prática a vivência da caridade.

"Dou graças ao meu Deus todas as vezes que me lembro de vós, fazendo, sempre com alegria, oração por vós em todas as minhas súplicas, pela vossa cooperação no evangelho desde o primeiro dia até agora. Tendo por certo isto mesmo: que aquele que em vós começou a boa obra a aperfeiçoará até o Dia de Jesus Cristo. Como tenho por justo sentir isto de vós todos, porque vos retenho em meu coração, pois todos vós fostes participantes da minha graça, tanto nas minhas prisões como na minha defesa e confirmação do evangelho. Porque Deus me é testemunha das saudades que de todos vós tenho, em entranhável afeição de Jesus Cristo. E peço isto: que a vossa caridade aumente mais e mais em ciência e em todo o conhecimento" (Fl 1: 3-9).

» Exortação à perseverança, ao amor fraternal e à humildade

"Somente deveis portar-vos dignamente conforme o Evangelho de Cristo, para que, quer vá e vos veja, quer esteja ausente, ouça acerca de vós que estais num mesmo espírito, combatendo juntamente com o mesmo ânimo pela fé do evangelho. [...] Nada façais por contenda ou por vanglória, mas por humildade; cada um considere os outros superiores a si mesmo. [...] De sorte que, meus amados, assim como sempre obedecestes, não só na minha presença, mas muito mais agora na minha ausência, assim também operai a vossa salvação com temor e tremor; porque Deus é o que opera em vós tanto o querer como o efetuar, segundo a sua boa vontade. Fazei todas as coisas sem murmurações nem contendas; para que sejais irrepreensíveis e sinceros, filhos de Deus inculpáveis no meio duma geração corrompida e perversa, entre a qual resplandeceis como astros no mundo; retendo a palavra da vida, para que, no Dia de Cristo, possa gloriar-me de não ter corrido nem trabalhado em vão" (Fl 1: 27; 2: 3, 12-16).

» Cuidados contra os maus obreiros. Cultivo dos bens espirituais

"Resta, irmãos meus, que vos regozijeis no Senhor. Não me aborreço de escrever-vos as mesmas coisas, e é segurança para vós. Guardai-vos dos cães, guardai-vos dos maus obreiros, guardai-vos da circuncisão! [...] Irmãos, quanto a mim, não julgo que o haja alcançado; mas uma coisa faço, e é que, esquecendo-me das coisas que atrás ficam e avançando para as que estão diante de mim, prossigo para o alvo, pelo prêmio da soberana vocação de Deus em Cristo Jesus. [...] Portanto, meus amados e mui queridos irmãos, minha alegria e coroa, estai assim firmes no Senhor, amados. [...] Regozijai-vos, sempre, no Senhor; outra vez digo: regozijai-vos. Seja a vossa equidade notória a todos os homens. Perto está o Senhor. Não estejais inquietos por coisa alguma; antes, as vossas petições sejam em tudo conhecidas diante de Deus, pela oração e súplicas, com ação de graças. E a paz de Deus, que excede todo o entendimento, guardará os vossos corações e os vossos sentimentos em Cristo Jesus. Quanto ao mais, irmãos, tudo o que é verdadeiro, tudo o que é honesto, tudo o que é justo, tudo o que é puro, tudo o que é amável, tudo o que é de boa fama, se há alguma virtude, e se há algum louvor, nisso pensai" (Fl 3:1-2, 13-14; 4:1, 4-8).

A carta de Paulo aos filipenses atesta que estes representavam um exemplo de cristão que absorveu o sentido espiritual do Evangelho: fora da caridade não há salvação.

> A caridade é, invariavelmente, sublime nas menores manifestações, todavia, inúmeras pessoas muitas vezes procuram limitá-la, ocultando-lhe o espírito divino. Muitos aprendizes creem que praticá-la é apenas oferecer dádivas materiais aos necessitados de pão e teto. Caridade, porém, representa muito mais que isso para os verdadeiros discípulos do Evangelho. [...] Caridade essencial é intensificar o bem, sob todas as formas respeitáveis, sem olvidarmos o imperativo de autossublimação para que outros se renovem para a vida superior, compreendendo que é indispensável conjugar, no mesmo ritmo, os verbos dar e saber.[...] Bondade e conhecimento, pão e luz, amparo e iluminação, sentimento e consciência são arcos divinos que integram os círculos perfeitos da caridade. Não só receber e dar, mas também ensinar e aprender.[13]

4. Epístola aos colossenses

Paulo enviou três cartas às comunidades cristãs da província romana da Ásia. Colossos foi uma delas, cidade localizada a aproximadamente 200 km de Éfeso.

> Colossos localizava-se no oeste da Ásia Menor, ao sul do rio Meandro (atual Menderes), 6,4 km a leste de Denilzli na Turquia de hoje. Era uma cidade comercial até ser incorporada pela vizinha Laodiceia, e abrigou a comunidade cristã a quem foi dirigida a epístola aos colossenses.[9]

Paulo teve contato com os colossenses a partir do seu trabalho missionário em Éfeso (ATOS DOS APÓSTOLOS, 19) e auxiliado por muitos companheiros, através dos quais diversas igrejas cristãs foram erguidas na Ásia romana, como as do Vale do Lico, da Laodiceia e de Hierápolis. As comunidades cristãs fundadas nessas localidades dependeram do esforço de Epafras, dedicado discípulo de Paulo, que o via como "leal ministro do Cristo."[9]

A epístola aos colossenses faz parte do grupo das "epístolas do cativeiro".

> Paulo estava na prisão (provavelmente em Roma) [...]. A epístola aos colossenses parece ter sido escrita bastante cedo no período que Paulo

estava na prisão, por volta de 60-61 a.C. Epafras fizera uma visita a Paulo em Roma e o informara do estado das igrejas no vale do Lico. Embora grande parte do relato fosse animador, uma característica inquietante era o ensinamento atraente, mas falso recentemente introduzido na congregação; se não fosse contido, subverteria o Evangelho e poria os colossenses numa servidão espiritual.[9]

A dificuldade relatada por Epafras estava relacionada à idolatria e aos maus costumes pagãos (liberalidade sexual), uma vez que as comunidades cristãs, da região, eram basicamente constituídas de gentios convertidos.

Existem dúvidas se a carta aos colossenses é de autoria de Paulo. Alguns estudiosos entendem que o estilo pesado e repetitivo não é o usualmente utilizado pelo apóstolo. Há dúvidas também relacionadas a certas ideias teológicas, principalmente as que fazem alusão ao corpo do Cristo, ao Cristo como cabeça do corpo e à igreja universal.[8] São ideias semelhantes às divulgadas pelos gnósticos no século II d.C. Outras ideias que são combatidas, pretensamente por Paulo, estão relacionadas a conceitos essênicos, comuns entre os judeus que seguiam os preceitos dos essênios (poderes celestes e cósmicos), seita existente à época do Cristo.[10]

4.1 Síntese dos principais ensinos da epístola aos colossenses

» Exortação à espiritualidade e ao amor fraternal

"Portanto, se já ressuscitastes com Cristo, buscai as coisas que são de cima, onde Cristo está assentado à destra de Deus. Pensai nas coisas que são de cima e não nas que são da terra [...]. Mortificai, pois, os vossos membros que estão sobre a Terra: a prostituição, a impureza, o apetite desordenado, a vil concupiscência e a avareza, que é idolatria [...]. Mas, agora, despojai-vos também de tudo: da ira, da cólera, da malícia, da maledicência, das palavras torpes da vossa boca. Não mintais uns aos outros, pois que já vos despistes do velho homem com os seus feitos. [...] Revesti-vos, pois, como eleitos de Deus, santos e amados, de entranhas de misericórdia, de benignidade, humildade, mansidão, longanimidade, suportando-vos uns aos outros e perdoando-vos uns aos outros, se algum tiver queixa contra outro; assim como Cristo vos perdoou, assim fazei vós também. E, sobre tudo isto, revesti-vos de caridade, que é o vínculo da perfeição.

E a paz de Deus, para a qual também fostes chamados em um corpo, domine em vossos corações; e sede agradecidos. A palavra de Cristo habite em vós abundantemente, em toda a sabedoria, ensinando-vos e admoestando-vos uns aos outros, com salmos, hinos e cânticos espirituais; cantando ao Senhor com graça em vosso coração. E, quanto fizerdes por palavras ou por obras, fazei tudo em nome do Senhor Jesus, dando por ele graças a Deus Pai. (Cl 3: 1-2, 5, 8-9, 12-17).

A carta dirigida à comunidade cristã de Colossos evidencia o amor fraternal, o espírito de cooperação que deve reger as relações interpessoais.

> É impossível qualquer ação de conjunto, sem base na tolerância. Aprendamos com o Cristo. A queixa desfigura a dignidade do trabalho, retardando-lhe a execução. Indispensável cultivar a renúncia aos pequenos desejos que nos são peculiares, a fim de conquistarmos capacidade de sacrifício, que nos estruturará a sublimação em mais altos níveis. Para que o trabalho nos eleve, precisamos elevá-lo. Para que a tarefa nos ajude, é imprescindível nos disponhamos a ajudá-la. Recordemos que o supremo orientador das equipes de serviço cristão é sempre Jesus. Dentro delas, a nossa oportunidade de algo fazer constitui só por si valioso prêmio. Esqueçamo-nos, assim, de todo o mal, para construirmos todo o bem ao nosso alcance. E, para que possamos agir nessas normas, é imperioso suportar-nos como irmãos, aprendendo com o Senhor, que nos tem tolerado infinitamente.[14]

Referências

1. BIBLIA DE JERUSALÉM. Nova edição, revista e ampliada. São Paulo: Paulus, 2002. Item: Introdução às epístolas de São Paulo, p. 1960.

2. _____._____. p. 1961.

3. _____._____. p. 1962.

4. DICIONÁRIO DA BÍBLIA. Vol. 1: As pessoas e os lugares. Organizado por Bruce M. Metzger, Michael D. Coogan. Traduzido por Maria Luiza X. de Borges. Rio de Janeiro: Zahar, 2002, Item: Colossos, p. 43.

5. _____._____. Item: Éfeso, p. 65.

6. _____._____. p. 66.

7. _____._____. Item: Filipos, p. 92-93.

8. _____._____. Item: Galácia, p. 95.
9. _____._____. p. 95-96.
10. _____._____. p. 96.
11. XAVIER, Francisco Cândido. *Fonte viva*. Pelo Espírito Emmanuel. 35. ed. Rio de Janeiro: FEB, 2006. Cap. 163 (Aprendamos com Jesus), p. 397- 398.
12. _____. *Pão nosso*. Pelo Espírito Emmanuel. 27.ed. Rio de Janeiro: FEB, 2006. Cap. 155 (Contra a insensatez), p. 325-326.
13. _____. *Vinha de luz*. Pelo Espírito Emmanuel. 25.ed. Rio de Janeiro: FEB, 2006. Cap. 116 (Não só), p. 263-264.
14. _____._____. Cap. 160 (Filhos da luz), p. 357-358.

Orientações ao monitor

Realizar exposição introdutória e panorâmica do assunto. Formar grupos para o estudo dos principais ensinos existentes nas epístolas citadas neste Roteiro, destacando o pensamento espírita.

EADE – LIVRO I | MÓDULO II

O CRISTIANISMO

Roteiro 16

AS EPÍSTOLAS DE PAULO (3)

Objetivos

» Analisar os principais ensinos existentes nas epístolas destinadas aos tessalonicensces, a Timóteo, a Tito, a Filemon e aos hebreus.

Ideias principais

» As duas epístolas dirigidas aos tessalonicenses são considerados os escritos mais antigos do Novo Testamento. Abrangem instruções para as comunidades cristãs recém-criadas.

» As duas epístolas endereçadas a Timóteo, assim como a que foi enviada a Tito, são chamadas de "pastorais" porque trazem orientações ao trabalho missionário desses dois cooperadores e amigos de Paulo.

» A carta a Filemon é, na verdade, um pedido de perdão que Paulo faz em benefício de Onésimo, um escravo fugitivo.

» Ao contrário de todas as precedentes, a epístola aos hebreus teve a sua autenticidade posta em dúvida desde a antiguidade. Emmanuel, porém, afirma que esta carta foi, efetivamente, escrita pelo próprio Paulo que a redigiu com grande emoção.

Subsídios

1. Epístolas aos tessalonicenses

As duas epístolas dirigidas aos tessalonicenses são consideradas os primeiros escritos de Paulo, e, também, os mais antigos do Novo Testamento. Tessalônica, cidade litorânea, capital da Macedônia, na Grécia, foi visitada por Paulo, Silas e Timóteo, durante a segunda viagem missionária do apóstolo (ATOS DOS APÓSTOLO, 16 a 18).

> Após deixar Filipos, Paulo e seus companheiros passaram ali um tempo breve, mais longo o suficiente para ganhar vários convertidos entre judeus e gregos que frequentavam a sinagoga e fundar uma igreja. Segundo Lucas, a oposição forçou os missionários a partir precipitadamente. Eles seguiram para Acaia e trabalharam brevemente em Atenas e depois, por um longo período, em Corinto. Foi durante esse período que Timóteo fez a visita mencionada em I Tessalonicenses, 3:1-6 e que Paulo escreveu a primeira epístola, sem dúvida de Corinto.[9]

A duas epístolas foram redigidas em linguagem simples, focalizando problemas surgidos na comunidade, ainda na infância da fé, a braços com costumes e ideias do paganismo circundante, que ameaçavam penetrá-la. Revela o tipo de pregação usual na igreja primitiva: sermões que se caracterizavam pela simplicidade e clareza, denominados prédiga. Percebe-se, igualmente, que Paulo se encontrava na primeira fase de compreensão do Evangelho.[5]

O enfoque principal da primeira epístola é a futura vinda do Cristo, chamada de *parusia*. Há indicações de que os tessalonicenses não compreenderam o real sentido da ressureição e a forma de como o Cristo poderia retornar. Daí a razão das explicações contidas nessa carta. Não há dúvida de que Paulo foi o seu autor.[10]

> A segunda epístola suscita problemas para os quais não há respostas consensuais. Sua linguagem e conteúdo são suficientemente semelhantes aos de Tessalonicenses para indicar que, se autêntica, foi provavelmente escrita não muito tempo depois da primeira epístola. [...] A pungência da linguagem de Paulo pode sugerir também que ele próprio estava sendo alvode ataque particular de pessoas de fora da

igreja. [...] Na parte final da carta, encontramos indícios de que alguns membros da igreja estava vivendo na ociosidade, à custa dos outros. [...] Isso provocou forte censura de Paulo, que acreditava firmemente que os cristãos deviam trabalhar para o seu sustento.[10]

1.1 Síntese dos principais ensinos das epístolas aos tessalonicenses

» Exortação a uma vida simples e santificada

Costumes dissolutos e práticas sexuais ultrajantes (incesto, por exemplo) foram os maiores desafios enfrentados por Paulo junto aos povos gentílicos. Eles se convertiam ao Cristianismo, mas tinham dificuldades em abrir mão das práticas às quais estavam acostumados. Resulta o apóstolo lhes falarem com veemência: "Finalmente, irmãos, vos rogamos e exortamos no Senhor Jesus que, assim como recebestes de nós, de que maneira convém andar e agradar a Deus, assim andai, para que continueis a progredir cada vez mais; porque vós bem sabeis que mandamentos vos temos dado pelo Senhor Jesus. Porque esta é a vontade de Deus, a vossa santificação: que vos abstenhais da prostituição, que cada um de vós saiba possuir o seu vaso em santificação e honra, não na paixão de concupiscência, como os gentios, que não conhecem a Deus. Ninguém oprima ou engane a seu irmão em negócio algum, porque o Senhor é vingador de todas estas coisas, como também, antes, vo-lo dissemos e testificamos. Porque não nos chamou Deus para a imundícia, mas para a santificação" (1Ts 4:1-7).

» Ressurreição do Cristo

Percebe-se que os habitantes da Tessalônica acreditavam que as pessoas mortas permaneciam dormindo, nada sabendo sobre a ressurreição nem sobre a reencarnação, ideias comuns que os demais gregos tinham informações, ainda que rudimentares.

"Não quero, porém, irmãos, que sejais ignorantes acerca dos que já dormem, para que não vos entristeçais, como os demais, que não têm esperança. Porque, se cremos que Jesus morreu e ressuscitou, assim também aos que em Jesus dormem Deus os tornará a trazer com ele. Dizemo-vos, pois, isto pela palavra do Senhor: que nós, os que ficarmos vivos para a vinda do Senhor, não precederemos os que dormem. Porque o mesmo Senhor descerá do céu com alarido, e com voz de arcanjo, e com a trombeta de Deus; e os que morreram em Cristo ressuscitarão primeiro; depois, nós, os que ficarmos vivos, seremos arrebatados juntamente com eles nas nuvens, a encontrar o Senhor nos ares, e assim estaremos sempre com o Senhor. Portanto, consolai-vos uns aos outros com estas palavras" (1Ts 4:13-18).

» A outra vinda do Cristo

"Ora, irmãos, rogamo-vos, pela vinda de nosso Senhor Jesus Cristo e pela nossa reunião com ele, que não vos movais facilmente do vosso entendimento, nem vos perturbeis, quer por espírito, quer por palavra, quer por epístola, como de nós, como se o Dia de Cristo estivesse já perto. [...] Não vos lembrais de que estas coisas vos dizia quando ainda estava convosco? [...] Então, irmãos, estai firmes e retende as tradições que vos foram ensinadas, seja por palavra, seja por epístola nossa. E o próprio nosso Senhor Jesus Cristo, e nosso Deus e Pai, que nos amou e em graça nos deu uma eterna consolação e boa esperança" (2 Ts 2: 1-2, 5, 15-16).

> Dirigindo-se aos irmãos de Tessalonica, o apóstolo dos gentios rogou-lhes concurso em favor dos trabalhos evangélicos, para que o serviço do Senhor estivesse isento dos homens maus e dissolutos, justificando apelo com a declaração de que a fé não é de todos. Através das palavras de Paulo, percebe-se-lhe a certeza de que as criaturas perversas se aproximariam dos núcleos de trabalho cristianizante, que a malícia delas poderia causar-lhes prejuízos e que era necessário mobilizar os recursos do espírito contra semelhante influência. O grande convertido, em poucas palavras, gravou advertência de valor infinito, porque, em verdade, a cor religiosa caracterizará a vestimenta exterior de comunidades inteiras, mas a fé será patrimônio somente daqueles que trabalham sem medir sacrifícios, por instalá-la no santuário do próprio mundo intimo. A rotulagem de cristianismo será exibida por qualquer pessoa, todavia, a fé cristã revelar-se-á pura, incondicional e sublime em raros corações.[14]

2. Epístolas a Timóteo

As duas epístolas a Timóteo são classificadas de *pastorais* porque salientam a firmeza doutrinária e a consagração ao ministério do Senhor. "O caráter que se diria hoje dogmático e moralista destas cartas é julgado pelos críticos como sinal de que não saíram da pena do mesmo autor de Romanos ou Gálatas."[5] Timóteo foi importante e dedicado servidor do evangelho, além de grande amigo de Paulo.

Nascido na Ásia Menor de mãe judia e pai gentio, tornou-se companheiro de Paulo e, segundo Atos, acompanhou-o em sua primeira viagem à Grécia e mais tarde serviu como emissário junto a comunidades cristãs ali, inclusive Corinto. Paulo chama Timóteo seu "irmão e colaborador"[11] (1 TESSALONICENSES, 3:2; 2 CORÍNTIOS, 1:1; ROMANOS, 16:21).

A autoria dessas epístolas é contestada. As dúvidas estão relacionadas, primeiro, ao vocabulário e o estilo, muito diferente do existente em outras epístolas, como romanos e coríntios. Segundo há conceitos teológicos referentes à respeitabilidade pública, próprio das ideias de padres católicos. Terceiro há uma ordenação eclesiástica, não encontrada nas demais epístolas paulinas, semelhante aos escritos à existentes no século I d.C. (de Policarpo, por exemplo). Quarto há trechos em que o autor discute teologicamente com os opositores, quando Paulo jamais procedeu assim, limitando-se, apenas, a repreendê-los.[11]

2.1 Síntese dos principais ensinos das epístolas a Timóteo

» Valor da oração

"Admoesto-te, pois, antes de tudo, que se façam deprecações, orações, intercessões e ações de graças por todos os homens, pelos reis e por todos os que estão em eminência, para que tenhamos uma vida quieta e sossegada, em toda a piedade e honestidade. Porque isto é bom e agradável diante de Deus, nosso Salvador [...]. Quero, pois, que os homens orem em todo o lugar, levantando mãos santas, sem ira nem contenda" (1Tm 2:1-2, 8).

» Precauções contra os Espíritos enganadores

"Mas o Espírito expressamente diz que, nos últimos tempos, apostatarão alguns da fé, dando ouvidos a espíritos enganadores e a doutrinas de demônios, pela hipocrisia de homens que falam mentiras, tendo cauterizada a sua própria consciência, proibindo o casamento e ordenando a abstinência dos manjares que Deus criou para os fiéis e para os que conhecem a verdade, a fim de usarem deles com ações de graças [...]" (1Tm 4: 1-3).

» Cuidados com os velhos e as viúvas

"Não repreendas asperamente os anciãos, mas admoesta-os como a pais; aos jovens, como a irmãos; às mulheres idosas, como a mães, às moças, como a irmãs, em toda a pureza. Honra as viúvas que verdadeiramente são viúvas. Mas, se alguma viúva tiver filhos ou netos, aprendam primeiro a exercer piedade para com a sua própria família e a recompensar seus pais; porque isto é bom e agradável diante de Deus" (1Tm 5:1-3).

» Exortação à firmeza e constância no ministério

"Timóteo, meu amado filho: graça, misericórdia e paz, da parte de Deus Pai, e da de Cristo Jesus, Senhor nosso. Dou graças a Deus, a quem, desde os meus antepassados, sirvo com uma consciência pura, porque sem cessar faço memória de ti nas minhas orações, noite e dia; desejando muito ver-te, lembrando-me das tuas lágrimas, para me encher de gozo; trazendo à memória a fé não fingida que em ti há, a qual habitou primeiro em tua avó Lóide e em tua mãe Eunice, e estou certo de que também habita em ti. Por este motivo, te lembro que despertes o dom de Deus, que existe em ti pela imposição das minhas mãos. Porque Deus não nos deu o espírito de temor, mas de fortaleza, e de amor, e de moderação. [...] Tu, porém, tens seguido a minha doutrina, modo de viver, intenção, fé, longanimidade, caridade, paciência [...]" (2 Tm 1:2-7; 3:10).

O discípulo sincero do Evangelho vive em silenciosa batalha no campo do coração. [...] A vitória do espírito exige esforço integral do combatente. E, mais tarde, o lidador cristão é convidado a testemunhos mais ásperos, compelido à batalha solitária, sem o recurso de outros tempos. A lei de renovação modifica-lhe os roteiros, subtrai-lhe as ilusões, seleciona-lhe os ideais. [...] Quando o aprendiz receber a dor em si próprio, compreendendo-lhe a santificante finalidade, e exercer a justiça ou aceitá-la, acima de toda a preocupação dos elos consanguíneos, estará atingindo a sublime posição de triunfo no combate contra o mal.[18]

3. Epístolas a Tito

A epístola a Tito é também chamada de "pastoral". O discípulo foi importante associado de Paulo que, como Timóteo, esteve sempre muito próximo do apóstolo.

Acompanhou Paulo em sua segunda viagem a Jerusalém, serviu como seu emissário a Corinto e foi por ele designado para supervisionar a igreja de Jerusalém. Paulo se refere a Tito como seu "parceiro e colaborador" (2 Cor 8:23). Embora Tito fosse um gentio, não se exigiu dele que se circuncidasse, a despeito da opinião de alguns líderes cristãos judeus. Tito simboliza assim a crescente separação entre o Cristianismo e o Judaísmo à medida que cristãos como ele não eram obrigados a observar muitos aspectos da leis judaica.[12]

Os assuntos abordados na epístola a Tito são semelhantes aos existentes nas cartas dirigidas a Timóteo. Trata-se de diretivas para a organização e conduta das comunidades confiadas a esses discípulos. Da mesma forma, o estilo de Paulo, ao se dirigir aos dois amigos, "[...] não é mais apaixonado e entusiasta, mas mitigado e burocrático. O modo de resolver problemas mudou. Paulo simplesmente condena falso ensinamento em lugar de argumentar persuasivamente contra ele".[1]

Em razão dessa drástica mudança de estilo e de argumentação, é compreensível o questionamento a respeito da autenticidade da epístola.[1] Supõe-se que a carta tenha sido escrito por um outro discípulo de Paulo, no fim do século I d.C.[1]

3.1 Síntese dos principais ensinos da epístola a Tito

» O discípulo do Cristo deve exemplificar

"Tu, porém, fala o que convém à sã doutrina. Os velhos que sejam sóbrios, graves, prudentes, sãos na fé, na caridade e na paciência. As mulheres idosas, semelhantemente, que sejam sérias no seu viver, como convém a santas, não caluniadoras, não dadas a muito vinho, mestras no bem, para que ensinem as mulheres novas a serem prudentes, a amarem seus maridos, a amarem seus filhos, a serem moderadas, castas, boas donas de casa, sujeitas a seu marido, a fim de que a palavra de Deus não seja blasfemada. Exorta semelhantemente os jovens a que sejam moderados. Em tudo, te dá por exemplo de boas obras; na doutrina, mostra incorrupção, gravidade, sinceridade, linguagem sã e irrepreensível, para que o adversário se envergonhe, não tendo nenhum mal que dizer de nós. Exorta os servos a que se sujeitem a seu senhor e em tudo agradem, não contradizendo, não defraudando, antes mostrando toda boa lealdade [...]" (Tt 2:1-10).

O homem enxerga sempre, através da visão interior. Com as cores que usa por dentro, julga os aspectos de fora. Pelo que sente, examina os sentimentos alheios. Na conduta dos outros, supõe encontrar os meios e fins das ações que lhe são peculiares. Daí, o imperativo de grande vigilância para que a nossa Consciência não se contamine pelo mal.

[...] Quando a treva se estende, na intimidade de nossa vida, deploráveis alterações nos atingem os pensamentos. Virtudes, nessas circunstâncias, jamais são vistas. Os males, contudo, sobram sempre. Os mais largos gestos de bênção recebem lastimáveis interpretações. Guardemos cuidado toda vez que formos visitados pela inveja, pelo ciúme, pela suspeita ou pela maledicência. Casos intrincados existem nos quais o silêncio é o remédio bendito e eficaz, porque, sem dúvida, cada espírito observa o caminho ou o caminheiro, segundo a visão clara ou escura de que dispõe.[15]

4. Epístolas a Filemon

Filemon foi um cristão que viveu na Frigia no primeiro século da Era Cristã.

O principal interesse da breve carta é o destino do escravo de Filemon, Onésimo. [...] Parece que esse escravo havia sido de início útil a seu senhor, mas tornara-se inútil porque, tendo considerado suas condições intoleráveis, fugira de Colossos, provavelmente levando consigo certos objetos de valor pertencentes a seu patrão. A epístola fala do que se seguiu à fuga. Tendo se dirigido para uma cidade maior, Onésimo fora detido e posto na prisão, onde encontrou Paulo. Ali o escravo foi convertido e logo se fez útil a Paulo. Ao ser libertado, o novo cristão teve de decidir o que fazer com relação aos direitos de seu senhor prejudicado. Voltar para ele era correr o risco de severa punição, pois fugir da escravidão era uma transgressão capital e Filemon teria todo direito de lhe infligir a pena que quisesse. Encorajado por Paulo, contudo, o escravo decidiu retornar e partiu para Colossos, na companhia de Tíquico, e levando essa carta de Paulo. [...] Quando a carta foi entregue, o senhor deve ter enfrentado um dilema. A violação de seus direitos de propriedade teria gerado indignação, apoiados como eram pela lei romana e o costume universal.[...] Paulo pedia ao proprietário que acolhesse seu escravo como um irmão, aceitasse a restituição do que havia perdido e o tratasse como se fosse o próprio Paulo. [...] o que estava em jogo era mais que perdão, pois Paulo parece ter pedido a Filemon não só libertasse Onésimo, mas que até o enviasse de volta a ele, Paulo, para ajudá-lo no trabalho missionário [...]. Nada se sabe sobre a história posterior dos dois personagens [...].[7]

Emmanuel faz significativos comentários a respeito da fraterna atitude de intercessão, operada por Paulo.

> Enviando Onésimo a Filemon, Paulo, nas suas expressões inspiradas e felizes, recomendava ao amigo lançasse ao seu débito quanto lhe era devido pelo portador. Afeiçoemos a exortação às nossas necessidades próprias. Em cada novo dia de luta, passamos a ser maiores devedores do Cristo. Se tudo nos corre dificilmente, é de Jesus que nos chegam as providências justas. Se tudo se desenvolve retamente, é por seu amor que utilizamos as dádivas da vida e é, em seu nome, que distribuímos esperanças e consolações. Estamos empenhados à sua inesgotável misericórdia. Somos dele e nessa circunstância reside nosso título mais alto. Por que, então, o pessimismo e o desespero, quando a calúnia ou a ingratidão nos ataquem de rijo, trazendo-nos a possibilidade de mais vasta ascensão? Se estamos totalmente empenhados ao amor infinito do Mestre, não será razoável compreendermos pelo menos alguma particularidade de nossa dívida imensa, dispondo-nos a aceitar pequenina parcela de sofrimento, em memória de seu nome, junto de nossos irmãos da Terra, que são seus tutelados igualmente? Devemos refletir que quando falamos em paz, em felicidade, em vida superior, agimos no campo da confiança, prometendo por conta do Cristo, porquanto só Ele tem para dar em abundância. Em vista disso, caso sintas que alguém se converteu em devedor de tua alma, não te entregues a preocupações inúteis, porque o Cristo é também teu credor e deves colocar os danos do caminho em sua conta divina, passando adiante.[13]

5. Epístolas aos hebreus

Hebreus é um termo étnico, aplicado aos antigos israelitas ou judeus, como são denominados no Novo Testamento. Os judeus convertidos ao Cristianismo preservavam, em geral, traços de sua herança judaica e falavam a língua hebraica ou aramaica.[8]

Discute-se, ainda hoje, o verdadeiro gênero literário desse documento, escrito e dirigido aos hebreus: carta, discurso, tratado escrito sob forma epistolar? Há pontos que sugere um discurso espontâneo, característico da língua falada.[4]

Ao contrário de todas as precedentes, a epístola aos hebreus teve a sua autenticidade posta em dúvida desde a Antiguidade.

Raramente se contestou sua canonicidade, mas a Igreja do Ocidente (romana), até o fim do século IV, recusou atribuí-la a Paulo. A Igreja Ortodoxa aceitou com reservas a sua forma literária, conforme escritos de Clemente de Alexandria e de Orígenes. Com efeito, a linguagem e o estilo desta carta possuem uma pureza e elegância diferentes dos demais escritos de Paulo. Pode-se, todavia, reconhecer a ressonância do pensamento paulino onde foi desenvolvido o tema fé.[2]

Essas considerações levaram muitos críticos católicos e protestantes a admitir um redator que se inscreve na ambiência paulina, mas não há acordo quando se trata de identificar o autor anônimo. Todo tipo de nomes foram propostos, tais como Barnabé, Aristião, Silas, Apolo, Priscila e outros. Parece simples tentar traçar seu retrato: trata-se de um judeu de cultura helenística, familiar na arte oratória, atento a uma interpretação pontual das passagens veterotestamentárias que utiliza, frequentemente segundo versão dos LXX [Bíblia dos Setenta Sábios ou Septuaginta], para apoiar os seus argumentos.

[...] Parece que o escrito foi enviado da Itália [...] e redigido antes da destruição de Jerusalém [ano 70 d.C.] [...].[2]

Emmanuel, entretanto, nos afiança que enquanto Paulo aguardava o seu julgamento, em Roma, gozando de relativa liberdade por ser cidadão romano, mantinha um encontro com os judeus que residiam na cidade imperial. O esclarecido benfeitor, autor do livro *Paulo e Estêvão*, nos informa que após o referido encontro, o apóstolo dos gentios iniciou o registro de sua Epístola aos hebreus.

[...] aproveitando as últimas horas de cada dia, os companheiros de Paulo viram que ele escrevia um documento a que dedicava profunda atenção. Às vezes, era visto a escrever com lágrimas, como se desejasse fazer da mensagem um depósito de santas inspirações. Em dois meses entregava o trabalho a Aristarco [cooperador e companheiro de prisão, em Roma] dizendo:

— Esta é a *Epístola aos hebreus*. Fiz questão de grafá-la, valendo-me dos próprios recursos, pois que a dedico aos meus irmãos de raça e procurei escrevê-la com o coração.[17]

5.1 Síntese dos principais ensinos da Epístola aos hebreus

As preocupações destacadas na epístola são: o perigo da apostasia (Hb 6:4-8; 10:19-39); necessidade de confortar os convertidos que lamentam o abandono do esplendor dos cultos judaicos; fortalecer e tranquilizar as jovens comunidades cristãs[2] (Hb 19:9-10).

Os destinatários da epístola são judeus convertidos que viviam no meio helenístico ou gentios fascinados pela cultura hebraica. De alguma forma, esses leitores estavam familiarizados com a Septuaginta, assim como com certas interpretações tradicionais[3] (Hb 7:1-3; 11:17-19).

» A superioridade do Cristo

"Havendo Deus, antigamente, falado, muitas vezes e de muitas maneiras, aos pais, pelos profetas, a nós falou-nos, nestes últimos dias, pelo Filho, a quem constituiu herdeiro de tudo, por quem fez também o mundo. O qual, sendo o resplendor da sua glória, e a expressa imagem da sua pessoa, e sustentando todas as coisas pela palavra do seu poder, havendo feito por si mesmo a purificação dos nossos pecados, assentou-se à destra da Majestade, nas alturas; feito tanto mais excelente do que os anjos, quanto herdou mais excelente nome do que eles. [...] Pelo que, irmãos santos, participantes da vocação celestial, considerai a Jesus Cristo, apóstolo e sumo sacerdote da nossa confissão, sendo fiel ao que o constituiu, como também o foi Moisés em toda a sua casa. [...] Visto que temos um grande sumo sacerdote, Jesus, Filho de Deus, que penetrou nos céus, retenhamos firmemente a nossa confissão" (Hb 1:1-4; 3;1-2; 4:14).

» Inutilidade dos cultos exteriores

"Mas, vindo Cristo, o sumo sacerdote dos bens futuros, por um maior e mais perfeito tabernáculo, não feito por mãos, isto é, não desta criação, nem por sangue de bodes e bezerros, mas por seu próprio sangue, entrou uma vez no santuário, havendo efetuado uma eterna redenção. Porque, se o sangue dos touros e bodes e a cinza de uma novilha, esparzida sobre os imundos, os santificam, quanto à purificação da carne, quanto mais o sangue de Cristo, que, pelo Espírito eterno, se ofereceu a si mesmo imaculado a Deus, purificará a vossa consciência das obras mortas, para servirdes ao Deus vivo? E, por isso, é Mediador de um novo testamento, para que, intervindo a morte para remissão das transgressões que havia debaixo do primeiro testamento, os chamados recebam a promessa da herança eterna" (Hb 9:11-15).

» É necessário perseverar na fé

"Tendo, pois, irmãos, ousadia para entrar no Santuário, pelo sangue de Jesus, pelo novo e vivo caminho que ele nos consagrou, pelo véu, isto é, pela sua carne, e tendo um grande sacerdote sobre a casa de Deus, cheguemo-nos com verdadeiro coração, em inteira certeza de fé; tendo o coração purificado da má consciência e o corpo lavado com água limpa, retenhamos firmes a confissão da nossa esperança, porque fiel é o que prometeu. E consideremo-nos uns aos outros, para nos estimularmos à caridade e às boas obras [...]. Ora, a fé é o firme fundamento das coisas que se esperam e a prova das coisas que se não veem. Porque, por ela, os antigos alcançaram testemunho. Pela fé, entendemos que os mundos, pela palavra de Deus, foram criados; de maneira que aquilo que se vê não foi feito do que é aparente" (Hb 10:19-24; 11:1-3).

» Não temer as provações

"Portanto, nós também, pois, que estamos rodeados de uma tão grande nuvem de testemunhas, deixemos todo embaraço e o pecado que tão de perto nos rodeia e corramos, com paciência, a carreira que nos está proposta, olhando para Jesus, autor e consumador da fé, o qual, pelo gozo que lhe estava proposto, suportou a cruz, desprezando a afronta, e assentou-se à destra do trono de Deus. Considerai, pois, aquele que suportou tais contradições dos pecadores contra si mesmo, para que não enfraqueçais, desfalecendo em vossos ânimos. Ainda não resististes até o sangue, combatendo contra o pecado. [...] Portanto, tornai a levantar as mãos cansadas e os joelhos desconjuntados, e fazei veredas direitas para os vossos pés, para que o que manqueja se não desvie inteiramente; antes, seja sarado" (Hb 12: 1-4;12-13).

» Ser caridoso permanentemente

"Permaneça a caridade fraternal. Não vos esqueçais da hospitalidade, porque, por ela, alguns, não o sabendo, hospedaram anjos. Lembrai-vos dos presos, como se estivésseis presos com eles, e dos maltratados, como sendo-o vós mesmos também no corpo. [...] Sejam vossos costumes sem avareza, contentando-vos com o que tendes; porque ele disse: Não te deixarei, nem te desampararei. [...] E não vos esqueçais da beneficência e comunicação, porque, com tais sacrifícios, Deus se agrada" (Hb 13:1-3, 5,16).

Aceitar o poder de Jesus, guardar certeza da própria ressurreição além da morte, reconfortar-se ante os benefícios da crença, constituem fase rudimentar no aprendizado do Evangelho.

Praticar as lições recebidas, afeiçoando a elas nossas experiências pessoais de cada dia, representa o curso vivo e santificante.

[...]

Não basta situar nossa alma no pórtico do templo e aí dobrar os joelhos reverentemente; é imprescindível regressar aos caminhos vulgares e concretizar, em nós mesmos, os princípios da fé redentora, sublimando a vida comum.

[...]

Existem milhares de crentes da Boa Nova nessa lastimável posição de estacionamento. São quase sempre pessoas corretas em todos os rudimentos da doutrina do Cristo. Creem, adoram e consolam-se, irrepreensivelmente; todavia, não marcham para diante, no sentido de se tornarem mais sábias e mais nobres. Não sabem agir, nem lutar e nem sofrer, em se vendo sozinhas, sob o ponto de vista humano.

Precavendo-se contra semelhantes males, afirmou Paulo, com profundo acerto: "Deixando os rudimentos da doutrina de Jesus, prossigamos até à perfeição, abstendo-nos de repetir muitos arrependimentos, porque então não passaremos de autores de obras mortas".[16]

Referências

1. BIBLIA DE JERUSALÉM. Nova edição, revista e ampliada. São Paulo: Paulus, 2002. Item: Introdução às epístolas de são Paulo, p. 1963.

2. _____._____. Item: Introdução a epístola aos hebreus, p. 2083.

3. _____._____. p. 2083-2084.

4. _____._____. p. 2084.

5. ENCICLOPÉDIA MIRADOR INTERNACIONAL. São Paulo: Melhoramentos, 1995. Volume 4 (verbete Bíblia: As epístolas), p. 1347.

6. _____._____. p. 1347-1348.

7. DICIONÁRIO DA BÍBLIA. Vol. 1: as pessoas e os lugares. Organizado por Bruce M. Metzger, Michael D. Coogan. Traduzido por Maria Luiza X. de Borges. Rio de Janeiro: Zahar, 2002, Item: Filêmon, p. 92-93.

8. _____._____. Item: Hebreus, p. 107.

9. _____._____. Item: Tessalônica, p. 317-318.

10. _____._____. p. 318.

11. _____._____. Item: Timóteo, p. 322.

12. _____._____. Item: Tito, p. 323.

13. XAVIER, Francisco Cândido. *Caminho, verdade e vida*. Espírito Emmanuel. 27. ed. Rio de Janeiro: FEB, 2006. Cap. 17 (Por Cristo), p. 49-50.

14. _____. *Fonte viva*. Pelo Espírito Emmanuel. 35. ed. Rio de Janeiro: FEB, 2006. Cap. 23 (Não é de todos), p. 61-62.

15. _____._____. Cap. 34 (Guardemos o cuidado), p. 85-86.

16. _____._____. Cap. 83 (Avancemos além), p. 217-218.

17. _____. *Paulo e Estêvão: episódios históricos do cristianismo primitivo*. Pelo Espírito Emmanuel. 3. ed. esp. Rio de Janeiro: FEB, 2005. Segunda parte, cap. 9 (O prisioneiro do cristo), p. 558.

18. _____. *Vinha de luz*. Pelo Espírito Emmanuel. 25. ed. Rio de Janeiro: FEB, 2006. Cap. 79 (Em combate), p. 181-182.

Orientações ao monitor

Formar grupos para o estudo dos principais ensinos existentes nas epístolas citadas neste Roteiro. Apresentar, ao final da reunião, uma síntese dos principais ensinamentos, analisados à luz da Doutrina Espírita.

O CRISTIANISMO

Roteiro 17

AS EPÍSTOLAS DE TIAGO E DE PEDRO

Objetivos

» Analisar, à luz do Espiritismo, os principais ensinos existentes nas epístolas escritas por Tiago e por Pedro.

Ideias principais

» A epístola de Tiago se resume num conjunto de exortações morais sobre a paciência nas provações, a origem da tentação, o cuidado no falar, a importância da fé com obras, do bom relacionamento, da misericórdia e da oração. *Bíblia de Jerusalém*. p. 2103.

» A primeira epístola de Pedro tem como finalidade [...] *sustentar a fé dos seus destinatários em meio às provações que os assaltam. Bíblia de Jerusalém*. p. 2104.

» Na segunda epístola, Pedro coloca os seus leitores de [...] *sobreaviso contra os falsos doutores e responde á inquietação existente sobre a vinda (parusia) do Cristo. Bíblia de Jerusalém*. p. 2005.

Subsídios

As epístolas escritas pelos apóstolos Tiago e Pedro, João e Judas são denominadas *católicas* ou *universais*, porque, diferentemente das de Paulo, se dirigem aos cristãos em geral, e não a comunidades ou pessoas particulares.

1. Epístola de Tiago

Duas dificuldades surgem quando se propõe a estudar essa epístola. A primeira está relacionada à histórica resistência religiosa de incorporá-la aos textos canônicos do Novo Testamento. A segunda diz respeito às dificuldades, também de natureza histórica, para identificar quem, de fato, é Tiago, autor dessa carta.

> A epístola de Tiago, foi aceita progressivamente na Igreja [Católica]. Se sua canonicidade não parece ter criado problemas no Egito, onde Orígenes a cita como Escritura inspirada, Eusébio de Cesareia, no começo do século IV, reconhece que ela ainda é contestada por alguns. Nas Igrejas de língua siríaca, foi a penas no decurso do século IV que foi introduzida no cânon do N.T. [Novo Testamento]. Na África, Tertuliano e Cipriano a desconhecem e o catálogo de Mommsen (cerca do ano 360) ainda não o contém. Em Roma, ela não figura no cânon de Muratori, atribuído a santo Hipólito (pelo ano 200) e é muito duvidoso que tendo sido citada por são Clemente de Roma, e pelo autor dos Pastor de Hermas. Portanto, só se impõe ao conjunto das Igrejas do Oriente e do Ocidente pelo fim do século IV.[1]

Outra dúvida está relacionada à autoria da epístola. Quem é Tiago, autor desta epístola? No primeiro momento, somos levados a pensar em Tiago Maior, irmão de João, ambos membros do colégio apostolar. Pensa-se também em Tiago Menor, também um dos doze apóstolos. As duas hipóteses, porém, são contestadas por estudiosos. Na verdade, esse escrito é atribuído a um certo Tiago, nomeado como "servo de Deus e do Senhor Jesus Cristo" (Tg. 1:1). Na Antiguidade, as igrejas identificaram como seu autor o Tiago "irmão de Jesus" (Mc 6:3; Mt 13:55) que teve função marcante na primeira comunidade cristã de Jerusalém (At 12:17; 15: 13-21; 21:18-26; 1Cor 15:7; Gl 1:19). Esse Tiago teria sido assassinado, por judeus, no ano 62. Acredita-se que o autor da epístola não seja também Tiago Maior, irmão de João, porque Herodes o mandou matar em 44. Pode-se pensar que a autoria da carta é, de fato, de Tiago Menor, filho de Alfeu, um dos apóstolos de Jesus.[1]

Supondo-se que a carta tenha sido escrita por Tiago Menor, que também foi o chefe da igreja cristã de Jerusalém, a data deste escrito seria anterior ao ano 62. Entretanto, a opinião predominante é de que se trata de um escrito do final do século I ou início do século II. A aceitação atual é de que a carta foi escrita por Tiago Menor, até 62, ano da morte do apóstolo.[1]

> Seja qual for a sua origem, este escrito é dirigido às "12 tribos da Diáspora" (Tg 1:1), que são certamente os cristãos de origem judaica, dispersos no mundo greco-romano, sobretudo nas regiões próximas à Palestina, como a Síria ou o Egito. Que esses destinatários sejam convertidos do Judaísmo é o que confirma o corpo da carta. O uso constante que o autor nela faz da *Bíblia*, supõe que esta lhe é familiar, tanto mais que ele procede, nas suas argumentações, menos pelo modo de argumentações, a partir de citações explícitas [...] do que por reminiscências espontâneas e alusões subjacentes por toda parte. Ele se inspira particularmente na literatura sapiencial, para extrair dela lições de moral prática. Mas depende também profundamente dos ensinamentos do Evangelho, e seu escrito não é puramente judaico, como algumas vezes se tem afirmado. Ao contrário, aí se encontram continuamente o pensamento e as expressões prediletas de Jesus. [...] Em suma, trata-se de sábio judeu-cristão que repensa, de maneira original, as máximas da sabedoria judaica em função do cumprimento que elas encontram na boca do Mestre. Vemos seu ponto de vista cristão sobretudo no enquadramento apocalíptico em que situa seus ensinamentos morais. Esses ensinamentos mostram também sua afinidade com os do Evangelho de Mateus, mais judaico-cristão.[2]

1.1 Síntese dos principais ensinos da epístola de Tiago

» O benefício das provações

"Meus irmãos, tende grande gozo quando cairdes em várias tentações, sabendo que a prova da vossa fé produz a paciência. Tenha, porém, a paciência a sua obra perfeita, para que sejais perfeitos e completos, sem faltar em coisa alguma. [...] Mas glorie-se o irmão abatido na sua exaltação, e o rico, em seu abatimento, porque ele passará como a flor da erva. Porque sai o sol com ardor, e a erva seca, e a sua flor cai, e a formosa aparência do seu aspecto perece; assim se murchará também o rico em seus caminhos. Bem-aventurado o varão que sofre a tentação; porque, quando for provado, receberá a coroa da vida, a qual o Senhor tem prometido aos que o amam" (Tg 1:2-3, 9-12).

» A fé com obras

"Meus irmãos, que aproveita se alguém disser que tem fé e não tiver as obras? Porventura, a fé pode salvá-lo? E, se o irmão ou a irmã estiverem nus e tiverem falta de mantimento cotidiano, e algum de vós lhes disser: Ide em paz, aquentai-vos e fartai-vos; e lhes não derdes as coisas necessárias para o corpo, que proveito virá daí? Assim também a fé, se não tiver as obras, é morta em si mesma. Mas dirá alguém: Tu tens a fé, e eu tenho as obras; mostra-me a tua fé sem as tuas obras, e eu te mostrarei a minha fé pelas minhas obras [...] Vedes, então, que o homem é justificado pelas obras e não somente pela fé" (Tg 2:14-18, 24).

A fé inoperante é problema credor da melhor atenção, em todos os tempos, a fim de que os discípulos do Evangelho compreendam, com clareza, que o ideal mais nobre, sem trabalho que o materialize, em benefício de todos, será sempre uma soberba paisagem improdutiva. [...] A crença religiosa é o meio. O apostolado é o fim. [...] Guardar, pois, o êxtase religioso no coração, sem qualquer atividade nas obras de desenvolvimento da sabedoria e do amor, consubstanciados no serviço da caridade e da educação, será conservar na terra viva do sentimento um ídolo morto, sepultado entre as flores inúteis das promessas brilhantes.

» Cuidado no falar

"Meus irmãos, muitos de vós não sejam mestres, sabendo que receberemos mais duro juízo. Porque todos tropeçamos em muitas coisas. Se alguém não tropeça em palavra, o tal varão é perfeito e poderoso para também refrear todo o corpo. Ora, nós pomos freio nas bocas dos cavalos, para que nos obedeçam; e conseguimos dirigir todo o seu corpo. Vede também as naus que, sendo tão grandes e levadas de impetuosos ventos, se viram com um bem pequeno leme para onde quer a vontade daquele que as governa. Assim também a língua é um pequeno membro e gloria-se de grandes coisas. Vede quão grande bosque um pequeno fogo incendeia. A língua também é um fogo; como mundo de iniquidade, a língua está posta entre os nossos membros, e contamina todo o corpo, e inflama o curso da natureza, e é inflamada pelo inferno. Porque toda a natureza, tanto de bestas-feras como de aves, tanto de répteis como de animais do mar, se amansa e foi domada pela natureza humana; mas nenhum homem pode domar a língua. É um mal que não se pode refrear; está cheia de peçonha mortal. Com ela bendizemos a Deus e Pai, e com ela amaldiçoamos os homens, feitos à semelhança de Deus de uma mesma boca procede bênção e maldição. Meus irmãos, não convém que isto se faça assim" (Tg 3:1-10).

O pensamento que direciona a epístola de Tiago está expresso nestas suas palavras: "Mas todo homem seja pronto para ouvir, tardio para falar, tardio para se irar" (Tg 1:19).

> Analisar, refletir, ponderar são modalidades do ato de ouvir. É indispensável que a criatura esteja sempre disposta a identificar o sentido das vozes, sugestões e situações que a rodeiam. Sem observação, é impossível executar a mais simples tarefa no ministério do bem. Somente após ouvir, com atenção, pode o homem falar de modo edificante na estrada evolutiva. Quem ouve, aprende. Quem fala, doutrina. Um guarda, outro espalha. Só aquele que guarda, na boa experiência, espalha com êxito. O conselho do apóstolo é, portanto, de imorredoura oportunidade. E forçoso é convir que, se o homem deve ser pronto nas observações e comedido nas palavras, deve ser tardio em irar-se. Certo, o caminho humano oferece, diariamente, variados motivos à ação enérgica; entretanto, sempre que possível, é útil adiar a expressão colérica para o dia seguinte, porquanto, por vezes, surge a ocasião de exame mais sensato e a razão da ira desaparece. Tenhamos em mente que todo homem nasce para exercer uma função definida. Ouvindo sempre, pode estar certo de que atingirá serenamente os fins a que se destina, mas, falando, é possível que abandone o esforço ao meio, e, irando-se, provavelmente não realizará coisa alguma.[5]

2. Epístolas de Pedro

As duas epístolas de Pedro foram aceitas sem contestação desde a Antiguidade. O apóstolo escreve de Roma, também chamada de "Babilônia" (alusão à devassidão moral), entre os anos 64 e 67, onde se encontra em companhia de João Marcos, o evangelista, a quem considera como filho.[3]

Escreve aos cristãos "da Diáspora", especificando os nomes das cinco províncias que representavam praticamente o conjunto da Ásia Menor (1 Pe 1:1). O que diz do passado deles sugere que são convertidos do paganismo, embora não se exclua a presença de judeu-cristãos entre eles (1 Pe 1:18; 2:9; 4:3). É por isso que lhes escreve em grego; e, se esse grego, simples, mas correto e harmonioso, parece de qualidade boa demais para o pescador galileu, conhecemos o nome do discípulo secretário que pode tê-lo assistido na redação: Silvano[...][3] (Pe 5:12).

"A finalidade dessa epístola é sustentar a fé dos seus destinatários em meio às provações que os assaltam. [...] Trata-se, antes, de prepotências, injúrias e calúnias que os convertidos sofrem [...]."[3]

Outras ideias que norteiam a carta dizem respeito à corajosa perseverança nas provações, tendo Cristo como modelo (1 Pe 2:21-25; 3:18; 4:1); os cristãos devem sofrer com paciência como Jesus sofreu, revelando a fé que possuem (1 Pe 2:19; 3:14; 4:12-19; 5:9) e agir com mansidão (1 Pe 3:8-17; 4:17-11).

A primeira epístola, é um escrito de natureza prática, mas que possui apreciável riqueza da doutrina cristã. "Nele se encontra um maravilhoso resumo da teologia em voga na época apostólica, teologia de comovente ardor na sua simplicidade."[4]

Na segunda epístola, Pedro alerta os leitores contra os falsos doutores e faz comentários sobre a demora da parusia (segunda vinda do Cristo).[4]

2.1 Síntese dos principais ensinos das epístolas de Pedro

» Exortação à uma vida santificada

"Portanto, cingindo os lombos do vosso entendimento, sede sóbrios e esperai inteiramente na graça que se vos ofereceu na revelação de Jesus Cristo, como filhos obedientes, não vos conformando com as concupiscências que antes havia em vossa ignorância; mas, como é santo aquele que vos chamou, sede vós também santos em toda a vossa maneira de viver. [...] Purificando a vossa alma na obediência à verdade, para caridade fraternal, não fingida, amai-vos ardentemente uns aos outros, com um coração puro [...]. Deixando, pois, toda malícia, e todo engano, e fingimentos, e invejas, e todas as murmurações [...]. Amados, peço-vos, como a peregrinos e forasteiros, que vos abstenhais das concupiscências carnais, que combatem contra a alma, tendo o vosso viver honesto entre os gentios, para que, naquilo em que falam mal de vós, como de malfeitores, glorifiquem a Deus no dia da visitação, pelas boas obras que em vós observem. [...] Honrai a todos. Amai a fraternidade. Temei a Deus. Honrai o rei" (1 Pe 1:13-15; 22; 2:1;11-12; 17).

» Exortação ao amor fraternal

"E, finalmente, sede todos de um mesmo sentimento, compassivos, amando os irmãos, entranhavelmente misericordiosos e afáveis, não tornando mal por mal ou injúria por injúria; antes, pelo contrário, bendizendo, sabendo que para isto fostes chamados, para que, por herança, alcanceis a bênção. Porque quem quer amar a vida e ver os dias bons, refreie a sua língua do mal, e os seus lábios não falem engano; aparte-se do mal e faça o bem; busque a paz e siga-a. Porque os olhos do Senhor estão sobre os justos, e os seus ouvidos, atentos às suas orações; mas o rosto do Senhor é contra os que fazem males. E qual é aquele que vos fará mal, se fordes zelosos do bem?" (1 Pe 3:8-1).

A sublime exortação constitui poderosa síntese das teorias de fraternidade. O entendimento e a aplicação do "amai-vos" é a meta luminosa das lutas na Terra. [...] O amor a que se refere o Evangelho é antes a divina disposição de servir com alegria, na execução da Vontade do Pai, em qualquer região onde permaneçamos.[8]

» Cuidados contra os falsos mestres

"E também houve entre o povo falsos profetas, como entre vós haverá também falsos doutores, que introduzirão encobertadamente heresias de perdição e negarão o Senhor que os resgatou, trazendo sobre si mesmos repentina perdição. E muitos seguirão as suas dissoluções, pelos quais será blasfemado o caminho da verdade; e, por avareza, farão de vós negócio com palavras fingidas; sobre os quais já de largo tempo não será tardia a sentença, e a sua perdição não dormita. [...] Estes são fontes sem água, nuvens levadas pela força do vento, para os quais a escuridão das trevas eternamente se reserva; porque, falando coisas mui arrogantes de vaidades, engodam com as concupiscências da carne e com dissoluções aqueles que se estavam afastando dos que andam em erro, prometendo-lhes liberdade, sendo eles mesmos servos da corrupção. Porque de quem alguém é vencido, do tal faz-se também servo" (2 Pe 2:1-3; 17-19).

» A vinda do Senhor

"Amados, escrevo-vos, agora, esta segunda carta, em ambas as quais desperto com exortação o vosso ânimo sincero, para que vos lembreis das palavras que primeiramente foram ditas pelos santos profetas e do mandamento do Senhor e Salvador, mediante os vossos apóstolos, sabendo primeiro isto: que nos últimos dias virão escarnecedores, andando segundo as suas próprias concupiscências e dizendo: Onde está a promessa da sua vinda? Porque desde que os pais dormiram todas as coisas permanecem como desde o princípio da criação. Eles voluntariamente ignoram isto: que pela palavra de Deus já desde a antiguidade existiram os céus e a Terra, que foi tirada da água e no meio da água subsiste; pelas quais coisas pereceu o mundo de então, coberto com as águas do dilúvio. Mas os céus e a Terra que agora existem pela mesma palavra se reservam como tesouro e se guardam para o fogo, até o Dia do Juízo e da perdição dos homens ímpios. Mas, amados, não ignoreis uma coisa: que um dia para o Senhor é como mil anos, e mil anos, como um dia. O Senhor não retarda a sua promessa, ainda que alguns a têm por tardia; mas é longânimo para convosco, não querendo que alguns se percam, senão que todos venham a arrepender-se. Mas o Dia do Senhor virá como o ladrão de noite, no qual os céus passarão com grande estrondo, e os elementos, ardendo, se desfarão, e a Terra e as obras que nela há se queimarão. Havendo, pois, de perecer todas estas coisas, que pessoas vos convém ser em santo trato e piedade, aguardando e apressando-vos para a vinda do Dia de Deus, em que os céus, em fogo, se desfarão, e os elementos, ardendo, se fundirão? Mas nós, segundo a sua promessa, aguardamos novos céus e nova Terra, em que habita a justiça" (2 Pe 3:1-13).

As duas epístolas de Pedro destacam a importância suportarmos com bom ânimo as provações e a convivência fraterna. Para o sucesso dessa empreitada é necessário que identifiquemos os males da vida e suas origens.

O esclarecimento íntimo é inalienável tesouro dos discípulos sinceros do Cristo. O mundo está cheio de enganos dos homens abomináveis que invadiram os domínios da política, da ciência, da religião e ergueram criações chocantes para os espíritos menos avisados; contam-se por milhões as almas com eles arrebatadas às surpresas da morte e absolutamente desequilibradas nos círculos da vida espiritual. Do cume falso de suas noções individualistas precipitam-se em despenhadeiros apavorantes, onde perdem a firmeza e a luz. Grande número dos improvidentes encontram socorro justo, porquanto desconheciam a verdadeira situação. Não se achavam devidamente informados. Os homens abomináveis ocultavam-lhes o sentido real da vida. Semelhante benemerência, contudo, não poderá atingir os aprendizes que conhecem, de antemão, a verdade. O aluno do Evangelho somente se alimentará de equívocos deploráveis, se quiser. Rodopiará, por isso mesmo, no torvelinho das sombras se nele cair voluntariamente, no capítulo da preferência individual.

O ignorante alcançará justificativa. A vítima será libertada.

O doente desprotegido receberá enfermagem e remédio.

Mas o discípulo de Jesus, bafejado pelos benefícios do Céu todos os dias, que se rodeia de esclarecimentos e consolações, luzes e bênçãos, esse deve saber, de antemão, quanto lhe compete realizar em serviço e vigilância e, caso aceite as ilusões dos homens abomináveis, agirá sob a responsabilidade que lhe é própria, entrando na partilha das aflitivas realidades que o aguardam nos planos inferiores.[7]

Referências

1. BIBLIA DE JERUSALÉM. Nova edição, revista e ampliada. São Paulo: Paulus, 2002. Item: Introdução às epístolas Católicas. São Paulo, p. 2102.

2. _____._____. p. 2103.

3. _____._____. p. 2104.

4. _____._____. p. 2105.

5. XAVIER, Francisco Cândido. *Caminho, verdade e vida*. Espírito Emmanuel. 27. ed. Rio de Janeiro: FEB, 2006. Cap. 77 (Convém refletir), p. 169-170.

6. _____. *Fonte viva*. Pelo Espírito Emmanuel. 35. ed. Rio de Janeiro: FEB, 2006. Cap. 39 (Fé inoperante), p. 95-96.

7. _____. *Vinha de luz*. Pelo Espírito Emmanuel. 25. ed. Rio de Janeiro: FEB, 2006. Cap. 43 (Vós, portanto...), p. 105-106.

8. _____._____. Cap. 90 (De coração puro), p. 203-204.

Orientações ao monitor

Formar grupos para o estudo dos principais ensinos existentes nas epístolas citadas neste Roteiro. Apresentar, ao final da reunião, uma síntese do assunto analisado, à luz da Doutrina Espírita.

EADE – LIVRO I | MÓDULO II

O CRISTIANISMO

Roteiro 18

EPÍSTOLAS DE JOÃO E DE JUDAS

Objetivos

» Analisar, à luz do Espiritismo, os principais ensinos existentes nas epístolas escritas por João e por Judas.

Ideias principais

» As três Epístolas de João apresentam uma preocupação do apóstolo e evangelista relacionado a conflitos existentes nas comunidades cristãs de Éfeso e da Ásia Menor, em razão do comportamento de certos membros das igrejas de tentavam conciliar as ideias cristãs a outras, provenientes do gnosticismo, de filosofias gregas e de práticas de magia.

» A Epístola de Judas foi destinada a comunidades cristãs que estariam sofrendo a influências de falsos doutores. O autor procura denunciá-los [...] *como pessoas ímpias cuja condenação foi profetizada, e insta os seus leitores a preservar o Evangelho apostólico vivendo segundo suas exigências morais. Dicionário da Bíblia.* p. 173.

Subsídios

1. Epístola de João

Além do seu evangelho, João, filho de Zebedeu e irmão de Tiago Maior, escreveu três epístolas e o livro do apocalipse.

Há muita semelhança, literária e doutrinária, entre as epístolas e o evangelho de João, de forma que é praticamente impossível negar a sua autoria. É verdade que a segunda e a terceira epístolas deram lugar a certas dúvidas, cujo eco se encontra em Orígenes, Eusébio de Cesareia e Jerônimo.[1]

As três epístolas joaninas formam uma unidade de composição, embora cada uma possua a sua especificidade.

> A terceira epístola é provavelmente a primeira na data; procura resolver um conflito de autoridade que surgira em uma das igrejas sob a autoridade de João. A segunda epístola põe de sobreaviso uma ou outra igreja particular contra a propaganda de falso doutores que negam a realidade da encarnação. Quanto à primeira epístola, sem dúvida a mais importante. Apresenta-se como mais como uma carta encíclica destinadas às comunidades [cristãs] da Ásia, ameaçadas pelos dilaceramentos das primeiras heresias. João nela condensou o essencial de sua experiência religiosa.[1]

É quase certo que essas cartas foram escritas em Éfeso, na virada do século I para o II, à mesma época da escritura do seu evangelho.[4]

As três Epístolas de João apresentam um ponto em comum, relacionado aos conflitos existentes nas comunidades cristãs de Éfeso e da Ásia Menor.

"Pode-se supor que, nas diversas comunidades joaninas, tenham começado a aparecer grupos religiosos influenciados pelo gnosticismo."[2] A influência das ideias gnósticas provocam divisões nas igrejas. As cartas de João representam um tipo de reação a essa situação, apelando para a necessidade de manter a mensagem cristã intocável.[4]

Gnosticismo foi um movimento histórico e religioso *cristão*, fundamentado na *gnose* (palavra grega que significa conhecimento), surgido nos séculos II e III, e de natureza filosófica e inspirada nas ideias do neoplatonismo e dos pitagóricos. Originou-se provavelmente na *Ásia menor* a partir de pensamentos existentes na *Babilônia, Egito, Síria e Grécia*. O gnosticismo combinava alguns elementos da *Astrologia* e mistérios das religiões gregas, como os *mistérios de Elêusis*, com as doutrinas do Cristianismo. Em seu sentido mais abrangente, gnosticismo significa "a crença na salvação pelo conhecimento."[8]

O apóstolo João enfrentou sérias dificuldades para manter a mensagem cristã livre do intelectualismo, gnóstico e de outras ideias, especialmente na cidade de Éfeso. "Geralmente reconhecida como a primeira e a mais notável metrópole da província romana da Ásia, Éfeso desempenhou um papel histórico no movimento do Cristianismo desde a Palestina até Roma".[5]

Do período clássico ao bizantino, Éfeso exerceu hegemonia na região jônica. Era famosa por seus filósofos, artistas, poetas, historiadores e retóricos. Deu nítidas contribuições para a história intelectual e religiosa desde o período pré-socrático até os ressurgimentos filosóficos do Império Romano mais tardio. Não admira que [...] João tenha, ao que se conta, escrito o quarto Evangelho em Éfeso, e que tenha sido o local de conversão de Justino Mártir, o primeiro filósofo cristão.[...] A cidade era [também] famosa como um centro de magia e taumaturgia. A expressão grega *Ephesia grammata* (letras efésias) tornou-se uma designação genérica para toda sorte de palavras mágicas e encantações apotropaicas [orações ou frases para afastarem influências maléficas]. A cidade atraia exorcitas judeus bem como seus equivalentes gentios, como Apolônio de Tiana.[5]

1.1 Síntese dos principais ensinos das epístolas de João

João apela aos cristãos, nas três cartas, no sentido de preservarem a pureza doutrinária do Cristianismo, superando as divergências pela legítima prática do amor. O apelo do apóstolo atravessa os séculos e chega até nós, mantendo uma atualidade surpreendente, nos faz ver as dificuldades para se manter a pureza doutrinária dos ensinamento superiores.

Percebe-se, nas três epístolas, a tentativa do apóstolo de encontrar uma solução para evitar que a crença cristã seja adulterada por ideias gnósticas e outras ideias correntes nas comunidades cristãs da Ásia Menor.

» "Aquele que diz que está na luz e aborrece a seu irmão até agora está em trevas. Aquele que ama a seu irmão está na luz, e nele não há escândalo. Mas aquele que aborrece a seu irmão está em trevas, e anda em trevas, e não sabe para onde deva ir; porque as trevas lhe cegaram os olhos" (1 João, 2:9-11).

> Quem ama o próximo sabe, acima de tudo, compreender. E quem compreende sabe livrar os olhos e os ouvidos do venenoso visco do escândalo, a fim de ajudar, ao invés de acusar ou desservir. É necessário trazer o coração sob a luz da verdadeira fraternidade, para reconhecer que somos irmãos uns dos outros, filhos de um só Pai.[10]

» "Quem é que vence o mundo, senão aquele que crê que Jesus é o Filho de Deus?" (1 João, 5:5).

» "Se recebemos o testemunho dos homens, o testemunho de Deus é maior; porque o testemunho de Deus é este, que de seu Filho testificou. Quem crê no Filho de Deus em si mesmo tem o testemunho; quem em Deus não crê mentiroso o fez, porquanto não creu no testemunho que Deus de seu Filho deu" (1 João, 5:9-10).

» "Todo aquele que prevarica e não persevera na doutrina de Cristo não tem a Deus; quem persevera na doutrina de Cristo, esse tem tanto o Pai como o Filho. Se alguém vem ter convosco e não traz esta doutrina, não o recebais em casa, nem tampouco o saudeis. Porque quem o saúda tem parte nas suas más obras" (2 João, 1:9-11).

> Em todos os lugares e situações da vida, a caridade será sempre a fonte divina das bênçãos do Senhor. [...] Assistência, medicação e ensinamento constituem modalidades santas da caridade generosa que executa os programas do bem. São vestiduras diferentes de uma virtude única. Conjugam-se e completam-se num todo nobre e digno. [...] Antes, porém, da caridade que se manifesta exteriormente nos variados setores da vida, pratiquemos a caridade essencial, sem o que não poderemos efetuar a edificação e a redenção de nós mesmos. Trata-se da caridade de pensarmos, falarmos e agirmos, segundo os ensinamentos do divino Mestre, no Evangelho. É a caridade de vivermos verdadeiramente nele para que Ele viva em nós.[12]

» "O presbítero ao amado Gaio, a quem, na verdade, eu amo. Amado, procedes fielmente em tudo o que fazes para com os irmãos e para com os estranhos, que em presença da igreja testificaram da tua caridade, aos quais, se conduzires como é digno para com Deus, bem farás; porque pelo seu nome saíram, nada tomando dos gentios. Portanto, aos tais devemos receber, para que sejamos cooperadores da verdade. Tenho escrito à igreja; mas Diótrefes, que procura ter entre eles o primado, não nos recebe. Pelo que, se eu for, trarei à memória as obras que ele faz, proferindo contra nós palavras maliciosas; e, não contente com isto, não recebe os irmãos, e impede os que querem recebê-los, e os lança fora da igreja. Amado, não sigas o mal, mas o bem. Quem faz bem é de Deus; mas quem faz mal não tem visto a Deus" (3 João, 1:1, 9-11).

> A sociedade humana não deveria operar a divisão de si própria, como um campo em que se separam bons e maus, mas sim viver qual grande família em que se integram os espíritos que começam a compreender o Pai e os que ainda não conseguiram pressenti-lo. Claro que as palavras "maldade" e "perversidade" ainda comparecerão, por vastíssimos anos, no dicionário terrestre, definindo certas atitudes mentais inferiores; todavia, é forçoso convir que a questão do mal vai obtendo novas interpretações na inteligência humana.[...] Muita gente acredita que o "homem caído" é alguém que deve ser aniquilado. Jesus, no entanto, não adotou essa diretriz. Dirigindo-se, amorosamente, ao pecador, sabia-se, antes de tudo, defrontado por enfermo infeliz, a quem não se poderia subtrair as características de eternidade. Lute-se contra o crime, mas ampare-se a criatura que se lhe enredou nas malhas tenebrosas. O Mestre indicou o combate constante contra o mal, contudo, aguarda a fraternidade legítima entre os homens por marco sublime do Reino Celeste.[11]

2. Epístola de Judas

> Esta Epístola [...] foi escrita a uma igreja ou grupo de igrejas desconhecido para combater o perigo representado por certos mestres carismáticos que estavam pregando e praticando libertinagem moral. O autor procura denunciar esses mestres como pessoas ímpias cuja condenação foi profetizada, e insta os seus leitores a preservar o Evangelho apostólico vivendo segundo suas exigências morais. Apesar de sua brevidade, a carta é rica em conteúdo, graças à composição primorosa e sua economia de expressão, que por vez alcança um efeito quase poético.[6]

Judas, o autor da epístola, é usualmente identificado como "irmão de Jesus" (MATEUS 13:55). O autor também se identifica como "irmão de Tiago" (versículo 1 da carta). "Nada nos obriga a identificá-lo com o apóstolo que tem o mesmo nome (Lc 6;16; At 1:13); ele mesmo também se distingue do grupo apostólico."²

> O autor tem evidentemente grande respeito pelo livro de Henoc, que é citado nos versículos 14–15 e ressoa em outras passagens. O versículo 9 refere-se a um texto apócrifo não mais existente, talvez o final perdido do testamento de Moisés. O uso desse tipo de literatura pode situar a carta num contexto judaico-palestino, em que essas obras eram extremamente valorizadas. Outra indicação que aponta na direção do Cristianismo judaico-palestino, como o meio em que Judas escreveu, são seus métodos exegéticos, a confiança que deposita no texto hebraico da *Bíblia* em detrimento de sua tradução grega (a Septuaginta), a importância maior que confere à obrigação ética que à ortodoxia doutrinal, e sua perspectiva apocalíptica, que espera a parusia [nova vinda do Cristo] no futuro próximo.⁷

Essa epístola, aceita no cânone da igreja romana e da oriental, como escrita no ano 200. "A intenção de Judas é unicamente estigmatizar os falsos doutores que colocam em perigo a fé cristã. Ameaça-os com um castigo divino ilustrado com precedentes da tradição judaica [versículos 5-7]."³ Censura-lhes, igualmente, a impiedade e a licenciosidade moral, particularmente suas blasfêmias contra Jesus e os anjos (versículos 4, 8-10).³

2.1 Síntese dos principais ensinos das epístolas de Judas

A Epístola de Judas foi endereçada aos "que foram chamados, amados por Deus e guardados em Jesus Cristo. (Jd 1.) O tema básico, desenvolvido em 25 versículos, sem divisão por capítulos, se resume num alerta contra os falsos doutores e o perigo que sua ideias podem ocasionar às comunidades cristãs.

» "Amados, procurando eu escrever-vos com toda a diligência acerca da comum salvação, tive por necessidade escrever-vos e exortar-vos a batalhar pela fé que uma vez foi dada aos santos. Porque se introduziram alguns, que já antes estavam escritos para este mesmo juízo, homens ímpios, que convertem em dissolução a graça de Deus e negam a Deus, único dominador e Senhor nosso, Jesus Cristo." (Jd 3-4.)

» "Estes, porém, dizem mal do que não sabem; e, naquilo que naturalmente conhecem, como animais irracionais, se corrompem. Ai deles! Porque entraram pelo caminho de Caim, e foram levados pelo engano do prêmio de Balaão, e pereceram na contradição de Corá. Estes são manchas em vossas festas de caridade, banqueteando-se convosco e apascentando-se a si mesmos sem temor; são nuvens sem água, levadas pelos ventos de uma para outra parte; são como árvores murchas, infrutíferas, duas vezes mortas, desarraigadas; ondas impetuosas do mar, que escumam as suas mesmas abominações, estrelas errantes, para os quais está eternamente reservada a negrura das trevas. E destes profetizou também Enoque, o sétimo depois de Adão, dizendo: Eis que é vindo o Senhor com milhares de seus santos, para fazer juízo contra todos e condenar dentre eles todos os ímpios, por todas as suas obras de impiedade que impiamente cometeram e por todas as duras palavras que ímpios pecadores disseram contra ele. Estes são murmuradores, queixosos da sua sorte, andando segundo as suas concupiscências, e cuja boca diz coisas mui arrogantes, admirando as pessoas por causa do interesse"(Jd 10-16).

» "Estes são os que causam divisões, sensuais, que não têm o Espírito. Mas vós, amados, edificando-vos a vós mesmos sobre a vossa santíssima fé, orando no Espírito Santo, conservai a vós mesmos na caridade de Deus, esperando a misericórdia de nosso Senhor Jesus Cristo, para a vida eterna" (Jd 19-21).

> Em todos os lugares, encontramos pessoas sempre dispostas ao comentário desairoso e ingrato relativamente ao que não sabem. Almas levianas e inconstantes, não dominam os movimentos da vida, permanecendo subjugadas pela própria inconsciência. E são essas justamente aquelas que, em suas manifestações instintivas, se portam, no que sabem, como irracionais. Sua ação particular costuma corromper os assuntos mais sagrados, insultar as intenções mais generosas e ridicularizar os feitos mais nobres. Guardai-vos das atitudes dos murmuradores irresponsáveis. Concedeu-nos o Cristo a luz do Evangelho, para que nossa análise não esteja fria e obscura. O conhecimento com Jesus é a claridade transformadora da vida, conferindo-nos o dom de entender a mensagem viva de cada ser e a significação de cada coisa, no caminho infinito. Somente os que ajuízam, acerca da ignorância própria, respeitando o domínio das circunstâncias que desconhecem, são capazes de produzir frutos de perfeição com as dádivas de Deus que já possuem.[9]

Referências

1. BÍBLIA DE JERUSALÉM. Nova edição, revista e ampliada. São Paulo: Paulus, 2002. Item: Introdução ao evangelho epístolas de João. São Paulo, p. 1841.

2. _____._____. Item: Introdução às epístolas católicas, p. 2103-2104.

3. _____._____. p. 2104.

4. CENTRO DE ESTUDOS BÍBLICOS. Cartas pastorais e cartas gerais. São Paulo: Paulus, 200Item: Introdução às cartas joaninas, p. 97.

5. DICIONÁRIO DA BÍBLIA. Vol. 1: as pessoas e os lugares. Organizado por Bruce M. Metzger, Michael D. Coogan. Traduzido por Maria Luiza X. de Borges. Rio de Janeiro: Zahar, 2002, Item: Éfeso, p. 65.

6. _____._____. Item: Judas, p. 173.

7. _____._____. p. 174.

8. http://pt.wikipedia.org/wiki/Gnosticismo

9. XAVIER, Francisco Cândido. *Caminho, verdade e vida*. Espírito Emmanuel. 27. ed. Rio de Janeiro: FEB, 2006. Cap. 48 (Guardai-vos), p. 111-112.

10. _____. *Fonte viva*. Pelo Espírito Emmanuel. 35. ed. Rio de Janeiro: FEB, 2006. Cap. 159 (Na presença do amor), p.389.

11. _____. *Pão nosso*. Pelo Espírito Emmanuel. 27.ed. Rio de Janeiro: FEB, 2006. Cap. 122 (Pecado e pecador), p. 259-260.

12. _____. *Vinha de luz*. Pelo Espírito Emmanuel. 25. ed. Rio de Janeiro: FEB, 2006. Cap. 110 (Caridade essencial), p. 252-252.

Orientações ao monitor

Formar grupos para o estudo dos principais ensinos existentes nas epístolas citadas neste Roteiro. Apresentar, ao final da reunião, uma síntese do assunto analisado, à luz da Doutrina Espírita.

O CRISTIANISMO

Roteiro 19

ATOS DOS APÓSTOLOS (1)

Objetivos

» Identificar os principais ensinamentos existentes em Atos dos Apóstolos.

Ideias principais

» *Atos dos Apóstolos é um dos livros do Novo Testamento, escrito em grego pelo evangelista Lucas, o autor do 3º evangelho. Este livro contém a história do Cristianismo, desde a ascensão de Jesus Cristo, até a chegada de Paulo, em Roma, segundo dizem, no ano 63. [...] Consta de 28 capítulos.* Cairbar Schutel: *Vida e atos dos apóstolos.* p. 14.

» *O terceiro evangelho e o livro dos Atos [dos Apóstolos] eram primitivamente as duas partes de uma só obra. [...] Os doze primeiros capítulos do livro dos Atos contam a vida da primeira comunidade reunida ao redor de Pedro depois da Ascensão [capítulo 1 a 5] e os inícios de sua expansão graças às iniciativas missionárias de Filipe (8:4-40) e dos "helenistas" (6: 1-8; 11:19-30; 13:1-3), e enfim do próprio Pedro (9:32; 11; 18) [...]. Para a segunda parte dos Atos, o autor teria usado os relatos da conversão de Paulo, de suas viagens missionárias, e de sua viagem por mar para Roma como prisioneiro.* Bíblia de Jerusalém: Introdução aos Atos do Apóstolos, p. 1896-1897.

Subsídios

1. Atos dos apóstolos

1.1 Informações históricas

Atos dos Apóstolos é um dos livros do Novo Testamento, escrito em grego pelo evangelista Lucas, o autor do terceiro evangelho. Este livro contém a história do Cristianismo, desde a ascensão de Jesus Cristo, até a chegada de Paulo, em Roma, segundo dizem, no ano 63 [...]. Consta de 28 capítulos. Se quisermos resumi-lo, nele veríamos a história da fundação dos primeiros núcleos cristãos (igrejas) até a morte de Herodes: o cumprimento de muitas promessas do Cristo; a prova da ressurreição e aparições do divino Mestre; a difusão do Espírito no cenáculo de Jerusalém [Pentecostes]; o desinteresse, a caridade dos primeiros apóstolos, enfim, o que sucedeu a estes até a sua dispersão, para pregarem o Evangelho em todos os lugares ao seu alcance.[8]

Consta na *Bíblia de Jerusalém*, várias informações sobre origem, organização, autoria e princípios doutrinários de Atos dos Apóstolos.

O terceiro evangelho e o livro de Atos eram primitivamente as duas partes de uma só obra, à qual daríamos hoje o nome de "História das origens cristãs". Logo o segundo livro ficou conhecido com o título de "Atos dos Apóstolos" ou "Atos de Apóstolos", conforme o modo da literatura helenística que conhecia os "Atos" de Aníbal, os "Atos" de Alexandre etc.; no cânon do N.T. [Novo Testamento] é separado do evangelho de Lucas pelo de João, que é interposto. A relação original desses dois livros do N.T. é indicada por seus Prólogos e por seu parentesco literário. O Prólogo dos Atos, que se dirige como o do terceiro evangelho (Lc 1,1-4), a certo Teófilo (At 1,1) remete a esse evangelho como o "primeiro livro", de que ele resume o objeto e retoma os últimos acontecimentos (aparições do Ressuscitado e Ascensão) para encadeá-los à sequência do relato. A língua é outro laço que liga estreitamente os dois livros um ao outro. Não somente suas características (de vocabulário, de gramática e de estilo) se reencontram ao longo dos Atos, estabelecendo a unidade literária dessa obra, mais ainda se reconhecem no terceiro evangelho, o que não permite mais duvidar que um mesmo autor escreve, aqui e lá.¹

Atos dos apóstolos têm um único destinatário, explicitamente nomeado: é Teófilo, a quem o evangelho de Lucas também foi dedicado (LUCAS,1:3).

> Não sabemos praticamente nada sobre ele. Sua designação "excelentíssimo" pode assinalá-lo como um membro da ordem equestre (a segunda ordem mais elevada na sociedade romana), ou ser simplesmente um título de cortesia. Seria possível vê-lo como um representante da classe média de Roma, a quem Lucas desejava apresentar uma exposição confiável da ascensão e do progresso do Cristianismo.⁶

Desde o ano 175 há um consenso das igrejas em aceitar Lucas como o autor dos Atos dos Apóstolos. Este consenso está impresso no documento romano, chamado "Cânon Muratori" e nos seguintes Prólogos: o "Antimarcionita", o de santo Irineu, o de Tertuliano e os Alexandrinos.¹

> Segundo seus escritos, o autor deve ser cristão da geração apostólica, judeu bem helenizado, ou melhor, grego de boa educação, conhecendo a fundo as realidades judaicas e a Bíblia grega [Septuaginta]. Ora, o que sabemos de Lucas a partir das epístolas paulinas concorda bem com esses dados. Ele é apresentado pelo Apóstolo como companheiro querido que está ao seu lado durante seu cativeiro. (COLOSSENSES, 4: 10-14; FILEMON, 24; II TIMÓTEO, 4:11) Lucas é de origem pagã (de Antioquia na Síria, segundo uma antiga tradição), e médico, o que implicaria certa cultura [...]. Para fixar a data em que se escreve, não encontramos nada de firme na tradição antiga. O livro termina com o cativeiro romano de Paulo, provavelmente 61–62. Em todo caso sua composição deve ser posterior à do terceiro Evangelho (antes de 70? ou por 80? mas nada impõe uma data posterior a 70) [...]. Antioquia e Roma são propostas como lugar de composição.¹

Há indicações de que Lucas, ao escrever os Atos dos Apóstolos, estaria movido por um objetivo, além de apenas registrar informações sobre a igreja cristã primitiva. Teria procurado conciliar as críticas e tendências adversas ao Cristianismo, surgidas em decorrência da pregação de Pedro e de Paulo.

1.2 Estrutura dos atos dos apóstolos

A despeito da atividade literária, sempre vigilante, que imprimiu em todo lugar a sua marca e assegura a unidade do livro, percebem-se, facilmente, algumas correntes principais nas tradições recolhidas por Lucas. Os doze primeiros capítulos do livro dos Atos contam a vida da primeira comunidade reunida ao redor de Pedro depois da Ascensão (1-5), e os inícios de sua expansão graças às iniciativas missionárias de Filipe (8:4-40) e dos "helenistas" (6:1-8, 3; 11:19-30; 13:1-3), e, enfim, do próprio Pedro (9, 32, 11,18). As tradições petrinas subjacentes seriam aparentadas ao "evangelho de Pedro", que é conhecido na literatura da Igreja antiga. Para a segunda parte dos Atos, o autor teria usado os relatos da conversão de Paulo, de suas viagens missionárias, e de sua viagem por mar para Roma como prisioneiro.[2]

Na escritura de Atos dos Apóstolos, Lucas emprega, corriqueiramente, a primeira pessoa do plural. Dessa forma, muitos exegetas viram, no "nós", uma prova de que Lucas teria acompanhado Paulo nas segunda e terceira viagens, bem como na que Saulo fez, por mar, a Roma.

> Entretanto, é notável que Lucas nunca é mencionado por Paulo como companheiro de sua obra de evangelização. Esse "nós" parece mais o traço de um diário de viagem feito por um companheiro de Paulo (Silas?) e utilizado pelo autor de Atos.[3]

De qualquer forma, o trabalho realizado por Lucas foi ao mesmo tempo excepcional quanto fascinante. Nos fornece uma visão geral do trabalho realizado pelos primeiros cristãos, as suas lutas, desafios e extrema dedicação à causa do Cristo.

> O valor histórico dos Atos dos Apóstolos não é igual. De uma parte, as fontes de que Lucas dispunha não eram homogêneas; de outra, para manejar as suas fontes, Lucas gozava de liberdade muito grande segundo o espírito da historiografia antiga, subordinando seus dados históricos a seu desígnio literário e sobretudo a seus interesses teológicos.[3]

A descrição das viagens de Paulo muito nos esclarecem sobre a vida no primeiro século da Era Cristã: "administração romana, cidades gregas, cultos, rotas, geografia política, topografia local".[3]

De valor histórico também inestimável são os relatos que Lucas nos transmite sobre a organização e administração da igreja cristã primitiva, assim como a forma como se realizava a pregação nas comunidades cristãs nascentes, em que se utilizava, essencialmente da prédica ou explanação discursiva. Essa prédica tinha como base o *kerygma* [ensinamento essencial]: a pregação doutrinária dos apóstolos, a fé em Jesus Cristo — o Messias crucificado e ressuscitado, o servidor divino, um novo Moisés e um novo Elias[3] (ATOS DOS APÓSTOLOS, 2:24-32; 3:13-26; 4:27-30; 7:20, 8:32-33; 13:34-36).

Atos dos Apóstolos demonstram, com clareza, como se realizou a propagação das ideias cristãs.

1. A pregação dos apóstolos representava as "testemunhas" confiáveis dos ensinamentos do Cristo (ATOS DOS APÓSTOLOS, 1:8; 2: 1-41), a despeito das imperfeições que ainda possuíam.

> Todos os Apóstolos do Mestre haviam saído do teatro humilde de seus gloriosos ensinamentos; mas, se esses pescadores valorosos eram elevados Espíritos em missão, precisamos considerar que eles estavam muito longe da situação de espiritualidade do Mestre, sofrendo as influências do meio a que foram conduzidos.[11]

2. Formação e desenvolvimento da igreja de Jerusalém (1:1-5, 42): os integrantes da igreja de Jerusalém reuniram-se, primeiro, ao redor de Pedro e, posteriormente, de Tiago Maior, mas permaneceram fieis à tradição judaica (ATOS DOS APÓSTOLOS, 15:1-5; 21:20). Esse fato dificultou a adesão dos gentílicos, provocando muitas discussões, sobretudo entre os judeus helenistas.[7] Os helenistas eram judeus convertidos ao Cristianismo, que não aceitavam a lei judaica, nem seus ritos e práticas.

> Tão logo se verificou o regresso do Cordeiro às regiões da Luz, a comunidade cristã, de modo geral, começou a sofrer a influência do Judaísmo, e quase todos os núcleos organizados, da doutrina, pretenderam guardar feição aristocrática, em face das novas igrejas e a associações que se fundavam nos mais diversos pontos do mundo.[12]

3. A ascensão e atividade dos judeus helenistas na igreja de Jerusalém. Esta questão, colocada no Concílio de Jerusalém, foi muito debatida, optando-se, então, por uma solução conciliadora. Por exemplo, foi dispensada aos convertidos a necessidade de realizar a circuncisão. Pedro, Tiago, Barnabé e Paulo muito contribuíram para conciliar as diferentes correntes de ideias existentes no Cristianismo

nascente. Mesmo assim, os helenistas foram perseguidos e expulsos de Jerusalém pelos judeus não convertidos. Um helenista, muito famoso, foi Estêvão, preso e morto por apedrejamento, sob as ordens de Saulo de Tarso[4] (ATOS DOS APÓSTOLOS, 6:1-15; 15:1-31).

A doutrina do crucificado propaga-se com a rapidez de um relâmpago. Fala-se dela tanto em Roma como nas gálias e no norte da África. Surgem os advogados e os detratores. Os prosélitos mais eminentes buscam doutrinar, disseminando as ideias e interpretações. As primeiras igrejas surgem ao pé de cada apóstolo, ou de cada discípulo mais destacado e estudioso.[10]

4. A pregação apostólica procura, junto aos judeus, mostrar que Jesus é o Messias esperado, exortando-os a não resistirem ao recebimento desta graça: aceitar o Cristo como o enviado de Deus (ATOS DOS APÓSTOLOS, 1:1-11; 7:2-53; 13:16-41). A pregação junto aos povos politeístas, por outro lado, tenta justificar a supremacia do amor do Cristo (ATOS DOS APÓSTOLOS,14:15-17; 17:22-31).

Doutrina alguma alcançara no mundo semelhante posição, em face da preferência das massas. É que o divino Mestre selara com exemplos as palavras de suas lições imorredouras.[10]

Os povos antigos eram submetidos a contínuas privações, morais e materiais, sobretudo a maioria deles, que era escrava. Dessa forma, a mensagem cristã surgia como um alento, um raio de esperança.

Em virtude dos seus postulados sublimes de fraternidade, a lição do Cristo representava o asilo de todos os desesperados e de todos os tristes. As multidões dos aflitos pareciam ouvir aquela misericordiosa exortação: "vinde a mim, vós todos que sofreis e tendes fome de justiça e eu vos aliviarei" — e da cruz chegava-lhes, ainda, o alento de uma esperança desconhecida.[9]

5. Fazia parte das atividades doutrinárias da igreja cristã primitiva o culto de ação de graças. Esse culto caracterizava-se pelas das pregações dos apóstolos, seguida de comunhão fraterna, pela prece e pela partilha do pão e dos bens (ATOS DOS APÓSTOLOS, 2:42-47). Envolvidos pelo espírito da caridade, abnegação e fraternidade que a mensagem cristã lhes transmitia, os primeiros cristãos procuravam conviver de forma solidária: "Tudo possuíam em comum" e "eram queridos de todo o povo"[4] (ATOS DOS APÓSTOLOS, 2:44-47; 4:32-36).

Referências

1. BIBLIA DE JERUSALÉM. Nova edição, revista e ampliada. São Paulo: Paulus, 2002. Item: Introdução ao Atos dos Apóstolos. p. 1896.

2. _____._____. p. 1896.-1897.

3. _____._____. p. 1897.

4. DICIONÁRIO DA BÍBLIA. Vol. 1: as pessoas e os lugares. Organizado por Bruce M. Metzger, Michael D. Coogan. Traduzido por Maria Luiza X. de Borges. Rio de Janeiro: Zahar, 2002, Item: Lucas, p. 186.

5. _____._____. p. 186-187.

6. _____._____. p. 187.

7. DENIS, Léon. *Cristianismo e espiritismo*. 12. ed. Rio de Janeiro: FEB, 2004. Cap. I (Origem do evangelho), item 4 (Doutrina secreta), p. 60-61.

8. SCHUTEL, Cairbar. *Vida e atos dos apóstolos*. 9. ed. Matão: O Clarim, 2001. Item: Atos dos apóstolos, p. 14.

9. XAVIER, Francisco Cândido. *A caminho da luz*. Pelo Espírito Emmanuel. 32. ed. Rio de Janeiro: FEB, 2005. Cap. 14 (A edificação cristã), item: Os primeiros cristãos, p. 121-122.

10. _____._____. Item: A propagação do Cristianismo, p. 123.

11. _____._____. Item: A missão de Paulo, p. 125-126.

12. _____._____. p. 126.

Orientações ao monitor

Fazer uma exposição introdutória, que proporcione uma visão panorâmica do roteiro. Em seguida, solicitar aos participantes que formem pequenos grupos para leitura, troca de ideias e síntese dos principais pontos dos subsídios deste Roteiro. Ao final, destacar a importância de Atos do Apóstolos na organização e difusão do Cristianismo.

O CRISTIANISMO

Roteiro 20
ATOS DOS APÓSTOLOS (2)

Objetivos

» Destacar a importância do fenômeno de pentecostes, relatado em Atos dos Apóstolos.

Ideias principais

» *Pentecostes é uma palavra grega que significa quinquagésimo dia. Os judeus, depois que partiram do Egito, gastaram quarenta e nove dias até o monte Sinai; e no quinquagésimo dia, Moisés recebeu o Decálogo; em memória disto, instituiu-se a festa de Pentecostes, que no Cristianismo tomou um novo sentido: comemora a descida do Espírito Santo, ou seja, a recepção da mediunidade pelos Apóstolos no quinquagésimo dia após a ressurreição de Jesus, e também o início das lutas pela divulgação do Evangelho, [...].* Eliseu Rigonatti: *O evangelho da mediunidade.* p. 19-20.

» *A lição colhida pelos discípulos de Jesus, no Pentecostes, ainda é símbolo vivo para todos os aprendizes do Evangelho, diante da multidão.* Emmanuel. *Vinha de luz.* Cap. 103.

Subsídios

1. Pentecostes

Petencostes é uma palavra grega que significa quinquagésimo dia. Os judeus depois que partiram do Egito, gastaram quarenta e nove dias até o monte Sinai; e no quinquagésimo dia, Moisés recebeu o Decálogo; em memória disto, instituiu-se a festa de Pentecostes, que no Cristianismo tomou um novo sentido: comemora a descida do Espírito Santo, ou seja, a recepção da mediunidade pelos Apóstolos no quinquagésimo dia após a ressurreição de Jesus, e também o início das lutas pela divulgação do Evangelho, as quais se prolongam até hoje e ainda estão longe de terminar.[1]

O que vem a ser, efetivamente a descida do Espírito Santo?

As [...] antigas Escrituras não continham o qualificativo santo quando se falava do Espírito. [...] Foi só com a tradução das antigas escrituras e constituição da Vulgata que esse qualificativo foi acrescentado, com certeza para fortificar o Mistério da Santíssima Trindade [da teologia católica], tirado de uma lenda hindu, aventado por comentadores das Escrituras, que desde logo após à morte de Jesus, viviam em querelas, em discussões sobre os modos de se interpretar as Escrituras. Essa mesma trindade é que foi proclamada como artigo de fé, pelo Concílio de Niceia, em 325, após ter sido rejeitado por três concílios.[4]

Os fenômenos de pentecostes estão descritos em ATOS DOS APÓSTOLOS, 2:1-11. Trata-se de um texto marcado por simbolismos: 50 dias depois da ascensão do Cristo acontece o fenômeno conhecido como a descida do *Espírito Santo* sobre os apóstolos, materializado na forma de línguas de fogo; explode a mediunidade de xenoglossia (poliglota) nos apóstolos; Pedro é envolvido pelas forças superiores e discursa sob forte inspiração; lança-se então a pedra fundamental da primeira igreja cristã do Planeta.

Após o impacto inicial, provocado pelos fenômenos de efeitos físicos (línguas de fogo e xenoglossia), o discurso de Pedro demonstra, de forma contundente, uma ação programada do plano espiritual superior, conseguindo transformar o ânimo dos apóstolos e dos demais discípulos de Jesus — antes inseguros e medrosos — em cartas vivas do Evangelho.

É por este motivo que o *pentecostes* cristão tem um significado especial para todos nós, os seguidores do Cristo: marca o início da pregação e da difusão do Evangelho, na Terra, pelos cristãos que, fazem surgir a primeira *ekklesia* (igreja) de Jerusalém, uma humilde comunidade formada de judeus convertidos ao Cristianismo.

Pedro foi, possivelmente, o primeiro chefe desta igreja, seguido de Tiago.

As palavras textuais dos Atos do Apóstolos, sobre o *pentecostes*, são as seguintes:

"Cumprindo-se o dia de Pentecostes, estavam todos reunidos no mesmo lugar; e, de repente, veio do céu um som, como de um vento veemente e impetuoso, e encheu toda a casa em que estavam assentados. E foram vistas por eles línguas repartidas, como que de fogo, as quais pousaram sobre cada um deles. E todos foram cheios do Espírito Santo e começaram a falar em outras línguas, conforme o Espírito Santo lhes concedia que falassem.

E em Jerusalém estavam habitando judeus, varões religiosos, de todas as nações que estão debaixo do céu. E, correndo aquela voz, ajuntou-se uma multidão e estava confusa, porque cada um os ouvia falar na sua própria língua. E todos pasmavam e se maravilhavam, dizendo uns aos outros: Pois quê! Não são galileus todos esses homens que estão falando? Como pois os ouvimos, cada um, na nossa própria língua em que somos nascidos? Partos e medos, elamitas e os que habitam na Mesopotâmia, e Judeia, e Capadócia, e Ponto, e Ásia, e Frígia, e Panfília, Egito e partes da Líbia, junto a Cirene, e forasteiros romanos (tanto judeus como prosélitos), e cretenses, e árabes, todos os temos ouvido em nossas próprias línguas falar das grandezas de Deus.

E todos se maravilhavam e estavam suspensos, dizendo uns para os outros: Que quer isto dizer? E outros, zombando, diziam: Estão cheios de mosto" (ATOS DOS APÓSTOLOS, 2:1-13).

Ouvindo tais comentários, o apóstolo Pedro tomou a palavra e falou eloquente, dominado por inspiração superior:

"Pedro, porém, pondo-se em pé com os onze, levantou a voz e disse-lhes: Varões judeus e todos os que habitais em Jerusalém, seja-vos isto notório, e escutai as minhas palavras. Estes homens não estão embriagados, como vós pensais, sendo esta a terceira hora do dia. Mas isto é o que foi dito pelo profeta Joel: E nos últimos dias acontecerá, diz Deus, que do meu Espírito derramarei sobre toda a carne; e os vossos filhos e as vossas filhas profetizarão, os vossos jovens terão visões, e os vossos velhos sonharão sonhos; e também do meu Espírito derramarei sobre os meus servos e minhas servas, naqueles dias, e profetizarão; e farei aparecer prodígios em cima no céu e sinais em baixo na terra: sangue, fogo e vapor de fumaça.

O sol se converterá em trevas, e a lua, em sangue, antes de chegar o grande e glorioso Dia do Senhor; e acontecerá que todo aquele que invocar o nome do Senhor será salvo. Varões israelitas, escutai estas palavras: A Jesus Nazareno, varão aprovado por Deus entre vós com maravilhas, prodígios e sinais, que Deus por ele fez no meio de vós, como vós mesmos bem sabeis; a este que vos foi entregue pelo determinado conselho e presciência de Deus, tomando-o vós, o crucificastes e matastes pelas mãos de injustos; ao qual Deus ressuscitou, soltas as ânsias da morte, pois não era possível que fosse retido por ela.

Porque dele disse Davi: Sempre via diante de mim o Senhor, porque está à minha direita, para que eu não seja comovido; por isso, se alegrou o meu coração, e a minha língua exultou; e ainda a minha carne há de repousar em esperança. Pois não deixarás a minha alma no Hades, nem permitirás que o teu Santo veja a corrupção. Fizeste-me conhecidos os caminhos da vida; com a tua face me encherás de júbilo. Varões irmãos, seja-me lícito dizer-vos livremente acerca do patriarca Davi que ele morreu e foi sepultado, e entre nós está até hoje a sua sepultura. Sendo, pois, ele profeta e sabendo que Deus lhe havia prometido com juramento que do fruto de seus lombos, segundo a carne, levantaria o Cristo, para o assentar sobre o seu trono, nesta previsão, disse da ressurreição de Cristo, que a sua alma não foi deixada no Hades, nem a sua carne viu a corrupção.

Deus ressuscitou a este Jesus, do que todos nós somos testemunhas. De sorte que, exaltado pela destra de Deus e tendo recebido do Pai a promessa do Espírito Santo, derramou isto que vós agora vedes e ouvis. Porque Davi não subiu aos céus, mas ele próprio diz: Disse o Senhor ao meu Senhor: Assenta-te à minha direita, até que ponha os teus inimigos por escabelo de teus pés. Saiba, pois, com certeza, toda a casa de Israel que a esse Jesus, a quem vós crucificastes, Deus o fez Senhor e Cristo.

Ouvindo eles isto, compungiram-se em seu coração e perguntaram a Pedro e aos demais apóstolos: Que faremos, varões irmãos? E disse-lhes Pedro: Arrependei-vos, e cada um de vós seja batizado em nome de Jesus Cristo para perdão dos pecados, e recebereis o dom do Espírito Santo. Porque a promessa vos diz respeito a vós, a vossos filhos e a todos os que estão longe: a tantos quantos Deus, nosso Senhor, chamar. E com muitas outras palavras isto testificava e os exortava, dizendo: Salvai-vos desta geração perversa.(ATOS DOS APÓSTOLOS, 2:14-40).

Os fenômenos mediúnicos ocorridos no dia de pentecostes foram notáveis. Os pontos luminosos que a multidão percebeu sobre a cabeça de cada apóstolo nos revelam o conhecido fenômeno mediúnico de efeitos físicos. Na verdade, tais pontos nada mais eram do que Espíritos "[...] que não se mostraram visíveis de todo, mas apenas o suficiente para serem percebidos; e como brilhasse a parte que os discípulos puderam ver, interpretaram-na como línguas de fogo".[2]

A mediunidade poliglota (xenoglossia), permitiu que os representantes estrangeiros entendessem, na própria língua, "as maravilhas de Deus" (At 11). Um grupo de peregrinos, porém, ouvindo o mesmo ensinamento espiritual que os outros ouviram, preferiu acreditar que os apóstolos e os discípulos de Jesus estavam embriagados (At 12).

> Estamos aqui diante de duas classes de pessoas: uma que, ao se defrontar com o fenômeno, pergunta o que é e põe-se seriamente a estudá-lo para compreendê-lo e descobrir-lhe as causas. Outra que se não dá nem mesmo ao trabalho de perguntar o que é: ante o fenômeno, tece considerações infantis, desairosas, e passa. Estas duas classes de pessoas acompanham o desenvolvimento dos trabalhos evangélicos até os nossos dias e vemo-las com a mesma atitude perante o Espiritismo: há os que o estudam para compreendê-lo e há os que, sem nunca tê-lo estudado ou mesmo lido algo sério a respeito, escarnecem dele.[3]

O discurso de Pedro foi, portanto, de grande significância naquele momento. Inspirado, a venerável figura do apóstolo se ergue, exalta o nome de Jesus e explica o que estava, efetivamente, acontecendo. A preleção evangélica de Pedro, majestosa e bela, assinala o marco da difusão do Evangelho, após a partida do Mestre. No seu discurso, fala da importância da mediunidade, que caracteriza o nascimento de um novo ciclo na evolução espiritual humana.

A humanidade terrestre não mais seria a mesma, a partir daquele momento, pois o trabalho dos apóstolos e dos discípulos de Jesus iniciaria poderoso movimento revolucionário no Planeta: "[...] o Evangelho é portador de gigantesca transformação do mundo. Destina-se à redenção das massas anônimas e sofredoras. Reformará o caminho dos povos."[5]

Emmanuel nos oferece uma belíssima interpretação do fenômeno de pentecostes.

A lição colhida pelos discípulos de Jesus, no Pentecostes, ainda é um símbolo vivo paratodos os aprendizes do Evangelho, diante da multidão.

A revelação da vida eterna continua em todas as direções.

Aquele "som como de um vento veemente e impetuoso" e aquelas "línguas de fogo" a que se refere a descrição apostólica, descem até hoje sobre os continuadores do Cristo, entre os filhos de todas as nações. As expressões do Pentecostes dilatam-se, em todos os países, embora as vibrações antagônicas das trevas.

Todavia, para milhares de ouvintes e observadores, apenas funcionam alguns raros apóstolos, encarregados de preservarem a divina luz.

Realmente, são inumeráveis aqueles que, consciente ou inconscientemente, recebem os benefícios da celeste revelação; entretanto, não são poucos os zombadores de todos os tempos, dispostos à irreverência e à ironia, diante da verdade.

Para esses, os leais seguidores do Mestre estão embriagados e loucos. Não compreendem a humildade que se consagra ao bem, a fraternidade que dá sem exigências descabidas e a fé que confia sempre, não obstante as tempestades.

É indispensável não estranhar o assédio desses pobres inconscientes, se te dispões, efetivamente, a servir ao Senhor da Vida. Cercar-te-ão o trabalho, acusando-te de bêbado; criticar-te-ão as atitudes, chamando-te covarde; escutar-te-ão as palavra de amor, conservando a ironia na boca. Para eles, a tua abnegação será envilecimento, a tua renúncia significará incapacidade, a tua fé será interpretada à conta de loucura.

Não hesites, porém, no espírito de serviço. Permaneces, como os primeiros apóstolos, nas grandes praças, onde se acotovelam homens e mulheres, ignorantes e sábios, velhos e crianças...

Aperfeiçoa tuas qualidades de recepção, onde estiveres, porque o Senhor te chamou para intérprete de sua voz, ainda que os maus zombem de ti.[6]

Referências

1. RIGONATTI, Eliseu. *O evangelho da mediunidade*. 7. ed. São Paulo: Editora Pensamento, 2005. Cap. 2 (A descida do espírito santo), p. 19-20.

2. _____._____. p. 20.

3. _____._____. p. 21.

4. SCHUTEL, Cairbar. *Vida e atos dos apóstolos*. 9. ed. Matão: O Clarim, 2001. Item: Atos dos Apóstolos, p. 18-19.

5. XAVIER, Francisco Cândido. *Luz acima*. Pelo Espírito Irmão X. 9. ed. Rio de Janeiro: FEB, 2004. Cap. 46 (A revolução cristã), p. 195.

6. _____. *Vinha de luz*. Pelo Espírito Emmanuel. 24. ed. Rio de Janeiro: FEB, 2006. Cap. 103 (Perante a multidão), p. 235-236.

Orientações ao monitor

Realizar uma discussão circular, debatendo exaustivamente o fenômeno de pentecostes. Preparar com antecedência questões que facilitem o debate.

O CRISTIANISMO

Roteiro 21

O APOCALIPSE DE JOÃO

Objetivos

» Analisar, sob a ótica da Doutrina Espírita, o Apocalipse de João.

Ideias principais

» *O divino Mestre chama aos Espaços o Espírito João [...] e o Apóstolo, atônito e aflito, lê a linguagem simbólica invisível. [...] Todos os fatos posteriores à existência de João estão ali previstos. É verdade que frequentemente a descrição apostólica penetra o terreno mais obscuro; vê-se que a sua expressão humana não pôde copiar fielmente a expressão divina das suas visões de palpitante interesse para a história da Humanidade.* Emmanuel: *A caminho da luz.* Cap. 14.

» *O autor do apocalipse abre seu livro apresentando-o como uma revelação de Jesus Cristo sobre as coisas que haviam de acontecer, inclusive a futura vinda do Mestre à terra, em Espírito, e cercado da glória de seus anjos.* Cairbar Schutel: *Interpretação sintética do apocalipse.* p.16.

Subsídios

Introdução

Os textos apocalípticos, nos dois séculos que precederam a vinda do Cristo, tiveram muito êxito em alguns ambientes judaicos. Tendo sido anteriormente elaborados pelas visões dos profetas como

Esequiel e Zacarias, esse gênero de escritura desenvolveu-se também no livro de Daniel. Apenas um apocalipse ficou registrado no Novo Testamento. Seu autor é o apóstolo João, autor do quarto Evangelho, escrevendo-o quando de seu exílio na Ilha de Patmos.

No fim do Novo Testamento está a Revelação de João, que, assim como o Livro de Daniel, é um *apocalipse*, um tipo de literatura conhecido na época. O Apocalipse se compõe de uma série de visões que evocam imagens de uma dramática cena final. Distingue-se do Livro de Daniel, que é seu equivalente apocalíptico judaico, de duas maneiras importantes. Em primeiro lugar, é um livro *cristão*, no qual Cristo irá assumir definitivamente o controle e vencer o mal; em segundo lugar, no Apocalipse o fim do mundo [fim do mal] já começou. Não se trata de algo que ocorrerá num futuro distante. Depois da obra de Jesus pela salvação, já teve início a batalha decisiva entre o bem e o mal. O Apocalipse de João é, pois, mais que uma escritura profética. Redigido durante as perseguições contra os cristãos travadas no reinado do (81-96), do imperador Domiciano, descreve a situação dos cristãos da época, constantemente ameaçados de martírio. Acima de tudo, portanto, é uma *escritura consoladora* destinada aos cristãos que viviam naquele período atribulado. Nela, o Estado romano é chamado de a "besta", "o dragão" ou "a grande prostituta". Mas, no embate final Cristo, o Cordeiro, vencerá as forças da escuridão. O livro chega então ao final com uma visão de "um novo céu e uma nova terra". Com suas imagens nascidas de uma necessidade histórica, o Apocalipse é pouco familiar aos leitores modernos e já recebeu variadas interpretações através dos tempos. Pode-se dizer que nenhum outro livro da Bíblia tem sido tão mal empregado. Com sua fé em Deus claramente expressa, levando a uma vitória final do bem sobre o mal, ele é, mesmo assim, uma conclusão apropriada para a maneira como a Bíblia descreve a grave situação do mundo.[8]

1. Orientações para o estudo do apocalipse

A linguagem simbólica do Apocalipse de João desestimula, em geral, a sua leitura. É possível, porém, torná-la compreensível, observando-se alguns pontos importantes: o entendimento do significado de *apocalipse*, quanto à etimologia e ao conceito; a visualização do contexto histórico da Igreja nascente, e a razão do advento do Apocalipse.

1.1 Significado de apocalipse

O termo "apocalipse" é a transcrição duma palavra grega que significa revelação; todo apocalipse supõe, pois, uma revelação que Deus fez aos homens, revelação de coisas ocultas e só por Ele conhecidas, especialmente de coisas referentes ao futuro. É difícil definir exatamente a fronteira que separa o gênero apocalíptico do profético, do qual, de certa forma, ele não é mais que prolongamento; mas enquanto os antigos profetas ouviam as revelações divinas e as transmitiam, oralmente, o autor de um apocalipse recebia suas revelações em forma de visões, que consignava em livro. Por outro lado, tais visões não têm valor por si mesmas, mas pelo *simbolismo* que encerram, pois em apocalipse tudo ou quase tudo tem valor simbólico: os números, as coisas, as partes do corpo e até os personagens que entram em cena. Ao descrever a visão, o vidente traduz em símbolos as ideias que Deus lhe sugere, procedendo então por acumulação de coisas, cores, números simbólicos, sem se preocupar com a incoerência dos efeitos obtidos. Para entendê-lo, devemos, por isso, apreender a sua técnica e retraduzir em ideias os símbolos que ele propõe, sob pena de falsificar o sentido de sua mensagem.[4]

No livro *Como ler o apocalipse*, o autor explica o estilo e a forma de escritura do apocalipse.

O apocalipse foi [...] um modo de escrever muito popular nos dois séculos antes de Cristo e nos dois séculos depois dele. [...] O mais importante escritor apocalíptico do Antigo Testamento é o autor do Livro de Daniel. Ele viveu na época da dominação selêucida na Palestina, mas especificamente no tempo de Antíoco Epifanes IV (175-162 a.C.). Esse rei impôs, pela força, a cultura e a religião dos gregos. Esse fato provocou a revolta dos Macabeus. A função do Livro de Daniel era apoiar e incentivar a resistência dos Macabeus contra a dominação estrangeira. [...] Ninguém podia dizer as coisas às claras. Era necessário usar uma linguagem camuflada, incentivando a resistência e driblando a marcação do poder opressor.[6]

Foi assim que surgiu a literatura apocalíptica.

1.2 O contexto histórico da Igreja nascente

É indispensável inserir o Apocalipse no seu ambiente histórico para compreendê-lo um pouco mais.

É [...] indispensável [...] reinserí-lo no ambiente histórico que lhe deu origem: um período de perturbações e de violentas perseguições contra a Igreja nascente. Pois, do mesmo modo que os apocalipses que o precederam (especialmente o de Daniel) e nos quais manifestamente se inspira, é escrito de circunstância, destinado a reerguer e a robustecer o ânimo dos cristãos, escandalizados, sem dúvida, pelo fato de que perseguição tão violenta se tenha desencadeado contra a Igreja daquele que afirmara: "Não temais, eu venci o mundo" (João, 16:33). [4]

No momento em que João escreve o seu livro de visões, a igreja primitiva sofre terrível perseguição de Roma e dos cidadãos do Império Romano (a "besta"), por instigação de "satanás" (o adversário, por excelência, do Cristo — ou anticristo).[5] O próprio João se encontrava prisioneiro na Ilha de Patmos, quando escreveu o seu Apocalipse, na época (81-96) do imperador Domiciano. Solidário com os companheiros submetidos aos martírios das perseguições, o Apocalipse de João nos apresenta três conteúdos básicos: o protesto contra as injustiças sociais, o sofrimento que aguardam os perseguidores e a vitória do bem, manifestada no amor do Cristo pela Humanidade.

1.3 A razão do advento do Apocalipse de João

Alguns anos antes de terminar o primeiro século, após o advento da nova doutrina, já as forças espirituais operam uma análise da situação amargurosa do mundo, em face do porvir. Sob a égide de Jesus, estabelecem novas linhas de progresso para a civilização, assinalando os traços iniciais dos países europeus dos tempos modernos. Roma já não representa, então, para o plano invisível, senão um foco infeccioso que é preciso neutralizar ou remover. Todas as dádivas do Alto haviam sido desprezadas pela cidade imperial, transformada num vesúvio de paixões e de esgotamentos.

O divino Mestre chama aos Espaços o Espírito João, que ainda se encontrava preso nos liames da Terra, e o Apóstolo, atônito e aflito, lê a linguagem simbólica do invisível. Recomenda-lhe o Senhor que entregue os seus conhecimentos ao planeta como advertência a todas as nações e a todos os povos da Terra, e o velho Apóstolo de Patmos transmite aos seus discípulos as advertências extraordinárias do Apocalipse.

Todos os fatos posteriores à existência de João estão ali previstos. É verdade que frequentemente a descrição apostólica penetra o terreno mais obscuro; vê-se que a sua expressão humana não pôde copiar fielmente a expressão divina das suas visões de palpitante interesse para a história da Humanidade. As guerras, as nações futuras, os tormentos porvindouros, o comercialismo, as lutas ideológicas da civilização ocidental, estão ali pormenorizadamente entrevistos. E a figura mais dolorosa, ali relacionada, que ainda hoje se oferece à visão do mundo moderno, é bem aquela da igreja transviada de Roma, simbolizada na besta vestida de púrpura e embriagada com o sangue dos santos.[17]

2. Plano geral da obra

O apocalipse de João é constituído de um prólogo, de duas partes e de um epílogo:

2.1 Prólogo

No prólogo (1:1-3), João faz a abertura do seu livro, apresentando-o como uma revelação de Jesus Cristo sobre "as coisas que devem acontecer" (1:1, 3). Indica quem são os destinatários: "os servos de Jesus Cristo" (1:1); a forma como a revelação divina se deu: "Ele a manifestou com sinais por meio do seu anjo, ao seu servo João" (1:1); fornece uma dimensão temporal — ainda que imprecisa — sobre a concretização dos fatos revelados: "o tempo está próximo" (1:3).

2.2 Primeira parte (capítulos: 1, 2 e 3)

A primeira parte do Apocalipse está escrita na forma de diálogo. Apresenta três subdivisões: a) saudação às comunidades (1:4-8); b) confiança na ressurreição do Cristo (1:9-20) e c) cartas às sete igrejas da Ásia (2:1-22; 3:1-22). Revela uma ação pastoral do apóstolo para com os cristãos — representados simbolicamente pelas "sete igrejas da Ásia" (1:4) —, e expressa uma mensagem de apoio aos que sofrem perseguições em nome do Cristo.

> O propósito da mensagem [...] é encorajar a comunidade cristã que passa por uma terrível provação: após o magnífico desenvolvimento na época de sua fundação, agora a Igreja parece seriamente ameaçada na unidade de sua fé (movimentos heréticos), na pureza dos costumes (relaxamento da vida religiosa, diminuição da caridade). Devido as perseguições, João pretende sustentar a coragem dos cristãos "até a morte" (2:14), garantindo-lhes a presença divina do Cristo, que vencerá o Dragão.[20]

João narra como ocorreu a sua percepção mediúnica.

As [...] palavras que ouviu "como a voz de trombeta" (1:10), e a recomendação que teve de se dirigir às "sete igrejas", representadas por "sete candeeiros", assistidas por "sete espíritos" (1:10-20).[11]

Cada carta é específica e contém elogios e críticas, advertências e incentivos, como convinha. Mas o plural "igrejas" no final de cada carta mostra que se pretendia que fosse lida por todas as igrejas.[8]

"Nessa visão salienta-se "espada de dois gumes" que sai da boca do excelso Espírito (Jesus)."[11]

2.3 Segunda parte (capítulos: 4 a 21)

Representa a essência da obra, tem um caráter profético-escatológico (previsões sobre o fim do mundo) e abrange duas visões paralelas: a primeira (4,18; 11,1) diz respeito aos destinos do mundo; a segunda (11: 9; 21:5) informa sobre o futuro da Igreja.[20]

Podemos considerar cinco subdivisões (ou seções) nessa parte:

a) *introdutória* (4:1-5; 14) — fala sobre o trono, o Cordeiro e sobre o livro com sete selos;

b) *seção dos selos* (6:1-7, 17) — são pontos importantes sobre a abertura dos quatro primeiros selos, sobre o clamor dos mártires (quinto selo) e a resposta de Deus ao clamor (sexto selo);

c) *seção das trombetas* (8:1-11; 14) — o toque da trombeta anuncia o julgamento de Deus;

d) *seção dos três sinais* (11; 15; 16:16) — são sinais que marcam acontecimentos: o sinal da mulher, o sinal dos dragãos e o sinal dos anjos com pragas;

e) *sessão conclusiva* (16; 17; 2:5) — mostra que o Cristo julga e vence o mal.

No capítulo IV, o autor continua escrevendo sobre a sua visão, cheia de quadros que se desdobram às suas vistas e que representam as letras com que se escrevem as "coisas espirituais", que as palavras humanas não podem traduzir. A linguagem espiritual se manifesta por meio de símbolos que ferem a imaginação e dão uma ideia relativa das coisas que existem. Entretanto, não podem ser percebidas pelos nossos sentidos materiais, grosseiros.[13]

Revela a existência de uma comunidade de Espíritos puros, representados por "vinte e quatro anciãos", os "Espíritos de Deus", indicados por "sete lâmpadas de fogo".

O seguinte resumo fornece informações gerais sobre a segunda parte do Apocalipse:

> A primeira visão começa com a apresentação do trono de Deus (4:1-11) e do Cordeiro vitorioso (5:1-14) e concentra-se em dois motivos: a abertura dos 7 selos (61; 8:1), símbolo da preparação no céu dos flagelos que recairão sobre o mundo (dos primeiros 4 selos sairão os famosos 4 cavalos), e o som das 7 trombetas (8:2; 11:18) que significam a execução daqueles flagelos na Terra. A segunda visão começa com um duplo acontecimento: no céu, a luta do dragão (satanás) contra a mulher (que representa o povo eleito) (12:1-18); na Terra, as duas bestas (que simbolizam o Império Romano e os falsos profetas) (13:1-18). A esta dupla cena contrapõe-se a aparição do Cordeiro no monte Sião* seguido da multidão de fiéis (14:1-5). O juízo escatológico é expresso por meio de várias representações: os 7 flagelos e as 7 taças (15-16), acompanhados da "condenação da grande prostituta" (Roma também chamada Babilônia ou nova Babilônia) (17-18), depois a vitória sobre as bestas (19:11-21) e sobre o Dragão com que se inaugura o reinado "de mil anos" de Cristo (20:1-10) e por fim a vitória definitiva sobre o mal (20:11-25).[20]

2.4 O epílogo (22:16-21)

No epílogo há uma recomendação severa, uma proibição categórica àqueles que lerem o livro, ou que o reimprimirem, de alterar qualquer coisa do que nele se acha escrito. O apóstolo previa as mistificações sectárias, os enxertos, as mutilações que havia de sofrer a *Árvore da Vida*, pelos papas e pelos concílios, e ameaçou, severamente, àqueles que modificassem o seu Apocalipse.[16]

3. Análise espírita do apocalipse

3.1 As sete igrejas

São as comunidades cristãs cujas características indicam os diferentes tipos de cristãos: Éfeso, Esmirna, Pérgamo, Tiatira, Sardes, Filadélfia, Laodiceia.

---

* Sião: outro nome de Jerusalém.

A igreja de Éfeso, que fora fundada por Paulo, e continuou sendo por muitos séculos um dos principais centros da Igreja Oriental, era zelosa em guardar-se contra a heresia, mas carecia de amor cristão. A igreja de Esmirna parece ter resistido bem à importunação (perseguição) e, por vezes, prisão dos seus membros. Pérgamo era um centro religioso importante, com um famoso santuário de Zeus, um templo de Asclépio com uma renomada escola de medicina, e um templo de Augusto; "o trono de Satã" pode designar qualquer um desses, mas provavelmente refere-se ao culto do imperador. [...] A igreja de Tiatira abundava em amor e fé, serviço e resignação paciente, mas tolerava os ensinamento malignos de uma profetisa, Jesabel. A igreja de Sardes estava florescendo externamente, mas não sem sério dano para a sua vida espiritual. Filadélfia, por outro lado, era uma cidade em que os cristãos estavam isolados do restante da comunidade, mas a igreja permanecera fiel. Em Laodiceia a igreja parecia estar florescendo, mas era espiritualmente pobre.⁹

O conjunto formado pelas sete igrejas, simbolicamente representadas pela luz dos sete candelabros, revela a imagem da Igreja do Cristo, "[...] com suas heresias, disputas, e fé débil, mas também com sua fé, esperança e amor". ¹⁰

3.2 A besta apocalíptica

Refere-se tanto ao Império Romano (o poder constituído que fere, persegue e maltrata) quanto aos falsos profetas — também chamados de "dragão" —, mistificadores que deturpam a mensagem do Evangelho. Emmanuel nos esclarece a respeito do assunto:

> [...] a Besta poderia dizer grandezas e blasfêmias por 42 meses, acrescentando que o seu número era o 666 (Ap 13, 5-18). Examinando-se a importância dos símbolos naquela época e seguindo o rumo certo das interpretações, podemos tomar cada mês como de 30 anos, em vez de 30 dias, obtendo, desse modo, um período de 1.260 anos comuns, justamente o período compreendido entre 610 e 1870, da nossa era, quando o Papado se consolidava, após o seu surgimento, com o imperador Focas, em 607, e o decreto da infalibilidade papal com Pio IX, em 1870, que assinalou a decadência e a ausência de autoridade do Vaticano, em face da evolução científica, filosófica e religiosa da Humanidade.
>
> Quanto ao número 666, sem nos referirmos às interpretações com os números gregos, em seus valores, devemos recorrer aos algarismos ro-

manos, em sua significação, por serem mais divulgados e conhecidos, explicando que é o Sumo Pontífice da igreja romana quem usa os títulos de *Vicarivs generalis Dei in Terris, Vicarivs Filii Dei* e *Dvx Cleri* que significam "Vigário-geral de Deus na Terra, Vigário do Filho de Deus e Príncipe do clero". Bastará ao estudioso um pequeno jogo de paciência, somando os algarismos romanos encontrados em cada titulo papal a fim de encontrar a mesma equação de 666, em cada um deles. Vê-se, pois, que o Apocalipse de João tem singular importância para os destinos da humanidade terrestre.[18]

3.3 A espada de dois gumes

É o símbolo do poder e da justiça. É a palavra divina, que no dizer de Paulo, é poderosa arma, com a qual será restabelecida o reinado do Cristo na Terra. É, finalmente, o Evangelho, o Verbo, essa espada que vibra golpes arrojados matando a hipocrisia, aniquilando o erro e defendendo os espíritos de boa vontade na luta terrível das "trevas" contra a "luz".[12]

3.4 A obra divina

O céu está representado pelo mar: "um mar de vidro semelhante ao cristal" (4:6). O poder, a criação, a sabedoria e a eternidade são simbolizados, respectivamente, por quatro criaturas viventes: "o leão, o novilho, o homem e a águia voando" (4:7-8).[13]

3.5 O livro dos selos

É entendido como:

O [...] "livro do futuro", que, fechado para todos, só podia ser aberto pelo "Cordeiro", Jesus, o Cristo, que "venceu ao romper os 7 selos". (5:5) Então, aparece, a João, o "Cordeiro com sete chifres e sete olhos, que são os sete espíritos de Deus enviados a toda a Terra". O número sete simboliza a perfeição, é o número completo, dá ideia do desenvolvimento integral do espírito. Vemos sete virtudes, que encarnam a perfeição; as sete cores, os sete sons, as sete formas (cone, triângulo, círculo, elipse, parábola, hipérbole, trapézio); os sete dias etc. O chifre, na velha poesia hebraica, é o símbolo da força.[14]

3.6 A abertura dos selos

Está escrito assim: "e vi quando o Cordeiro abriu um dos sete selos, e ouvi uma das quatro criaturas viventes dizendo, como em voz de trovão: Vem! Olhei, e eis um cavalo branco, e o que estava montado sobre ele tinha um arco; e foi-lhe dada uma coroa, e ele saiu vencendo e para vencer" (6:1-2). Existem inúmeras interpretações para essas palavras de João: umas mais seguras, outras nem tanto. Não é fácil encontrar um consenso. Podemos, no entanto, dizer que todo o sentido teológico do Apocalipse fundamenta-se em três pilares: Deus, Cristo e a Igreja. Deus é "o Alfa e o Ômega, o Princípio e o Fim" (1:8); é "Aquele que vive nos séculos dos séculos" (10:5); é o "Senhor do Universo" (1:8). Jesus Cristo é o tema central do Apocalipse, que é, verdadeiramente, a sua "revelação"; Ele é o Filho do homem, é o Cordeiro imolado que redimiu os homens "de todas as tribos, línguas e povos" (5; 9), ao mesmo tempo é o vitorioso sobre os inimigos debelados (19:11-16). Cristo é o "Logos de Deus" (19:13), que está junto de Deus. Os animais citados nos textos, sobretudo os cavalos, ora são interpretados como forças positivas atuando na sociedade, ora são forças negativas, dependendo da interpretação que se lhes dê.[7] Por exemplo: há quem suponha que o cavalo branco e o cavaleiro, portando um arco, citados na abertura do primeiro selo, sejam alusões à ganância — sempre presente na história humana — e, também, aos partos, povo que usava o arco como arma de guerra, criava cavalos brancos e era inimigo dos romanos.[7] Por outro lado, Cairbar Schutel afirma que a abertura do primeiro selo representa a vinda do Espiritismo e que o cavaleiro com o arco teria sido Allan Kardec.[15] Há, porém, um consenso de que o cavalo vermelho do segundo selo simboliza a guerra (6:3); o cavalo negro do terceiro selo representa a fome e a carestia que a guerra acarreta (6:5); o quarto cavalo, o esverdeado, retrata a peste e a morte (6:7). O quinto selo reapresenta os mártires pedindo a Deus justiça para a Terra, ou o fim da desordem que campeia no mundo.

Reproduzem o clamor dos justos de todos os tempos, ansiosos de que termine a inversão dos valores na história da Humanidade.

3.7 A prostituta

Na segunda parte do apocalipse aparece, em diferentes capítulos, a figura de duas mulheres, uma delas está vestida de púrpura escarlate, usa pérolas, tem na mão um cálice cheio de abominações, e em sua testa está escrito: "mistério", "a grande babilônia"; "a prostituta"; "a grande prostituta". Supõe-se que seja uma alusão à Igreja Católica Romana, em razão de esta ter dado as costas à Lei de Deus e ter incorporado, à mensagem cristã, práticas dos povos pagãos. A propósito, esclarece Emmanuel.

A Igreja Católica [...], que tomou a si o papel de zeladora das ideias e das realizações cristãs, pouco após o regresso do divino Mestre às regiões da Luz, falhou lamentavelmente aos seus compromissos sagrados. Desde o concílio ecumênico de Niceia, o Cristianismo vem sendo deturpado pela influenciação dos sacerdotes dessa Igreja, deslumbrados com a visão dos poderes temporais sobre o mundo. Não valeu a missão sacrossanta do iluminado da Úmbria [Francisco de Assis], tentando restabelecer a verdade e a doutrina de piedade e de amor do Crucificado para que se solucionasse o problema milenar da felicidade humana.

As castas, as seitas, as classes religiosas, a intolerância de clericalismo constituíram enormes barreiras a abafarem a voz da realidades cristãs. A moral católica falhou aos seus deveres e às suas finalidades.[19]

3.8 O juízo final

A doutrina religiosa que trata das "últimas coisas" é conhecida como *escatologia*. Todas as religiões cristãs, à exceção do Espiritismo, acreditam, pregam e divulgam a ideia do "Juízo ou Julgamento Final", do "Fim do mundo ou dos Tempos". São interpretações literais do Velho e do Novo Testamentos. Neste último, a parábola dos bodes e das ovelhas (MATEUS, 25:31-46) é uma das mais citadas.

A doutrina de um juízo final, único e universal, pondo fim para sempre à Humanidade, repugna à razão, por implicar a inatividade de Deus, durante a eternidade que precedeu à criação da Terra e durante a eternidade que se seguirá à sua destruição.[1] Moralmente, um juízo definitivo e sem apelação não se concilia com a bondade infinita do Criador, que Jesus nos apresenta de contínuo como um bom Pai, que deixa sempre aberta uma senda para o arrependimento, e que está pronto sempre a estender os braços ao filho pródigo.[2]

3.9 A humanidade nova

O capítulo 21 nos fala de uma "Jerusalém celeste" ou "Jerusalém libertada", símbolo da Humanidade regenerada. Durante milênios, a civilização humana amargou dolorosas provações em razão dos erros cometidos contra a Lei de Deus. Uma geração nova surge, afinal, na Terra. "Nestes tempos, porém, não se trata de uma mudança parcial, de uma renovação limitada a certa região, ou a um povo, a uma raça. Trata-se de um movimento universal, a operar-se no sentido do *progresso moral*".[3]

Referências

1. KARDEC, Allan. *A gênese*. Tradução de Guillon Ribeiro. 46. ed. Rio de Janeiro: FEB, 2005. Cap. 17, item 64, p. 398.

2. _____._____. Item 66, p. 399.

3. _____._____. Cap. 18, item 6, p. 404.

4. BIBLIA DE JERUSALÉM. Diversos tradutores. Nova edição, revista e ampliada. São Paulo: Paulus, 2002, p. 2139.

5. _____._____. p. 2140.

6. BORTOLINI, José. *Como ler o apocalipse*. 63. ed. São Paulo: Paulus, 2003. Introdução, p. 8.

7. _____._____. Segunda parte, cap. 3, p.58.

8. HELLEN, V., NOTAKER, H. E GAARDER, J. *O livro das religiões*. Tradução de Isa Mara Lando. São Paulo: Companhia das Letra, 2000. Item: O apocalipse (ou Revelação), p. 223-224.

9. DICIONÁRIO DA BÍBLIA. Vol. 1: as pessoas e os lugares. Organizado por Bruce M. Metzger, Michael D. Coogan. Tradução de Maria Luiza X. De A. Borges. Rio de Janeiro: Zahar Ed., 2002, p. 295-296 (As sete igrejas).

10. _____._____. p. 296.

11. SCHUTEL, Cairbar. *Interpretação sintética do apocalipse*. 6. ed. Matão [SP]:2004. Introdução ao Apocalipse, p. 16.

12. _____._____. p. 16-17.

13. _____._____. p. 17.

14. _____._____. O livro dos sete selos, p. 19.

15. _____._____. O primeiro selo p. 21.

16. _____._____. Conclusão, p. 105.

17. XAVIER, Francisco Cândido. *A caminho da luz*. Pelo Espírito Emmanuel. 32. ed. Rio de Janeiro: FEB, 2005. Cap. 14 (A edificação cristã), item: O Apocalipse de João, p. 126-127.

18. _____._____. Item: A besta do apocalipse, p. 128.

19. _____. *Emmanuel*. Pelo Espírito Emmanuel. 24. ed. Rio de Janeiro: FEB, 2004. Cap. 6 (Pela revivescência do cristianismo), item: A falha da igreja romana, p 44-45.

20. http://www2.uol.com.br/jubilaeum/historia_linha.htm

21. http://www.veritatis.com.br/artigo.asp?pubid=1436

Orientações ao monitor

Fazer uma explanação inicial sobre o apocalipse de João, sua organização e finalidades. Sugerir a formação de grupos para estudar e apresentar conclusões dos conteúdos existentes nos itens 2 e 3 dos *subsídios* deste Roteiro.

O CRISTIANISMO

Roteiro 22

A IGREJA CRISTÃ PRIMITIVA

Objetivos

» Relatar fatos históricos significativos relacionados à igreja cristã primitiva.

» Analisar, à luz do Espiritismo, as principais causas que produziram deturpações na mensagem cristã.

Ideias principais

» *De uso especificamente cristão, adotado pelas comunidades cristãs logo no seu início, o termo "igreja" certamente queria dizer mais do que "reunião", uma vez que assinalava a diferença entre os adeptos que viam Jesus como Messias e os judeus que não o aceitavam. Enciclopédia mirador. vol. 11, p. 5962.*

» Desde a fundação da igreja primitiva, em Jerusalém, percebe-se a existência de duas correntes religiosas. Ambas aceitavam a aplicação da lei de Israel aos cristãos de origem judaica, divergindo, no entanto, quanto à sua aplicação aos gentios, convertidos ao Cristianismo.

» *O Evangelho do divino Mestre ainda encontrará, por algum tempo, a resistência das trevas. A má-fé, a ignorância, a simonia, o império da força conspirarão contra Ele, mas tempo virá em que a sua ascendência será reconhecida.* Emmanuel: *Emmanuel.* Cap. 2.

Subsídios

Introdução

A palavra "igreja" (do grego *ekklesia* e do latim *ecclesia*) significa uma assembleia que se reúne por força de uma convocação.

De uso especificamente cristão, adotado pelas comunidades cristãs logo no seu início, o termo "igreja" certamente queria dizer mais do que "reunião", uma vez que assinalava a diferença entre os adeptos que viam Jesus como Messias, e os judeus que não o aceitavam. O vocábulo relacionava-se com expressões do Antigo Testamento, sobretudo com a palavra hebraica "gahal" (assembleia, congregação, multidão), que a versão grega dos setenta (a septuaginta) traduz quase sempre para ekklesia.[2]

A palavra ekklesia, porém, tem origem no Judaismo.

No Novo Testamento, onde ocorre cerca de 114 vezes (das quais 65 nas epístolas de Paulo), mostra a sua correlação histórica e linguística com o Judaísmo; a sua frequência, porém, corresponde ao desenvolvimento próprio e original de uma nova instituição — cujo ponto de referência é agora Jesus de Nazaré, chamado o Cristo —, significa uma ruptura com uma situação anterior [...]. De modo geral, a ekklesia para o Novo Testamento foi essencialmente a vivência da fé dos primeiros grupos cristãos. Trata-se, no início, de expressar a unidade no amor em vista da instauração do reino e do advento iminente do Senhor. Cada igreja primitiva institucionalizava-se progressivamente em função de condições concretas, em grande parte de significado local [...].[2]

É nítida a mudança de conceito de igreja nas epístolas de Paulo, indo desde o significado elementar de assembleia ou reunião, evoluindo para o de comunidade ou grupo, de forma concreta, até chegar ao sentido teológico de que Cristo é a cabeça do corpo que é a própria Igreja (EPÍSTOLA AOS COLOSSENSES, 1:18, 24).

Em Mateus, o conceito de uma Igreja estruturada parece evidente e é coerente com a "teologia do povo" elaborada pelo evangelista. A ideia de ruptura com a oficialidade judaica está claramente expressa na parábola dos viticultores homicidas[2] (MATEUS, 21:33-45).

Neste aspecto, a expressão o "reino dos céus" é retirado de um povo — o judeu — e entregue a uma nova humanidade, formada de judeus e gentios.

João utiliza a palavra igreja de maneira diversa em seus escritos (evangelho, epístolas e apocalipse). Apresenta um significado simbólico, mais espiritualizado, de união com Jesus. Os cristãos são, para o apóstolo, testemunhas da mensagem do Cristo. Somente em Atos dos Apóstolos iremos encontrar a palavra *igreja* no sentido de um grupo de pessoas que se reúnem e que professam a fé cristã (ATOS DOS APÓSTOLOS, 6:1-6; 15:22).

1. A igreja primitiva

A igreja primitiva começa com a fundação da igreja de Jerusalém, após o pentecostes; abrange, em seguida, o trabalho realizado pelos doze apóstolos e seus discípulos na difusão do Cristianismo, inclusive as atividades desenvolvidas por Paulo; atravessa o período de grandes provações que os cristãos sofreram durante a perseguição do estado imperial romano e se completa no início da Idade Média com a constituição da igreja apostólica romana (Ocidental) e a ortodoxa (Oriental).

A era apostólica é obscura, pois não há muitas informações a respeito. De concreto, temos as informações de Lucas, inseridas em Atos dos Apóstolos. A documentação existente sobre a igreja primitiva focaliza dois personagens: Pedro e Paulo. Inegavelmente, muitas das informações que chegaram até nós deve-se ao trabalho de Paulo. Percebe-se que, desde a constituição das primeiras comunidades, as divergências entre os adeptos foram marcantes. Construíram grupos separados e, muitos deles, rivais.

> Logo após o martírio de Estêvão a relativa paz dos cristãos foi perturbada por uma cruel perseguição movida por Herodes Agripa I, em 44 d.C. O apóstolo Tiago foi decapitado, enquanto Pedro era preso, o que o levou, posteriormente, a afastar-se de Jerusalém [...].[3]

Há fortes evidências de que tanto Pedro quanto Paulo tenham sido martirizados em Roma, na época de Nero, na grande perseguição ocorrida no ano 64. No ano 100 morre o apóstolo João, possivelmente.

Desde a fundação da igreja primitiva, em Jerusalém, percebe-se a existência de dois partidos religiosos.

Ambos aceitavam a aplicação da lei de Israel aos cristãos de origem judaica, divergindo quanto à sua aplicação aos conversos do paganismo. Paulo afirmava que os cristãos-gentios deviam gozar de liberdade quanto à lei antiga, uma vez que não estavam a ela obrigados. Tal problema, que se torna mais agudo com o estabelecimento da Igreja em Antioquia, em Chipre e na Galácia, provocou a interferência do apóstolo Paulo, que se reuniu com os líderes da Igreja em Jerusalém, onde se realizou um Concílio, de que não resultaram possibilidades de acordo. Paulo, favorável a um cristianismo não legalista, passa a trabalhar em favor de uma Igreja universal, tornando-se um fundador de uma teologia cristã.[3]

Importa considerar que não existia, nos primeiros tempos do Cristianismo nascente, uma coesão doutrinária entre os cristãos. As primeiras pregações caracterizavam-se por depoimentos sobre a pessoa e os ensinamentos do Cristo. Com a crucificação e ressurreição de Jesus, surge um novo elemento doutrinário: o Espírito Santo, manifestado no dia de pentecostes (ATOS DOS APÓSTOLOS, 4:8-12). Com o pentecostes, começa, então, a expansão do Cristianismo para o mundo pagão, a partir do foco inicial de Jerusalém. Os principais eventos dessa expansão podem ser resumidos em dois:

» Fundação em Antioquia (Síria) de uma nova comunidade que acabou por se transformar em um centro de divulgação da religião helenista, base da organização da futura Igreja Católica Ortodoxa (Oriental). Foi nessa igreja que, pela primeira vez, os galileus (ATOS DOS APÓSTOLOS, 1:11) ou nazarenos (ATOS DOS APÓSTOLOS, 24:5) foram chamados de *cristãos*.

» Constituição do Cristianismo, em Roma, pelos judeus da diáspora presentes aos acontecimentos de pentecostes (ATOS DOS APÓSTOLOS, 2:10).

No primeiro século da cristandade os conquistadores romanos não fazem diferença entre cristãos e judeus, porém, quando começam a ter essa percepção, institucionalizam as perseguições. Desta forma, a vida do cristão se revelou muito difícil, uma vez que a nova religião era perseguida tanto por judeus — que viam no Cristianismo uma grande ameaça aos privilégios dos doutores da lei judaica — quanto pelos romanos, que não conseguiam aceitar uma religião que pregava a liberdade, o respeito à dignidade do ser humano e o amor e o perdão como regras de conduta moral.

As classes mais abastadas não podiam tolerar semelhantes princípios de igualdade, quais os que preconizavam as lições do Nazareno, considerados como postulados de covardia moral, incompatíveis com a orgulhosa filosofia do Império, e é assim que vemos os cristãos sofrendo os martírios da primeira perseguição, iniciada no reinado de Nero de tão dolorosas quão terríveis lembranças.[7]

Os cristãos, em consequência, passaram a viver longos períodos de tempo às escondidas, mas preservando a união entre eles. Possuíam um sentimento de irmandade, caridade e fé, inegavelmente muito maior do que se percebe no cristão de hoje.

2. Os pais da Igreja

"Pais" ou "padres" foram, na Antiguidade, os guardiões da mensagem cristã. Mais tarde, a expressão foi substituída por "patriarcas" e, na Idade Média, por "doutores da Igreja".

2.1 Os pais apostólicos

São representados pelos doze apóstolos e por dedicados discípulos de Jesus, como Paulo e Lucas. Historicamente, abrange os anos do primeiro século da Era Cristã, de 30 a 100, fechando, possivelmente, com a morte de João, em Éfeso, o último dos apóstolos a retornar ao mundo espiritual. As principais características deste período são a difusão do Cristianismo e a construção da igreja cristã. Além dos apóstolos, destaca-se, no Ocidente, a figura de Clemente de Roma, e no Oriente, as de Inácio, Policarpo, Barnabé, Papias e Hermas. Surge o *Didaquê*, uma espécie de catecismo, com prescrições litúrgicas para o batismo, preceitos sobre o jejum, a oração e o dia de domingo. A *tradição apostólica de Hipólito*, também deste período, trata dos ofícios e ministérios na comunidade, como eleição e sagração de bispos e ordenação de presbíteros e diáconos.[6]

2.2 Os apologistas

Compreende o período de 120 a 220 da Era Cristã, segundo e terceiro séculos, respectivamente. Os apologistas foram pensadores cristãos que se dedicavam à tarefa de escrever apologias do Cristianismo, com o intuito de defendê-lo. Era preciso, nessa época, defender a doutrina cristã nascente de três correntes distintas, que lhe faziam oposição: a religião judaica, o estado romano e a filosofia pagã. Contra os judeus, era necessário afirmar, argumentativamente, o messianismo de Jesus Cristo. Contra os romanos, era preciso convencer o imperador quanto ao direito de legalização da prática do Cristianismo dentro do Império, e contra os filósofos pagãos, a tarefa dos apologistas era a de apresentar a religião cristã como uma verdade total, ao contrário dos erros ou verdades parciais presentes, segundo esses autores, na filosofia helenística. Os apologistas criaram um tipo de literatura denominada *apologética*, de cunho científico e filosófico. Tertuliano se destaca, no Ocidente. Justino, o Mártir, Taciano, Teófilo, Aristides e Atenágoras, no Oriente.[6]

2.3 Os polemistas

Os polemistas defendiam as ideias cristãs contra as várias doutrinas que marcaram o período compreendido entre os anos 180 e 250 d.C. A principal doutrina combatida por eles foi o gnosticismo, interpretação filosófica que tem como base os ensinamentos de filósofos gregos, especialmente os neoplatônicos. O gnosticismo se desenvolveu em mais de 30 sistemas diferentes, mas quase todos eles tratam da oposição entre fé e razão, misturando conceitos da filosofia grega com preceitos da cultura oriental e do Cristianismo. Os polemistas mais proeminentes pertenciam à Escola de Alexandria, tais como: Atanásio, Basílio de Cesareia e Cirilo.[6]

2.4 Os teólogos científicos

Os teólogos científicos aparecem no quarto século (325-460) e têm a intenção de explicar a *Bíblia* por meio da Ciência. Parece ser a primeira tentativa de unir a Religião e a Ciência, ou a fé à razão. Os temas Deus, criação dos seres, dos Espíritos e do universo são estudados de forma racional. São vultos proeminentes deste grupo: no Ocidente, Jerônimo, Ambrósio e Agostinho. No Oriente, Crisóstomo e Teodoro. Em Alexandria, Atanásio, Basílio de Cesareia e Cirilo.[6]

3. Deturpações na mensagem cristã

Se, por um lado a integração do Cristianismo ao Estado livrara os cristãos das perseguições, por outro obrigava a igreja cristã a fazer concessões políticas que, como sabemos, se responsabilizaram pela desconfiguração da mensagem cristã.

As fronteiras ideológicas do Cristianismo tornavam-se frágeis e se diluíam em tendências heterogêneas. Estas, ao se afirmarem, criaram uma confrontação inevitável entre as múltiplas interpretações doutrinárias e as várias tradições cristãs. Como todas as correntes reivindicavam a legitimidade apostólica, tratava-se de definir o que estaria de acordo ou contra a pregação tradicional dos Apóstolos. Essa confrontação veio a caracterizar a divisão entre elementos ortodoxos e heterodoxos no pensamento cristão elaborado.[6]

No final do século I, a própria constituição da Igreja modificara-se substancialmente e as primeiras formas litúrgicas aparecem, assim como o ascetismo e o legalismo. Nesse mesmo período, a Igreja estava presente na Ásia Menor, na Síria, na Macedônia, na Grécia, em Roma e talvez no Egito. Se por um lado o Cristianismo se expandia geograficamente através da vivência das igrejas organizadas, por outro perdia em profundidade [...].[4]

O ascetismo, entendido como uma prática filosófica ou religiosa, de desprezo ao corpo e às sensações corporais, e que tende a assegurar, pelos sofrimentos físicos, o triunfo do Espírito sobre os instintos e as paixões, revelou-se como uma forma deprimente de viver o Cristianismo. O ascetismo, surgido na igreja primitiva, serviu de base para o monasticismo, estabelecido nos séculos posteriores. "Por trás do movimento monástico, achava-se o zeloso cristão empenhando-se fervorosamente para conseguir a união de sua alma com Deus [...]."[5]

O ascetismo preconizava, e preconiza, uma vida solitária, de completa renúncia às atividades existentes no mundo material, e aceitação voluntária de privações e sofrimentos.

O [...] impulso para o ascetismo e o monasticismo não é peculiar ao Cristianismo [igrejas cristãs]. Aparece em outras religiões, tanto antes como depois do tempo de Cristo, e entre alguns indivíduos que não professam qualquer religião. No terceiro e quarto séculos, outras influências deram acrescida força ao impulso para o ascetismo e o monasticismo e levaram esses ideais a uma realização prática. Uma delas foi a influência das filosofias dualistas do gnosticismo e do neoplatonismo [...].[5]

O legalismo é definido como um conjunto de regras ou preceitos rigorosos que contrariam a vivência pura e simples de qualquer interpretação religiosa, inclusive a cristã. O legalismo, em qualquer época, representa uma forma de escravidão, que conduz ao fanatismo, e, sobretudo, afasta o homem da prática da caridade. A seguinte passagem do Evangelho mostra o que Jesus tinha a dizer sobre o legalismo judaico: "partindo dali, entrou na sinagoga deles. Ora, ali estava um homem com a mão atrofiada. Então lhe perguntaram, a fim de acusá-lo: é lícito curar nos sábados?" Jesus respondeu: "quem haverá dentre vós que, tendo uma ovelha, e caindo ela numa cova em dia de sábado, não vai apanhá-la e tirá-la dali? Ora, um homem vale muito mais do que uma ovelha! Logo, é lícito fazer bem aos sábados" (MATEUS, 12:9-12).

A hegemonia da Igreja de Roma, em relação à de Constantinopla, concedeu àquela poder suficiente para se transformar numa monarquia papal. Se na Idade Antiga os principais acontecimentos da história da Igreja se deram no Mediterrâneo e no Oriente, na Idade Média os centros mais importantes localizam-se na Itália, França, Inglaterra e Alemanha. A razão histórica é a invasão islâmica no mediterrâneo e a adoção do Cristianismo pelos povos germânicos e eslavos.

Em consequência, surgem no campo doutrinário sérias deturpações da mensagem cristã pela incorporação de rituais pagãos, de preceitos filosóficos e de deliberações conciliares, de natureza cada vez mais políticas e menos evangélicas. Os principais desvios ocorridos na igreja primitiva foram:

» *Trindade divina*: é uma crença de que Deus é formado por uma trindade representada como o Pai, o Filho e o Espírito Santo, sendo cada uma expressão da perfeição.

» *A natureza divina e humana de Jesus*: como homem, Jesus era filho de uma virgem e padeceu os martírios da crucificação. Como Deus, ofereceu-se em sacrifício para redimir os homens dos seus pecados.

» *Fora da Igreja não há salvação*: todos os cristãos são membros de uma só Igreja, que está sob a guarda divina. Revela nítido conflito com o ensinamento de Jesus, fielmente interpretado por Paulo: "Fora da caridade não há salvação" (1 CORÍNTIOS, 13:1-7,13).

> Enquanto a máxima — Fora da caridade não há salvação — assenta num princípio universal e abre a todos os filhos de Deus acesso à suprema felicidade, o dogma — Fora da Igreja não há salvação — se estriba, não na fé fundamental em Deus e na imortalidade da alma, fé comum a todas as religiões, porém "numa fé especial", em "dogmas particulares"; é exclusivo e absoluto. Longe de unir os filhos de Deus,

separa-os; em vez de incitá-los ao amor de seus irmãos, alimenta e sanciona a irritação entre sectários dos diferentes cultos [...].¹

Emmanuel conclui, destacando o sublime consolo que a Humanidade encontra no Evangelho de Jesus.

O Evangelho do divino Mestre ainda encontrará, por algum tempo, a resistência das trevas. A má-fé, a ignorância, a simonia, o império da força conspirarão contra ele, mas tempo virá em que a sua ascendência será reconhecida. Nos dias de flagelo e de provações coletivas, é para a sua luz eterna que a Humanidade se voltará, tomada de esperança. Então, novamente se ouvirão as palavras benditas do Sermão da Montanha e, através das planícies, dos montes e dos vales, o homem conhecerá o caminho, a verdade e a vida.⁸

Referências

1. KARDEC, Allan. *O evangelho segundo o espiritismo*. Tradução de Guillon Ribeiro. 125. ed. Rio de Janeiro: FEB, 2006. Cap. 15, item 8, p. 270-280.
2. ENCICLOPÉDIA MIRADOR INTERNACIONAL. Enccyclopaedia Britannica do Brasil Publicações Ltda. São Paulo, 1995. Vol. 11, p.5961.
3. _____._____. p. 5962.
4. _____._____. p. 5963.
5. http://www.espirito.org.br/portal/artigos/geae/historia-do-cristianismo-08. html
6. http://www.igrejahttp://www.sepoangol.org/biogra-p.htm
7. XAVIER, Francisco Cândido. *A caminho da luz*. Pelo Espírito Emmanuel. 32, ed. Rio de Janeiro: FEB, 2006. Cap. 15 (A evolução do cristianismo), item: Os mártires, p.134.
8. _____. *Emmanuel*. Pelo Espírito Emmanuel. 25. ed. Rio de Janeiro: FEB, 2005. Cap. 2 (A ascendência do evangelho), item: o Evangelho e o futuro, p. 28.

Orientações ao monitor

Organizar junto com a turma um painel que retrate os principais fatos históricos relacionados à igreja cristã primitiva. Em seguida, destacar algumas causas que produziram deturpações na mensagem cristã.

O CRISTIANISMO

Roteiro 23

IGREJA CATÓLICA APOSTÓLICA ROMANA E ORTODOXA

Objetivos

» Identificar fatos históricos relevantes relacionados à organização da igreja católica romana e da ortodoxa.

» Analisar, à luz do entendimento espírita, o compromisso espiritual assumido por essas instituições.

Ideias principais

» *Retirando-se para Salona, exausto da tarefa governista, ocorre a rebelião militar que aclama Augusto a Constantino [...]. Junto dele, o Cristianismo ascende à tarefa do Estado, com o edito de Milão.* Emmanuel: A caminho da luz. Cap. 15, item: Constantino.

» *Mas, por volta do ano 381, surge a figura de Teodósio, que declara o Cristianismo religião oficial do Estado, decretando, simultaneamente, a extinção dos derradeiros traços do politeísmo romano.* Emmanuel: A caminho da luz. Cap. 16, item: Vitórias do Cristianismo.

» A Igreja católica [...], *deturpando nos seus objetivos as lições do Evangelho, se tornou uma organização política em que preponderaram as características essencialmente mundanas.* Emmanuel: *Emmanuel.* Cap. 3.

> A Igreja Ortodoxa, uma das três grandes divisões do Cristianismo, [...] *também denominada Igreja do Oriente (ou Igreja Ortodoxa do Oriente), designa o grupo de igrejas que se consideram depositárias da doutrina e do ritual dos padres apostólicos* [guardiões da moral cristã]. *Enciclopédia mirador*, vol. 11, p. 5969.

Subsídios

1. Igreja Católica Apostólica Romana

Os Anais de Tacitus nos informam que na noite de 18 para 19 de julho do ano de 64, três quartos da cidade de Roma foram devastados por um incêndio que só seria dominado seis dias depois. Acusado da autoria do incêndio, o imperador Nero não só nega como responsabiliza os cristãos pelo atentado. Assim, na noite de 15 de agosto de 64, vários cristãos são punidos no *circo de Nero* — situado no local onde hoje se ergue a basílica de São Pedro —, reduzidos a tochas vivas que serviram de iluminação à realização dos jogos e das diversões que se seguiram ao suplício.

A partir desse acontecimento, as perseguições se tornaram corriqueiras por mais de dois séculos consecutivos, nos governos de Domiciano (81–96) a Diocleciano (184–302). A despeito dos suplícios e toda a sorte de infelicidades, o número de cristãos aumentava, dia após dia, ao longo dos anos. Em meados do século III, mais de um funcionário do Império é convertido ao Cristianismo. "Nós enchemos os campos, as cidades, o Fórum, o Senado, o Palácio", escrevia o orgulhoso Tertuliano.

É importante considerar que nessa época começou a surgir a palavra católico associada aos cristãos. O cognitivo católica (ou católico), significando universal, foi incorporado às ações e aos escritos das igrejas do Ocidente (romana) e do Oriente (ortodoxa).

O termo "católico" foi utilizado antes da Era Cristã por alguns escritores (Aristóteles, Zanão, Políbio), com o sentido de universal, oposto a particular. Não aparece na *Bíblia*, nem no Antigo nem no Novo Testamento, embora nela se encontre, como conceito fundamental, a ideia de universalidade da salvação [...]. Aplicado à Igreja [romana e ortodoxa], o termo aparece, pela primeira vez, por volta do ano 105 d.C., na carta de Inácio, bispo de Antioquia, aos erminenses.[8]

Os escritores cristãos posteriores passaram a empregar o substantivo *catholica* como sinônimo de igreja cristã, associando a essa palavra as ideias de universalidade geográfica e de unidade de fé. Entretanto, somente com o *Concílio Ecumênico de Constantinopla* (no ano 381) foi, oficialmente, aplicada às igrejas romana e ortodoxa a designação "católica". Este qualificativo, considerado como artigo de fé, assim deve ser entendido e aceito pelos fiéis: *Creio na una, santa, católica e apostólica Igreja*. Com a *reforma protestante*, e pela determinação do *Concílio de Trento* (em 1571), restringiu-se o significado à expressão "católica", que passou a designar, especialmente, a igreja de Roma. À denominação "igreja católica" acrescentou-se a palavra "romana".[8]

As primeiras raízes do catolicismo surgem, provavelmente, no governo do imperador Valeriano (253-260) que promoveu impiedoso ataque contra as comunidades cristãs, buscando atingir, em especial, os seus líderes religiosos — bispos, padres e diáconos —, com o propósito de eliminar a fé cristã do império.

> A doutrina cristã, todavia, encontrara nas perseguições os seus melhores recursos de propaganda e de expansão. Seus princípios generosos encontravam guarida em todos os corações, seduzindo a consciência de todos os estudiosos de alma livre e sincera. Observa-se-lhe a influência no segundo século, em quase todos os departamentos da atividade intelectual, com largos reflexos na legislação e nos costumes. Tertuliano apresenta a sua apologia do Cristianismo, provocando admiração e respeito gerais. Clemente de Alexandria e Orígenes surgem com a sua palavra autorizada, defendendo a filosofia cristã, e com eles levanta-se um verdadeiro exército de vozes que advogam a causa da verdade e da justiça, da redenção e do amor.[13]

O trauma resultante das perseguições impeliu os cristãos a desenvolverem estratégias que, de certa forma, pudessem neutralizar os constantes ataques de que eram vítimas. Delineia-se, então, a partir desse período, uma organização institucional que será conhecida como a *monarquia papal*. Importa considerar que a organização da Igreja Católica nos conduz, necessariamente, à organização da igreja cristã primitiva, em Roma, que, por sua vez, reflete a estrutura organizacional das sinagogas. Originalmente, a igreja cristã consistia de uma constelação de igrejas independentes cujos adeptos se "[...] reuniam nas casas dos membros abastados da comunidade. Cada uma dessas casas contava com seus próprios líderes, os anciãos ou "presbíteros".[4]

Os membros da igreja eram, na maioria, imigrantes, escravos e pessoas livres. Essa diversidade cultural favorecia a existência de uma malha de rituais e de doutrinas confusas e conflitantes, ortodoxas e heréticas (pagãs). Diante desse panorama — perseguições de um lado, conflitos doutrinários de outro —, foi natural a aceitação, pelos cristãos de Roma, do "episcopado monárquico".

Esse episcopado, que antecede a monarquia papal, determinou que a direção da igreja romana caberia a um bispo, sistema oposto ao existente de administração da igreja por um colégio de anciãos, comuns nas demais igrejas cristãs do Império. A administração por parte dos anciãos estava fundamentada nos preceitos da assembleia (*ecklesia*), herdados das tradições judaicas.[5]

2. O Cristianismo como religião do Estado

No século III, o Império Romano estava dilacerado pela guerra civil, pela epidemia da peste e pela vertiginosa sucessão de imperadores, todos apoiados num exército esgotado pelos ataques inimigos. A instabilidade política chegou ao extremo de, em 47 anos, elevar ao poder 25 imperadores.

As forças espirituais que acompanham todos os movimentos do orbe, sob a égide de Jesus, procuram dispor os alicerces de novos acontecimentos, que devem preparar a sociedade romana para resgates e para a provação. A invasão dos povos considerados bárbaros é então entrevista. Uma forte anarquia militar dificulta a solução dos problemas de ordem coletiva, elevando e abatendo imperadores de um dia para outro. Sentindo a aproximação de grandes sucessos e antevendo a impossibilidade de manter a unidade imperial, Diocleciano organiza a Tetrarquia, ou governo de quatro soberanos, com quatro grandes capitais. Retirando-se para Salona, exausto da tarefa governativa, ocorre a rebelião militar que aclama Augusto a Constantino [285–337], filho de Constâncio Cloro, contrariando as disposições dos dois Césares, sucessores de Diocleciano e Maximiano. A luta se estabelece e Constantino vence Maxêncio às portas de Roma, penetrando a cidade, vitorioso, para ser recebido em triunfo. Junto dele, o Cristianismo ascende à tarefa do Estado, com o edito de Milão.[14]

A história registra que Constantino foi proclamado imperador na Bretanha, em 306, enquanto Maxêncio conspirava em Roma.

Constantino prosseguiu com suas campanhas na Gália e entrou em Roma com seu exército em 312, derrotando Maxêncio às margens do rio Tibre. Em 324 fez-se imperador do Ocidente e do Oriente. Em 330 converteu a cidade grega de Bizâncio em capital do império, com o nome de Constantinopla (em 1453, sob o domínio turco, foi rebatizada de Istambul).

> Embora não fosse cristão, pois só foi batizado em seu leito de morte, Constantino declarava-se protetor da Igreja. O Cristianismo foi declarado religião oficial do império. O Concílio de Niceia (o primeiro concílio ecumênico) foi convocado pelo imperador e realizou-se, em 325, numa sala do palácio imperial de veraneio. As conclusões do concílio, compendiadas no símbolo de fé, foram promulgadas como lei do império.[6]

Transformar o Cristianismo em religião foi um ato político do imperador, amparado por suas percepções psíquicas.

> O imperador Constantino era pessoalmente dotado de faculdades mediúnicas e sujeito à influência dos Espíritos. Os principais sucessos de sua vida [...] assinalam-se por intervenções ocultas. [...] Quando planejava apoderar-se de Roma, um impulso interior o induziu a se recomendar a algum poder sobrenatural e invocar a proteção divina, com apoio das forças humanas. [...] Caiu, então, em absorta meditação das vicissitudes políticas de que fora testemunha. Reconhece que depositar confiança na "multidão dos deuses" traz infelicidade, ao passo que seu pai Constâncio, secreto adorador do Deus único, terminara seus dias em paz. Constantino decidiu-se a suplicar ao Deus de seu pai que prestasse mão forte à sua empresa. A resposta a essa prece foi uma visão maravilhosa, que ele próprio referia, muitos anos depois, ao historiador Eusébio, afirmando-a sob juramento e com as seguintes particularidades: "Uma tarde, marchando à frente das tropas, divisou no céu, acima do sol que já declinava para o ocaso, uma cruz luminosa com esta inscrição: "Com este sinal vencerás". Todo o exército e muitos espectadores, que o rodeavam viram com ele, estupefatos, esse prodígio. Logo foram chamados ourives e o imperador lhes deu instruções para que a cruz misteriosa fosse reproduzida em ouro e pedras preciosas.[3]

Foi assim que Constantino, em seu caminho de realizações, consegue proteger o Cristianismo e os cristãos das perseguições.

Consegue [...] levar a efeito a nova organização administrativa do Império, começada no governo de Diocleciano, dividindo-o em quatro Prefeituras, que foram as do Oriente, da Ilíria, da Itália e das Gálias, que, por sua vez, eram divididas em dioceses dirigidas respectivamente por prefeitos e vigários. [...] Findo o reinado de Constantino, aparecem os seus filhos, que lhe não seguem as tradições. [...] Mas, por volta do ano 381, surge a figura de Teodósio, que declara o Cristianismo religião oficial do Estado, decretando, simultaneamente, a extinção dos derradeiros traços do politeísmo romano. É então que todos os povos reconhecem a grande força moral da doutrina do Crucificado, pelo advento da qual milhares de homens haviam dado a própria vida no campo do martírio e do sacrifício.[17]

3. A monarquia papal

Durante o governo de Constantino os bispos de Roma alcançaram um prestigio jamais imaginado.

Eles [...] se tornaram celebridades comparáveis aos mais prestigiados senadores da cidade. Era de se esperar que os bispos de todo o mundo romano assumissem, agora, o papel de juízes, governadores, enfim, de grandes servidores do Estado. [...] No caso do bispo de Roma, tais funções se tornavam ainda mais complexas, pois se tratava de liderar a Igreja numa capital pagã que era o centro simbólico do mundo, o foco do próprio sentido de identidade do povo romano. Constantino lavou as mãos com relação a Roma, em 324, e tratou de criar uma capital no Leste. Caberia aos papas criar uma Roma cristã. Eles deram início a tal empreendimento construindo igrejas, transformando os modestos *tituli* (centros eclesiásticos comunitários) em algo mais grandioso e criando edifícios novos e mais públicos, se bem que a princípio em nada rivalizassem com as grandes basílicas imperiais de Latrão e de São Pedro [esta mandada construir por Constantino]. Nos cem anos seguintes, as igrejas se espalharam pela cidade [...].[6]

Emmanuel, na obra *A caminho da luz*, nos esclarece o seguinte:

A [...] indigência dos homens não compreendeu a dádiva do plano espiritual, porque, logo depois da vitória, os bispos romanos solicitavam prerrogativas injustas sobre os seus humildes companheiros de episcopado. O mesmo espírito de ambição e de imperialismo, que de longo tempo trabalhava o organismo Império, dominou igualmente a igreja de Roma, que se arvorou em suserana e censora de todas as demais do planeta. Cooperando com o Estado, faz sentir a força das suas determinações arbitrárias. Trezentos anos lutaram os mensageiros do Cristo, procurando ampará-la no caminho do amor e da humildade, até que a deixaram enveredar pelas estradas da sombra, para o esforço de salvação e experiência, e, tão logo a abandonaram ao penoso trabalho de aperfeiçoar-se a si mesma, eis que o imperador Focas favorece a criação do Papado, no ano 607. A decisão imperial faculta aos bispos de Roma prerrogativas e direitos até então jamais justificados. Entronizam-se, mais uma vez, o orgulho e a ambição da cidade dos Césares. Em 610, Focas [imperador romano que viveu entre 602 e 610] é chamado ao mundo dos invisíveis, deixando no orbe a consolidação do Papado.[16]

4. A tradução da *Bíblia* para o latim

Aproveitando-se das costumeiras disputas políticas existentes entre as igrejas do Ocidente e as do Oriente, e desejoso de estabelecer a hegemonia do Cristianismo, segundo as orientações da igreja de Roma, o papa Dâmaso determina ao seu secretário que traduza para o latim a *Bíblia*, pois, no seu entender, "era necessário que a Igreja do Ocidente se tornasse latina".

O secretário de Dâmaso era Eusebius Hieronymus Sophronius, embora fosse mais conhecido na igreja por Jerônimo. Ele foi treinado nos clássicos em latim e grego e repreendia severamente a si mesmo por sua paixão pelos autores seculares. Jerônimo já havia se tornado um dos maiores estudiosos na época em que começou a trabalhar para Dâmaso. Desse modo, Dâmaso sugeriu que seu secretário produzisse uma tradução latina da *Bíblia*, que eliminasse as imprecisões das traduções mais antigas.[1]

Em 382 Jerônimo inicia a sua obra, terminando a tradução em 405, não sendo esta, porém, a única.

Durante aqueles 23 anos, ele também produziu comentários e outros escritos. [...] Jerônimo começou sua tradução trabalhando a partir da *Septuaginta*, versão grega do Antigo Testamento. Porém, logo estabeleceu um precedente para todos os bons tradutores do Antigo Testamento: passou a trabalhar a partir dos originais em hebraico.

Jerônimo consultou muitos rabinos e procurava com isso atingir um alto grau de perfeição. Jerônimo ficou surpreso com o fato de as Escrituras hebraicas não incluírem os livros que chamamos hoje apócrifos. Por terem sido incluídos na *Septuaginta*, Jerônimo foi compelido a incluí-los também em sua tradução, mas deixou sua opinião bastante clara: eles eram *liber ecclesiastici* (livros da igreja), e não *liber canonici* (livros canônicos). Embora os canônicos pudessem ser usados para a edificação, não poderiam ser utilizados para estabelecer doutrina alguma [...].[1]

A biblioteca divina, termo pelo qual Jerônimo se referia à *Bíblia*, foi finalmente disponibilizada em uma versão precisa e muito bem escrita, na linguagem usada comumente nas igrejas do Ocidente. Ficou conhecida por *Vulgata* (do latim *vulgus*, comum). [...] Ironicamente, a tradução da *Bíblia* no idioma que toda a igreja ocidental pudesse usar, provavelmente, fez com que a igreja tivesse um culto de adoração e uma *Bíblia* que nenhum leigo podia entender [...].[2]

5. As Cruzadas

As Cruzadas, tradicionalmente, são conhecidas como expedições de caráter militar, mas que foram organizadas pela Igreja, com o objetivo de combaterem os inimigos do Cristianismo. Esse movimento teve início no final do século XI e se estendeu até meados do século XIII. Os Espíritos superiores relatam que esse processo começou, na verdade, em séculos anteriores em que a vaidade e o orgulho contaminaram os responsáveis pelo Catolicismo.

> Em todo o século VI, de acordo com as deliberações efetuadas no plano invisível, aparecem grandes vultos de sabedoria, contratando a vaidade orgulhosa dos bispos católicos, que em vez de herdarem os tesouros da humildade e amor do Crucificado, reclamam para si a vida suntuosa, as honrarias e prerrogativas dos imperadores. Os chefes eclesiásticos, guindados à mais alta preponderância política, não se lembravam da pobreza e da simplicidade apostólica, nem das palavras do Messias, que afirmara não ser o seu reino ainda deste mundo.[19]

O movimento cristão passa então a contar com uma série de modificações, fundamentadas nas interpretações pessoais dos padres que procuravam adequar a religião cristã aos seus interesses.

O Cristianismo [...] não aparecia com aquela mesma humildade de outros tempos. Suas cruzes e cálices deixavam entrever a cooperação do ouro e das pedrarias, mal lembrando a madeira tosca, da época gloriosa das virtudes apostólicas. Seus concílios, como os de Niceia, Constantinopla, Éfeso e Calcedônia, não eram assembleias que imitassem as reuniões plácidas e humildes da Galileia. A união com o Estado era motivo para grandes espetáculos de riqueza e de vaidade orgulhosa, em contraposição com os ensinos daquele que não possuía uma pedra para repousar a cabeça dolorida. As autoridades eclesiásticas compreendem que é preciso fanatizar o povo, impondo-lhe suas ideias e suas concepções, e, longe de educarem a alma das massas na sublime lição do Nazareno, entram em acordo com a sua preferência pelas solenidades exteriores, pelo culto fácil do mundo externo, tão do gosto dos antigos romanos pouco inclinados às indagações transcendentes.[18]

Dessa forma, com a expansão muçulmana, entre 622–1089, iniciam-se *as Cruzadas*, guerra religiosa estabelecida para combater, inicialmente, os seguidores do Islã, mas que atingiu todos os povos não cristãos, cognominados *infiéis*. As cruzadas foram em número de oito.

A primeira, decidida no Concílio de Clemont, sob a direção do papa Urano II, em abril de 1096, foi comandada por Pedro, o Eremita, e Gautier Sans Avoir, produzindo o massacre dos judeus na Renânia. A segunda, realizada em 14 de dezembro de 1145, por ordem do papa Eugénio III, é coordenada pelo rei da França Luis VII e pelo imperador alemão Conrado III. Surge a figura muçulmana de Saladino, que muito trabalho deu aos cruzados. A terceira Cruzada foi organizada em 1188, por Frederico *Barba-Roxa*, imperador alemão, Filipe Augusto, rei de França, e Ricardo Coração de Leão, rei da Inglaterra, a pedido do papa Gregório VIII. A quarta Cruzada, proclamada em 1198 pelo papa Inocêncio III, é dirigida por Bonifácio I de Montferrat e Balduíno IX de Flandres. A quinta Cruzada inicia-se em 1215, após apelo do papa Inocêncio III, no quarto concílio de Latrão. Foi dirigida por João de Brienne, rei de Jerusalém e André II, rei da Hungria. A sexta Cruzada, sob o domínio do papa Gregório IX, começa em novembro de 1225, tendo como comandante o imperador Frederico II, de Hohenstaufen. A sétima Cruzada é decidida no concílio de Lyon, em 1248, e tem o comando do rei francês Luís IX (São Luis). A última Cruzada, iniciada em março de 1270, também é comandada por Luís IX, mas o exército cruzado, em três meses, é arrasado pela peste, e o que sobrou, foi dizimado por uma tempestade.[20]

A igreja de Roma [...] herdando os costumes romanos e suas disposições multisseculares, procurou um acordo com as doutrinas consideradas pagãs, pela posteridade, modificando as tradições puramente cristãs, adaptando textos, improvisando novidades injustificáveis e organizando, finalmente, o Catolicismo sobre os escombros da doutrina deturpada. [...] É assim que aparecem novos dogmas, novas modalidades doutrinárias, o culto dos ídolos nas igrejas, as espetaculosas festas do culto externo, copiados quase todos os costumes da Roma anticristã.[16]

6. Igreja Católica Apostólica Ortodoxa

Nos começos do Cristianismo havia cinco patriarcas. Cada um deles era o cabeça de um centro de expansão da nova fé, e cada um deles tinha como função expandir o Cristianismo numa certa direção geográfica. Primeiro o Patriarca de Jerusalém, no Centro, onde Jesus morreu e ressuscitou. Ao norte, o Patriarca de Constantinopla. Ao sul, o Patriarca de Alexandria, no Egito. Ao Oriente, o Patriarca de Antioquia. E a Ocidente, o Patriarca de Roma.[21]

O Patriarca de Roma, nos séculos posteriores, passou a ser chamado de Papa. A Igreja Ortodoxa, uma das três grandes divisões do Cristianismo, "[...] também denominada Igreja do Oriente (ou Igreja Ortodoxa do Oriente), designa o grupo de igrejas que se consideram depositárias da doutrina e do ritual dos padres apostólicos [guardiões da moral cristã]."[10] Foram eles: Clemente de Roma, Inácio de Antioquia, Policarpo de Esmirna, Hermes de Roma e Barnabé de Alexandria.

Representando a fé histórica da cristandade oriental a Igreja Ortodoxa é mais limitativa do que as Igrejas orientais, não somente por excluir os cristãos orientais que se reuniram à Igreja Católica Apostólica Romana *uniatas*, como também por não compreender as Igrejas que se separaram no século V por motivos doutrinários (nestorianismo, monofisismo). Oficialmente chamada Igreja Católica Apostólica Ortodoxa, ou Igreja grega, em oposição à Igreja latina, católica e romana. A Igreja Ortodoxa abrange os grupos que se originaram do grande cisma de 1054 e que dependem historicamente de Bizâncio (Constantinopla).[10]

As igrejas orientais se subdividem, por sua vez, em três grupos: a Ortodoxa do Oriente, as igrejas nestorianas e as dos monofisistas. As igrejas orientais, embora se aglutinem em torno da igreja Romana, apresentam diferenças quanto aos ritos e às normas disciplinares.

As igrejas orientais nestorianas têm como base as interpretações de Nestor (ou Nestório), patriarca de Constantinopla no ano de 428. Nestor afirmava que em Jesus havia dois "Eu" ou duas pessoas: uma divina, com a sua natureza divina, e outra, humana, com a sua natureza humana.

> Ele rejeitava a utilização do termo *Theotokos*, uma palavra muito usada para referir-se a Maria e que significa literalmente Mãe de Deus. Nestor se opôs ao termo não porque exaltasse a pessoa da Virgem Maria, mas porque abordava a divindade de Cristo de tal maneira que poderia ofuscar sua natureza humana. Para solucionar o problema Nestor sugeriu um novo termo — *Cristotokos* (Mãe de Cristo), querendo com isso afirmar que Maria não era progenitora da divindade mas apenas da humanidade de Cristo. A discussão promoveu intrigas e manobras políticas que terminaram na convocação do terceiro concílio ecumênico, que ocorreu em Éfeso no dia 7 de junho de 431. A polêmica ficou mais uma vez em torno dos alexandrinos e antiocanos, estes apoiavam Nestor enquanto os primeiros se opuseram fortemente. O concílio terminou em 433 com parecer favorável a Alexandria, quando o patriarca de Constantinopla foi exilado e posteriormente transferido para um oásis no deserto do Líbano onde ficou até o fim de sua vida. O termo *Theotokos*, designado a Virgem Maria, se tornou dogma da igreja, como sinal de ortodoxia, tanto para a igreja do Oriente quanto à do Ocidente.[22]

Os monofisistas representavam uma corrente — ainda relativamente numerosa nos dias atuais — de teólogos cristãos, dirigida por Dióscoro de Alexandria, que propôs (século quinto) uma doutrina contrária à de Nestor: que em Jesus haveria um só Eu divino e uma só natureza divina. A sua tese foi rejeitada, em 451, pelo Concílio de Calcedônia, que decretou: em Jesus há uma só pessoa divina, ou um só Eu, mas duas naturezas (a divina e a humana).[23]

Historicamente, essas igrejas têm origem nas comunidades cristãs de Antioquia, Alexandria, Corinto e Tessalônica. A cisão, ocorrida definitivamente no século XI, se deu pelo fato de os cristãos orientais não aceitarem a supremacia dos bispos de Roma, quando a sede do Império Romano foi transferida para Constantinopla, no ano 330.

As divergências se acentuam doutrinária e politicamente, sobretudo nos séculos V e VI. Após o segundo Concílio de Niceia (em 787), os orientais não aceitam mais o ecumenismo dos concílios, o celibato dos padres nem a santíssima trindade.[11]

A hierarquia sacerdotal é composta de diáconos, padres, bispos, arcebispos, metropolitas e patriarcas. O celibato é obrigatório apenas para os bispos, não para os padres, embora o casamento deva ocorrer antes da ordenação. A Igreja Ortodoxa tem claustros e monges. Costuma ser chamada de *Igreja da Ressurreição*, porque dá ênfase à ressurreição do Cristo, em suas prédicas. Tem sete sacramentos e acredita no Dia do Juízo Final. Os serviços religiosos atraem a curiosidades popular pela beleza que oferecem. As igrejas são construídas como o Templo de Salomão, em Jerusalém: há um vestíbulo com a pia batismal; a nave, onde a congregação permanece durante o ofício religioso; o santuário, oculto atrás de um biombo, e que corresponde ao "Santo dos santos" do templo judaico. Apenas o padre tem permissão de entrar no santuário. Durante o serviço religioso a congregação pode ver, a distância, o santuário. O biombo que oculta o santuário se chama iconostas (parede de imagens), porque é coberto de pinturas religiosas, ou ícones, típicos da Igreja Ortodoxa.[12]

Referências

1. CURTIS. A. Kenneth, J. Stephen Lang, Randy Petersen. *Os 100 acontecimentos mais importantes da história do cristianismo*. Tradução de Emirson Justino. 1 ed. São Paulo: Editora Vida, 2003. Ano 405, p. 51-52.

2. _____._____. p. 52.

3. DENIS, Léon. *Cristianismo e espiritismo*. 12. ed. Rio de Janeiro: FEB, 2004. Cap. 5 (Relação com os espíritos dos mortos), p. 63-64.

4. DUFY, Eamon. *Santos e pecadores; história dos papas*. Tradução de Luiz Antônio Araújo. São Paulo: Cosac e Naify, 1998. Cap. 1 (Sobre esta pedra), item 1: de Jerusalém a Roma, p. 6.

5. _____._____. Item 2: Os bispos de Roma, p. 9.

6. _____._____. Item 3: Constantino, p. 16-22.

7. _____._____. Item 4: O nascimento da Roma papal, p. 28-29.

8. ENCICLOPÉDIA MIRADOR INTERNACIONAL. São Paulo, 1995. Vol.

9. _____._____. Itens 1 e 2, p. 2176.

10. _____._____. Item 11, p. 2178.

11. _____._____. Vol. 11, p 5969.

12. _____._____. p. 5969-5970.

13. HELLEN, V., NOTAKER, H. E GAARDER, J. *O livro das religiões*. Tradução de Isa Mara Lando. São Paulo: Companhia das Letras, 2000. Item: a igreja ortodoxa, p. 191-194.

14. XAVIER, Francisco Cândido. *A caminho da luz*. Pelo Espírito Emmanuel 37. ed. Rio de Janeiro: FEB, 2006. Cap. 15, item Constantino, p. 162-163.

15. _____._____. Item: Constantino, p. 137.

16. _____._____. Item: o papado, p. 138.

17. _____._____. Cap. 16 (A Igreja e a invasão dos bárbaros), item: vitórias do Cristianismo, p. 139-140.

18. _____._____. Item: Primórdios do catolicismo, p. 140-141.

19. _____._____. Item: A igreja de Roma p. 141-142.

20. _____._____. Cap. 17 (A idade medieval), item: Os mensageiros de Jesus, p. 147.

21. http://www.arqnet.pt/portal/universal/cruzadas.

22. http://www.eduquenet.net/ritoscristianismo.htm.

23. http://pt.wikipedia.org/wiki/Nest%C3%B3rio.

24. 18 http://www.veritatis.com.br/artigo.asp?pubid=1670.

Orientações ao monitor

Dividir a turma em dois grupos, cabendo a cada um o estudo, a troca de ideias e resumo dos dois assuntos constantes deste Roteiro (Igreja Católica Romana e Igreja Católica Ortodoxa). Após a apresentação dos relatos do trabalho em grupo, fazer considerações espíritas sobre o assunto.

Anexo

A Igreja Católica Romana

A igreja católica é, entre as organizações cristãs, a que possui a mais rígida e organizada hierarquia administrativa, formada pelo papa, pelos bispos e padres. Papa é uma palavra latina, de afeto e respeito, que significa "papai". O papa é também denominado "sumo pontífice", título latino pagão (*pontifix* = construtor de pontes). A igreja católica destaca a posição do papa porque, segundo a sua teologia, ele é o sucessor de Pedro, o apóstolo. Em 1870, foi proclamado o dogma da infabilidade papal em questões de fé.

O vocábulo *bispo*, do grego *episcopos*, quer dizer "supervisor". O bispo, na hierarquia católica, é considerado o principal pastor e centro da igreja cristã. O território sobre o qual governa um bispo é chamado de "diocese". O papa é o bispo de Roma. Assim como o papa é sucessor de Pedro, os bispos seguem as pegadas dos apóstolos. Uma das funções mais importantes de um bispo é ordenar padres em sua diocese.

Pontífice é sinônimo de sacerdote ou padre. Foi um termo amplamente empregado na igreja cristã primitiva para designar os bispos. A principal tarefa de um padre é dirigir sua paróquia ou comunidade pela pregação e pelo serviço divino, sobretudo pela administração dos sacramentos (considerados as manifestações materiais da graça de Deus). Os padres devem dedicar sua vida a Deus, à Igreja e à Humanidade, razão por que permanecem no celibato e não podem constituir família.

A Igreja Católica se considera uma expressão visível do reino de Deus no plano físico. A teologia católica ensina que a Igreja tem as quatro características que distinguiram a primeira igreja cristã: é *única* (existe apenas uma Igreja fiel à palavra de Jesus); *santa* (é santa porque ensina uma doutrina santa e oferece todos os meios para a santidade: os sacramentos); *católica* (quer dizer universal, mundial, para todos) e *apostólica* (a Igreja é dirigida por pessoas que são sucessoras dos apóstolos).

A Igreja Católica possui sete sacramentos, a saber: *batismo* da criança (por meio dele a criança ingressa na Igreja); *confirmação* (sacramento administrado por um bispo quando a criança tem, mais ou menos, 12 anos. A criança é untada com óleo e, assim, confirma sua fé católica. Trata-se de uma cerimônia realizada perto da festa de Pentecostes); *eucaristia* (parte do serviço divino do sacerdote que entrega ao crente o pão consagrado ou hóstia. A hóstia representa o corpo do Cristo. A eucaristia é também chamada comunhão); *penitência* (consiste na confissão, absolvição e atos de contrição); *unção de enfermos* (o padre unge a pessoa enferma na testa e nas mãos, para curá-lo); ordem (é a ordenação sacerdotal, realizada por um bispo, utilizando orações e imposição de mãos); matrimônio (aqui o elemento crucial não é a bênção do sacerdote, mas os votos mútuos que os noivos fazem na presença do sacerdote e das testemunhas).

Os católicos acreditam que o "povo de Deus" é formado pela comunidade de crentes, que formam a "comunhão dos santos", fazendo parte desta comunidade os vivos, os mortos que se encontram no purgatório e os bem-aventurados do céu. Os católicos oram a Jesus, a Maria santíssima e aos santos. Os santos são pessoas que dedicaram a vida a honrar a Deus de maneira excepcional, por exemplo, morrendo como mártires ou fazendo milagres. Até o ano 1172 os bispos podiam dizer quem podia ser canonizado; a partir de então somente o papa tem autoridade para isso.

Desde 1960 a Igreja Católica vem passando uma série de renovações, iniciadas pelo papa João XXIII, quando realizou um encontro geral dos bispos (concílio) no Vaticano. Algumas dessas mudanças são significativas: campanha de leitura da *Bíblia*, formando grupos de estudo; relacionamento com outras igrejas cristãs; participação em atividades ecumênicas, não necessariamente cristãs; participação do Conselho Mundial de Igrejas, como observadora.

A Igreja Católica possui vários dogmas de natureza teológica. Dogma (do latim *dogma*, e do grego *dógma*), significa ato ou decisão. Trata-se de um ponto fundamental e indiscutível de uma doutrina religiosa, e, por extensão, de qualquer doutrina ou sistema. O dogma da santíssima trindade afirma que há um só Deus em três pessoas: o Pai, o Filho e o Espírito Santo. O dogma do pecado original ensina que os males da humanidade terrestre se reportam a Adão e Eva que comeram o fruto proibido da árvore da vida, razão por que foram expulsos do Paraíso. O homem pecador foi resgatado do erro pela imolação ou crucificação do Cristo. O dogma das penas eternas liberta o homem do sofrimento eterno, em razão dos erros cometido, se este aceitar as instruções do Catolicismo que determina: "Fora da igreja não há salvação".

O CRISTIANISMO

Roteiro 24

ISLAMISMO

Objetivos

» Elaborar uma linha histórica do Islamismo.

» Analisar os principais ensinamentos da religião islã, à luz do entendimento espírita.

Ideias principais

» O [...] *Islamismo não deixou de ser um grande benefício para a época em que surgiu e para o país onde nasceu, porque fundou o culto da unidade de Deus sobre as ruínas da idolatria.* Allan Kardec: *Revista espírita. Jornal de estudos psicológicos.* Novembro de 1866.

» O Islamismo, ou *Islã* é uma religião monoteísta — revelada por Deus ou Allah ao profeta Maomé, segundo a tradição islâmica —, cujos ensinamentos estão contidos no livro *Alcorão*. Ao contrário do que se pensa, o Islã (ou Islam) não foi enviado a um só povo, os árabes. As suras 21:107 e 7:158 dizem: "E não lhe enviamos, senão como misericórdia para a Humanidade".

» A revelação divina, base da crença islâmica, está resumida no seguinte artigo de fé: *Não há um Deus senão Alá, e Maomé é seu profeta.*

» *Numerosos Espíritos reencarnam com as mais altas delegações do plano invisível.*

> *Entre esses missionários, veio aquele que se chamou Maomé, ao nascer em Meca no ano 570. Filho da tribo dos Coraixitas, sua missão era reunir todas as tribos árabes sob a luz dos ensinos cristãos, de modo a organizar-se na Ásia um movimento forte de restauração do Evangelho do Cristo, em oposição aos abusos romanos, nos ambientes da Europa.*
> Emmanuel: *A caminho da luz.* Cap. 17.

Subsídios

1. Informações básicas

Allan Kardec nos esclarece que há poucas informações sobre Maomé e a religião que ele fundou: o Islamismo. Mas considera importante estudá-la. Esclarece, ainda, que, a "[...] despeito de suas imperfeições, o Islamismo não deixou de ser um grande benefício para a época em que surgiu e para o país onde nasceu, porque fundou o culto da unidade de Deus sobre as ruínas da idolatria".[4]

Destacamos, em seguida, informações básicas para o entendimento da fé islâmica.

Islamismo ou Islã: religião monoteísta, supostamente revelada por Deus, ou Allah, ao profeta Maomé, cujos ensinamentos estão contidos no livro *Alcorão*. Ao contrário do que se pensa, o Islã (ou Islam) não foi enviado a um só povo, os árabes. As *suras* 21:107 e 7:158 dizem: "E não lhe enviamos, senão como misericórdia para a Humanidade. digo, ó gentes, eu sou o mensageiro de Allah para todos vocês".

Trata-se de uma religião que não possui o sistema sacerdotal comum a muitas interpretações religiosas, cristãs e não cristãs. Entretanto, os *imãs*, líderes de orações nas mesquitas e responsáveis por sermões, têm boa educação teológica e são funcionários das mesquitas.[15]

Allah ou Alá: palavra árabe que significa Deus, e que se relaciona, etimologicamente, à palavra hebraica *El* (ou *Al*, por corruptela), usada na *Bíblia* para nomear o "Deus dos hebreus". Para a religião Islã, Allah é um Juiz Onipotente, mas repleto de amor e de compaixão, daí a razão de todas as suras (versículos) do Corão se iniciarem com as palavras: "Em nome de Alá, o Misericordioso, o Compassivo". Alá não é apenas o Deus a que todos os homem devem se submeter, é também o único que pode perdoar e auxiliar.[11]

Islã ou Islam: palavra árabe com dupla significação: paz (sentido etimológico) e *submissão* (sentido religioso). Trata-se de uma doutrina que teve origem na Arábia e que, ainda hoje, guarda íntima relação com a cultura desse país, embora atualmente só uma minoria dos muçulmanos seja árabe. A palavra "submissão" tem um sentido muito específico para o Islamismo: o de que o homem deve se entregar a Deus e se submeter a Sua vontade em todos os instantes e setores da vida social. Esta é a condição para ser muçulmano.[10]

Mahommad ou Maomé: nome que significa "o altamente louvado", representa o sumo profeta dos muçulmanos. Descende de Ismael, filho de Abraão com a escrava árabe Hagar. Nasceu por volta de 570 d.C., em Meca, importante centro comercial de Hedjaz — região da Península Arábica, situada ao longo do Mar Vermelho. Faleceu em Medina, com a idade de 63 anos. Na época em que Maomé recebeu a revelação Islã, a região era habitada por povos nômades, organizados em estirpes, por sua vez dividas em tribos, linhagens (clãs) e famílias poligâmicas. Maomé — cognominado o *Muhamad* ou o *glorificado* — pertencia à estirpe dos *Kinanas* da tribo de *Banu Quraysh*, já adaptada à vida urbana, em Meca, e descendente da linhagem de *Banu Abd manàf*'.[7]

Maomé vivia do transporte de caravanas e do comércio, em toda a extensão da Península Arábica. Órfão de pai antes do nascimento, Maomé foi criado, até os seis anos, por sua mãe. Após o falecimento desta, foi educado pelo avô e tio paternos, ambos politeístas. Aos 25 anos conheceu Khadija, sua futura esposa, mulher bonita e rica, que também organizava caravanas. Teve muitos filhos com ela. Aos 40 anos sentiu a necessidade de se refugiar nas grutas de Meca para meditar sobre os destinos do homem, uma vez que se encontrava insatisfeito com a prática politeísta da religião de sua família.

A história do Islã nos informa que, certa vez, Maomé meditava na caverna do monte Hira, no início do ano 610 d.C., quando o anjo Gabriel lhe apareceu e disse: "Tu és o escolhido". Em seguida, lhe transmitiu os primeiros versículos da revelação corânica.[8] O instante do contato de Maomé com o anjo é chamado de *Noite do Poder*, porque, segundo a tradição islâmica, nessa noite foi possível "ouvir o mato crescer e as árvores falando, e as pessoas que presenciaram essas coisas enxergavam pelos olhos de Deus".

Maomé relata que durante o contato com Gabriel, entrou em profundo transe e que sua alma foi marcada, como por ferro em brasa, pelas palavras pronunciadas pelo anjo. Desfazendo a sintonia, saiu aterrorizado da caverna, correu para casa, e lá foi tomado de espasmos de agonia, imaginando que, daí em diante, se transformaria num profeta, num louco ou num possesso. Reza a tradição que sua esposa lhe teria dito: "Rejubila-te, caro esposo meu, e enche o teu coração de alegria, pois serás o profeta deste povo".[27]

Maomé acreditava que somente o Islamismo conduziria a Humanidade à salvação, porque o Judaísmo e o Cristianismo haviam corrompido o significado da Revelação de Deus.

Corão ou Alcorão: os vocábulos têm o significado literal de "leitura por excelência" ou "recitação". É o livro sagrado do Islamismo, escrito em língua árabe, e teria sido revelado por Alá a Maomé por intermédio do anjo Gabriel. Após a revelação, Maomé passou a ser reconhecido pelos mulçumanos como o maior dos profetas, o último mensageiro divino. O Corão foi documentado, durante a vida do profeta, por cerca de 43 escribas, que receberam o título de califas. À medida que Maomé recebia a revelação, os registros eram feitos em pedaços de couro, em folhas de tamareiras e em pedras polidas. Maomé não escreveu nada, por ser iletrado.[5]

O Corão possui 114 *suratas* ou *suras* — semelhantes a capítulos bíblicos —, cada uma delas contendo um número variável de versículos. Nas suratas encontramos relatos da história dos povos antigos; leis que regulamentam a vida do muçulmano; fatos científicos; previsões sobre a vida futura, e várias explicações para entender o Criador. As *suratas*, reveladas, respectivamente, em Meca e em Medina, são classificadas em suratas antes da *hégira* (dispersão árabe), e em suratas após a hégira.

As suratas reveladas em Meca abrangem normas sobre a crença em Deus, em seus anjos, em seus livros, em seus apóstolos (mensageiros) e sobre o Dia do Juízo Final. As suratas reveladas em Medina dizem respeito aos rituais e à jurisprudência da religião Islã.[6] O Corão só é considerado legítimo se escrito em árabe, uma vez que qualquer tradução significa deturpação do texto original. Assim, o seguidor da doutrina do Islam, ou muçulmano, tem como obrigação saber a língua árabe para poder ler o Corão.[22]

Umma ou uma: comunidade de crentes islâmicos, coordenadora do movimento islâmico. Quando Maomé sofreu perseguição em Meca, cidade onde vivia, teve que fugir com os seus seguidores para o norte da Península Arábica. Na cidade de Medina, em Yatrib, fundou a primeira umma de crentes islâmicos, que se tornou famosa por suas atividades. Essa cidade ficou conhecida como "a cidade do profeta" (*Madìnat anabi*).

Muçulmanos ou islamitas: são pessoas que professam o Islamismo. Podem ser árabes, de origem árabe ou de qualquer outra etnia.

Caaba ou Ka'ba: palavra árabe que significa *cubo*. Situada em Meca, a caaba é o santuário e a mais antiga mesquita dos muçulmanos. Trata-se de um edifício quadrado coberto por um pano negro, que os muçulmanos acreditam ter vindo do céu. Num canto da Caaba fica uma pedra negra incrustada na parede, de enorme significado simbólico. Essa pedra é adorada como o último pedaço da morada celeste, sucessivamente restaurada por Abraão e por Ismael no fim do Dilúvio Universal.[18]

Mesquita: templo muçulmano de oração e de ofícios religiosos.

Minarete: torre da mesquita, de onde parte o *chamado da oração*. Antigamente, ali havia uma pessoa — o *muezim* — que fazia o chamamento; hoje, porém, ouve-se uma fita gravada. O "chamado da oração", feito em diversas horas do dia, é assim: *Alá é Grande, não há outro Deus senão Alá, e Maomé é seu profeta. Vinde para a oração, vinde para a salvação, Alá é Grande, não há outro Deus senão Alá*.

Meca, Mekka, Makkat ou Makkah: cidade da Arábia Saudita, capital da província de *Hedjaz*. É a cidade santa dos muçulmanos, desde o século VII da Era Cristã, por ter sido o local onde Maomé nasceu e onde está localizada a mesquita mais importante dos islâmicos (Caaba). Geograficamente, está localizada na parte ocidental da Península Arábica, próxima do Mar Vermelho, cerca de 72 Km de Djidda (ou Jidda). Ocupa uma área situada entre colinas e o vale do rio *Uuede Ibraim*. Inicialmente foi chamada Macoraba ou Makoraba, por Ptolomeu, rei do Egito. Depois recebeu o nome de Bakka e, finalmente, Meca. No século XX a cidade foi transformada num emirado árabe e capital do reino de *Hedjaz*, em 1916. No ano de 1924 Meca foi conquistada por Ibn Saud e passou a fazer parte do seu reino, que ele chamaria de Arábia Saudita, em 1932.

Din: é, para a religião mulçumana, um sistema de vida, um conjunto de princípios e práticas que regem o relacionamento do homem com o Criador; consigo mesmo, com o seu semelhante, com outros seres da natureza, e com o ambiente em que vive. O Din deve propiciar um estado de equilíbrio às vidas material e espiritual. Os seus princípios são simples, em harmonia com a lógica, fornecendo respostas a todas as questões, sejam elas referentes à família, ao trabalho, à política, enfim, a tudo que diz respeito à existência do ser humano.[20]

2. A filosofia do Islã

A doutrina Islã possui três princípios, ou artigos de fé, indissociáveis:

» o credo: trata-se de uma revelação divina e de uma religião monoteísta;

» os deveres religiosos: estão resumidos em cinco, sendo considerados os pilares da revelação;

» as relações pessoais: são princípios éticos e políticos ensinados pelo islamismo.

2.1 O credo Islã

Sempre se julga mal uma religião quando se toma como ponto de partida exclusivo suas crenças pessoais, porque então é difícil justificar-se um sentimento de parcialidade na apreciação dos princípios. [...] Se nos reportarmos ao meio onde ela surgiu, aí encontramos quase sempre, se não uma justificativa completa, ao menos uma razão de ser. É necessário, sobretudo, penetrar-se no pensamento inicial do fundador e dos motivos que o guiaram. Longe de nós a intenção de absolver Maomé de todas as suas faltas, nem sua religião de todos os erros que chocam o mais vulgar bom senso. Mas a bem da verdade, devemos dizer que também seria pouco lógico julgar essa religião conforme o que dela faz o fanatismo, como o seria julgar o Cristianismo segundo a maneira por que alguns cristãos o praticam. É bem certo que, se os mulçumanos seguissem em espírito o Alcorão, que o Profeta lhes deu por guia, seriam, sob muitos aspectos, completamente diferentes do que são.[2] Para apreciar a obra de Maomé é preciso remontar à sua fonte, conhecer o homem e o povo ao qual ele se havia dado a missão de regenerar, e só então se compreende que, para o meio onde ele vivia, seu código religioso era um progresso real.[3]

A revelação divina, base da crença islâmica, está resumida no seguinte artigo de fé: *Não há um Deus senão Alá, e Maomé é seu Profeta*. Esta coluna mestra da religião islâmica é a unicidade de Allah, chamada de *Tauhid*. A crença na unicidade de Deus é entendida sob três enfoques: a) unicidade do Criador ou *Arububia*. Significa que Alá criou e mantém o universo, coisas e seres, pois Ele é o Senhor de tudo e de todos; b) unicidade da divindade ou *Tahid al uluhia*. Expressa que Alá é o Único que devemos adorar e somente a Ele devemos dirigir nossas súplicas, dispensando intermediários entre Ele e os homens; c) unicidade dos nomes e atributos de Alá ou *Tauhid al assmá ua sifát*. Esclarece que a Alá pertencem todos os nomes e atributos da perfeição, razão suficiente para nos submetermos totalmente a Ele, pois é *"Allah, o Único! O Absoluto! Jamais gerou ou foi gerado. E nada é comparável a Ele"* (*Alcorão*, surata 112).[21]

O credo em Deus único produz, como consequência, a crença na existência de anjos que, nos livros sagrados do Islamismo, são entendidos como mensageiros divinos que executam as determinações de Alá. Esses mensageiros são feitos de luz, possuem mãos, pés e asas. Incansáveis, jamais agridem; possuem poderes sobrenaturais, são extremamente virtuosos, têm várias ocupações e podem assumir a forma humana.[22]

Quando revestidos de corpo físico, os mensageiros divinos se revelam como pessoas especiais, portadoras de uma missão divina, apesar de possuírem corpos de carne e ossos, de sentirem o que nós sentimos, de adoecerem e morrerem, como qualquer um de nós.[22]

O credo islâmico aceita e venera alguns livros, considerados sagrados, porque foram revelados por Alá, por meio dos mensageiros que assumiram a forma física. Os principais livros sagrados são: *Torah*, de Moisés; *Salmos*, de Davi; *Evangelho*, de Jesus e Alcorão, o último dos livros santos, o qual permanece inalterado. Abraão, Moisés, Jesus e Maomé são mensageiros divinos, entre os 25 citados no Corão.[22]

A crença no Dia do Juízo Final é outro artigo de fé islâmica. Acredita-se que, após a morte, seremos ressuscitados, e, nesse dia, todos os nossos atos serão julgados por Alá. A justiça, então, será feita e quem tiver seguido o caminho revelado por Alá, terá o paraíso como morada eterna. As pessoas que preferiram atender os desejos inferiores e os caprichos terão o inferno como morada na eternidade. Os mortos aguardam, dormindo, o dia do julgamento.

A crença na predestinação, outro artigo de fé, significa ter convicção que Alá é o Senhor e que Ele colocou tudo no seu devido lugar, criando a felicidade e o sofrimento. Dessa forma, o tempo da vida de cada um está nas mãos de Alá. O homem possui livre-arbítrio, mas não pode sair do círculo permitido por Ele; deve esforçar-se para conseguir de maneira lícita o que deseja para mudar uma situação, não devendo acomodar-se e nem culpar o destino pela sorte ou azar.[24]

O céu e o inferno estão descritos com detalhes no Corão, e dão margem a diferentes tipos de interpretação muçulmana.[11]

Uma das críticas mais severas do Islamismo contra o Cristianismo é que, por este centralizar a palavra de Deus em Jesus ("E o Verbo se fez carne, e habitou entre nós" — João 1:14), a religião cristã teria produzido uma ruptura na essência do monoteísmo. Tal fato não aconteceu com o Islamismo, já que o Corão é, literalmente, a palavra de Deus. Na verdade, são equívocos de interpretação, pois, se no Cristianismo a palavra de Deus está centralizada numa pessoa (Jesus), no Islamismo está num livro (Alcorão). Sendo assim, os muçulmanos não consideram correto comparar Jesus com Maomé e a Bíblia com o Corão. Aceitam que há um paralelo entre o Evangelho e o Corão, porque ambos são de origem divina, revelados por mensageiros de Alá.

Consideram a *Bíblia*, como um todo, mais como um texto histórico, ao passo que o Corão é "incriado e existe de sempre".

É ofensivo chamar os seguidores do Islã de maometanos. Eles se dizem muçulmanos, ou seguidores do Islã, uma vez que Maomé foi apenas um profeta (o maior deles), não criou uma religião, mas revelou a religião verdadeira.[12]

2.2 Os deveres religiosos

São práticas, resumidas em cinco pilares que se complementam e devem ser aceitas integralmente pelo mulçumano. Significa dizer que aquele que nega parcial ou totalmente um pilar, não é considerado muçulmano.[21] Tais práticas podem ser assim resumidas:

Credo ou Shahada: também chamado de *testemunho*, está resumido na expressão: "Não há Deus senão Alá e Maomé é seu profeta". Este testemunho deve ser repetido pelos fiéis, várias vezes durante o dia, e também deve ser proclamado do alto dos minaretes na hora de cada oração. Este ato de fé encontra-se registrado nas paredes das mesquitas. O *Shahada* é porta de entrada para o Islam, considerado a chave do paraíso.[25] É o primeiro testemunho que deve ser sussurrado aos ouvidos do recém-nascido e o último que o moribundo ouve.[13] A crença islâmica é clara, simples, indo ao encontro do *filtra* (conhecimento inato do ser humano). Não aceita acréscimos nem que se retire algo dela.[21]

Oração ou Salat: representa a comunicação direta dos homens com Alá, sem intermediários. A oração é proferida por meio de um ritual que envolve movimentos, recitações do Corão e louvores a Alá. Para o muçulmano, quando ele se posiciona para orar e diz *Allahu Akbar* (Alá é o Maior) ele sai, então, da esfera mundana para o plano superior.[26]

As orações são pronunciadas cinco vezes ao dia. Antes de cada oração, propriamente dita, ouve-se o chamado vindo dos minaretes, dando tempo ao crente para, ritualmente, se tornar limpo. Os muçulmanos acreditam que as atividades biológicas tornam as pessoas naturalmente impuras. A purificação consiste em lavar o corpo inteiro em água corrente. Às vezes é permitido lavar apenas o rosto e as mãos. É comum a existência de casas de banhos próximas às mesquitas.

A maioria das orações islâmicas são fórmulas fixas, embora haja também a oração espontânea, na qual o fiel diz a Deus algo pessoal. As preces são acompanhadas de gestos específicos. Os gestos têm mais valor do que as palavras. As cinco orações diárias podem ser ditas em qualquer lugar, desde que a pessoa se ajoelhe e ore voltada para Meca.

É recomendável que o fiel faça uma das preces diárias na mesquita, ou que aí ore, pelo menos, uma vez por semana. É especialmente relevante a oração de sexta-feira, ao meio-dia, porque nesta prática religiosa está incluído um sermão. Os que comparecem às mesquitas devem estar respeitosamente vestidos, tirar os sapatos antes de entrar e acompanhar os gestos de quem dirige as orações, de forma ordenada e disciplinada. O líder das orações posiciona-se à frente do grupo, direcionado para Meca, de costas para a congregação. Somente os homens oram no salão principal da mesquita, reservando-se as galerias para as mulheres, as quais podem, também, ficar escondidas atrás de uma cortina, existente no fundo do templo. Qualquer homem adulto muçulmano pode ser um *imã*, ou dirigente das preces.[14]

Caridade ou Zakat: trata-se de uma taxa, ou imposto formal, obrigatório, fixado em 2,5%, sobre a riqueza e a propriedade do muçulmano,[16] que este deve doar à mesquita.

O **Jejum ou Siám:** é o quarto dever islâmico. O Corão proíbe aos muçulmanos de comerem carne de porco, de cachorro, raposa, asno — alimentos de uso comum em certa culturas orientais —, por considerarem estes animais impuros. Proíbe também a ingestão de sangue sob qualquer forma. Assim, o abate de animais utilizados na alimentação segue normas ritualísticas, para que não sobre qualquer resíduo de sangue. O vinho e outras bebidas alcoólicas são também proibidas.[9]

No nono mês do ano muçulmano — o Ramadã —, mês sagrado do jejum, há um dia de jejum especial. Entre o nascer e o pôr do sol desse dia é proibido desenvolver qualquer tipo de atividade. Após o poente, o jejum é suspenso com boa comida e bebida em todas as residências. Em geral, é costume os homens ficarem na mesquita durante a noite especial do *Ramadã*, ouvindo o Corão, alimentando-se e bebendo festivamente. O Ramadã foi o mês em que Maomé teve a sua primeira revelação. O jejum simboliza o retiro que todo muçulmano deveria fazer, como Maomé fez.[17]

Peregrinação a Meca ou Hajj: é o quinto dever religioso. Cabe a todo muçulmano adulto, que tenha condições, realizar peregrinação a Meca, pelo menos uma vez na vida. Para os muçulmanos, Meca e Caaba são o centro do mundo. Não só os fiéis se voltam para Meca quando oram: também as mesquitas são construídas com o eixo mais longo apontando para lá. Os mortos igualmente são enterrados voltados para Meca. Esta cidade é visitada anualmente por cerca de 1,5 milhão de peregrinos, metade dos quais vem de fora da Arábia. A grande mesquita foi reconstruída para receber, atualmente, 600 mil peregrinos. Somente as pessoas que conseguem provar que são muçulmanas entram na cidade santa.

Em Meca, o primeiro rito é caminhar em torno da Caaba sete vezes. Nessa ocasião muitos peregrinos tentam beijar a pedra negra. Outro rito importante acontece entre o meio-dia e o pôr do sol, quando os peregrinos se postam no monte Arafat, sem permissão de proteger a cabeça do sol intenso, renovando, assim, o seu pacto com Deus. Segundo a tradição, foi no monte Arafat que Adão e Eva se encontraram de novo, depois de expulsos do jardim do Éden. O ponto máximo dos rituais são os sacrifícios. Em geral, os peregrinos matam um animal (carneiro, boi, bode, camelo) com o propósito de lembrar como Abraão foi obediente a Deus, quando se dispôs a sacrificar seu próprio filho.[18]

2.3 As relações pessoais

São normas relativas à convivência social, ética e política. Tradicionalmente, não há no Islã distinção entre religião e política, entre fé e moral. Todas as obrigações religiosas, morais e sociais estão estabelecidas na sagrada lei muçulmana, a *xariá*. Trata-se de um conjunto de leis que se fundamentam no Corão, e também no *Suna* e no *haddif*. No Corão há instruções fixas e rígidas sobre o governo, a política, a sociedade, a economia, o casamento, a moral, o *status* da mulher etc.

Se o Corão não fornecer instruções precisas sobre assuntos específicos, os muçulmanos as pesquisam no *Suna* (muito usado pelos sunitas, uma das divisões islâmicas). *Suna* são relatos de ações, palavras e reflexões definidas por Maomé e pelos califas. A outra fonte legalista de consulta é o *haddit*, coletâneas que tratam da vida e das pregações de Maomé.

Essas fontes, inclusive o Corão, se reportam a uma vida em sociedade que não mais existe, surgindo, pois, a necessidade de se fazer adaptações no presente. As adaptações seguem dois princípios: o da *similaridade*, ou *analogia*, e o do *consenso*. O princípio da similaridade ou analogia, procura solucionar um problema atual, a partir de um exemplo análogo existente no Corão ou nas demais fontes. O princípio do consenso parte da afirmação de Maomé de que os fiéis nunca podem concordar, coletivamente, sobre algo errado. Assim, as decisões estabelecidas pelos fiéis, em assembleias específicas, são automaticamente aceitas pelos líderes religiosos (especialistas legais).

Por exemplo: certa ocasião alguns líderes religiosos quiseram proibir a ingestão do café, proibição que foi totalmente rejeitada pelos fiéis numa assembleia convocada para resolver esse assunto (solução foi dada pelo princípio da similaridade).

Uma das subdivisões do movimento Islã, os xiitas, aceitam, além dessa três fontes citadas (Corão, Suna e Haddit), a interpretação dos *imans*. Já os sunitas não aceitam qualquer interpretação islâmica ocorrida após Maomé.

O Corão não questiona o direito à propriedade privada, mas impõe certas limitações ao acúmulo de riquezas e bens, porque "sendo a riqueza uma tentação, afasta os homens de Deus".

As mulheres representam um capítulo à parte nas relações pessoais. Na verdade, no Corão há duas afirmações que se contradizem: a da sura 4:31 e a da sura 2:228, respectivamente expressas assim: "os homens têm autoridade sobre as mulheres, porque Deus os fez superiores a elas"; "as mulheres devem, por justiça, ter direitos semelhantes àqueles exercidos contra elas". Esta última citação dificilmente é utilizada.

É notória a diferença de tratamento que é dado aos homens daquele que as mulheres recebem, sobretudo dentro do casamento. A poligamia é permitida na maioria dos estados muçulmanos, não existindo na Turquia nem na Tunísia. O divórcio é possível, desde que iniciado pelo homem, mas, em geral, é dificultado, pois, segundo

Maomé "é a atividade legal menos preferida por Deus". Devemos lembrar que o índice de divórcio nos países árabes é o mais alto do mundo.

A circuncisão é obrigatória. A mutilação sexual das mulheres não encontra qualquer referência no Corão. No entanto, é praticada em alguns países muçulmanos, notadamente nos do norte da África. A tradição de usar o véu, ou *chador*, não encontra apoio no Corão, foi uma tradição iniciada pelas mulheres pertencentes a famílias ricas. Entretanto, o Corão orienta os maridos no sentido surrarem as esposas: "Quanto àquelas de quem temes desobediências, deves admoestá-las, enviá-las a uma cama separada e bater nelas"[19] (sura 4).

3. A doutina Islã e o Espiritismo

Antes da fundação do Papado, em 607, as forças espirituais se viram compelidas a um grande esforço no combate contra as sombras que ameaçavam todas as consciências. Muitos emissários do Alto tomam corpo entre as falanges católicas no intuito de regenerar os costumes da Igreja. Embalde, porém, tentam operar o retorno de Roma aos braços do Cristo, conseguindo apenas desenvolver o máximo de seus esforços no penoso trabalho de arquivar experiências para gerações vindouras. Numerosos Espíritos reencarnam com as mais altas delegações do plano invisível. Entre esses missionários, veio aquele que se chamou Maomé, ao nascer em Meca no ano 570. Filho da tribo dos Coraixitas, sua missão era reunir todas as tribos árabes sob a luz dos ensinos cristãos, de modo a organizar-se na Ásia um movimento forte de restauração do Evangelho do Cristo, em oposição aos abusos romanos, no ambiente da Europa. Maomé, contudo, pobre e humilde no começo de sua vida, que deveria ser de sacrifício e exemplificação, torna-se rico após o casamento com Khadidja e não resiste ao assédio dos Espíritos da sombra, traindo nobres obrigações espirituais com as suas fraquezas. Dotado de grandes faculdades mediúnicas inerentes ao desempenho dos seus compromissos, muitas vezes foi aconselhado por seus mentores do Alto, nos grandes lances de sua existência, mas não conseguiu triunfar das inferioridades humanas. É por essa razão que o missionário do Islã deixa entrever, nos seus ensinos, flagrantes contradições. A par do perfume cristão se evola de muitas das suas lições, há um espírito belicoso, de violência e de imposição; junto da doutrina fatalista encerrada no Alcorão, existe a doutrina da responsabilidade individual, divisando-se através de tudo isso uma imaginação superexcitada pelas forças do bem e do mal, num cérebro transviado do verdadeiro caminho. Por essa razão o Islamismo, que poderia representar um grande movimento de restauração do ensino de Jesus, corrigindo desvios do Papado nascente, assinalou mais uma vitória das Trevas contra a Luz e cujas raízes era necessário extirpar.[28]

Certas práticas, impostas por Maomé, não encontraram apoio na revelação islâmica.

Maomé, nas recordações do dever que o trazia à Terra, lembrando os trabalhos que lhe competiam na Ásia, a fim de regenerar a Igreja para Jesus, vulgarizou a palavra *infiel*, entre as várias famílias do seu povo, designando assim os árabes que lhe eram insubmissos, quando a expressão se aplicava, perfeitamente, aos sacerdotes transviados do Cristianismo. Com o seu regresso ao plano espiritual, toda a Arábia estava submetida à sua doutrina, pela força da espada; e, todavia os seus continuadores não se deram por satisfeitos com semelhantes conquistas. Iniciaram no exterior as "guerras santas", subjugando toda a África setentrional, no fim do século VII. Nos primeiros anos do século atravessaram o estreito de Gibraltar, estabelecendo-se na Espanha, em vista da escassa resistência dos visigodos atormentados pela separação, e somente não seguiram o além dos Pirineus porque o plano espiritual assinalara um limite às suas operações, encaminhando Carlos Martel para as vitórias de 732.[29]

Importa considerar que Ismael, guia espiritual do Brasil, filho de Hagar e Abraão, deu origem à descendência árabe, assim como Isaque, filho de Abraão com a judia Sara, formou a raça judaica. Ambos, Ismael e Isaque são aparentados, portanto, de Maomé.

Narra Humberto de Campos que Jesus, dirigindo-se a Ismael, um dos seus mais elevados mensageiros do Orbe, teria dito:

> Ismael, manda o meu coração que doravante sejas o zelador dos patrimônios imortais que constituem a Terra do Cruzeiro. Recebe-a nos teus braços de trabalhador devotado da minha seara, como a recebi no coração, obedecendo a sagradas inspirações do nosso Pai. Reúne as incansáveis falanges do Infinito, que cooperam nos ideais sacrossantos de minha doutrina, e inicia, desde já, a construção da pátria do meu ensinamento. Para aí transplantei a árvore da minha misericórdia e espero que a cultives com a tua abnegação e com o teu sublimado heroísmo. Ela será a doce paisagem dilatada do Tiberíades, que os homens aniquilaram na sua voracidade de carnificina. Guarda

este símbolo da paz e inscreve na sua imaculada pureza o lema da tua coragem e do teu propósito de bem servir à causa de Deus e, sobretudo, lembra-te sempre de que estarei contigo no cumprimento dos teus deveres, com os quais abrirás para a humanidade dos séculos futuros um caminho novo, mediante a sagrada revivescência do Cristianismo.

Ismael recebe o lábaro bendito das mãos compassivas do Senhor, banhado em lágrimas de reconhecimento, e, como se entrara em ação o impulso secreto da sua vontade, eis que a nívea bandeira tem agora uma insígnia. Na sua branca substância, uma tinta celeste inscrevera o lema imortal: "Deus, Cristo e Caridade". Todas as almas ali reunidas entoam um hosana melodioso e intraduzível à sabedoria do Senhor do Universo. São vibrações gloriosas da espiritualidade, que se elevam pelos espaços ilimitados, louvando o artista inimitável e o matemático supremo de todos os sóis e de todos os mundos.[31]

Todas as suas realizações e todos os seus feitos, forros dos miseráveis troféus de glorias sanguinolentas, tiveram suas origens profundas no plano espiritual, de onde Jesus, pelas mãos carinhosas de Ismael, acompanha desveladamente a evolução da pátria extraordinária, em cujos céus fulguram as estrelas da cruz. São elas, ainda um grito de fé e de esperança aos que estacionam no meio do caminho.[30]

Referências

1. KARDEC, Allan. *Revista espírita*: jornal de estudos psicológicos. Ano 1866. Tradução de Evandro Noleto Bezerra. Poesias traduzidas por Inaldo Lacerda Lima. Rio de Janeiro: FEB, 2004. Ano 9, agosto de 1866, nº 8, Item: Maomé e o Islamismo, p. 304.

2. _____._____. p. 304-305.

3. _____._____. p. 305.

4. _____._____ Novembro de 1866, nº 11, item: Maomé e o Islamismo (2º artigo), p. 432.

5. ALCORÃO SAGRADO. Tradução de Samir El Hayek. São Paulo: Tangará, 1975, p. XI-XII (apresentação).

6. _____._____. p. XIX.

7. JACONO, Claudio Lo. *Islamismo*. Tradução de Anna Maria Quirinol. São Paulo: Globo, 2002. A História, item: Maomé e a umma islâmica, p. 6.

8. _____._____. p. 7-8.

9. _____._____. As instituições mulçumanas, item: outros preceitos, p. 70.

10. HELLEN, V., NOTAKER, H. E GAARDER, J. *O livro das religiões*. Tradução de Isa Mara Lando. São Paulo: Companhia das Letras, 2000, item: Islã: p. 118.

11. ____.____. Item: o credo, p. 123-124.

12. ____.____. p. 125-126.

13. ____.____. p. 126.

14. ____.____. Item: obrigações religiosas – os cinco pilares, p. 127-128.

15. ____.____. p. 128.

16. ____.____. p. 128-130.

17. ____.____. p. 129.

18. ____.____. p. 129-130.

19. ____.____. Item: relações humanas — ética e política, p. 130-134.

20. MUNZER, Armed Isbelle. *Descobrindo o Islam*. Rio de Janeiro: Azaan, 2002. Cap. 1 (O conceito de Din), p. 1.

21. ____.____. Cap. 2. (A crença islâmica), p. 5.

22. ____.____. (O Tauhid), p. 5-6.

23. ____.____. (A crença nos anjos), p. 6.

24. ____.____. (A crença nos livros. A crença nos mensageiros), p. 6-8.

25. ____.____. (A crença no juízo final), p. 8-9.

26. ____.____. Cap. 3 (As obrigações do Islam), p. 13.

27. ____.____. (O salat. O zacat), p. 13-14.

28. SMITH, Huston. *As religiões do mundo*. Tradução de Merle Scoss. São Paulo: Editora Pensamento-Cultrix, 2001. Cap. 6 (Islamismo), item: o selo dos profetas, p. 220.

29. XAVIER, Francisco Cândido. *A caminho da luz*. Pelo Espírito Emmanuel. 32. ed. Rio de Janeiro: FEB, 2005. Cap. 17, (A idade medieval), item: o Islamismo, p. 149-151.

30. ____.____. Item: as guerras do Islã, p. 151.

31. ____. *Brasil, coração do mundo, pátria do evangelho*. Pelo Espírito Humberto de Campos. 30. ed. Rio de Janeiro: FEB, 2004, item: esclarecendo, p. 16-17.

32. ____.____. Cap. 3 (Os degredados), p. 36-37.

Orientações ao monitor

Realizar exposição introdutória que abranja o item 1 (Informações básicas) dos subsídios deste Roteiro. Orientar, em seguida, a formação de grupos para estudar o item 2 dos subsídios. Concluir o estudo com explanação a respeito do item 3 (A doutrina do Islã e o Espiritismo).

O CRISTIANISMO

Roteiro 25

A REFORMA PROTESTANTE

Objetivos

> » Elaborar uma linha histórica que retrate os marcos significativos da Reforma Protestante.
> » Citar dados biográficos dos principais reformadores.
> » Explicar a importância da Reforma Protestante no contexto da evolução do pensamento religioso, segundo a visão espírita.

Ideias principais

> » *O plano invisível determina, assim, a vinda ao mundo de numerosos missionários com o objetivo de levar a efeito a renascença da religião [...]. Assim, no século XVI, aparecem as figuras veneráveis de Lutero, Calvino, Erasmo, Melanchton e outros vultos notáveis da Reforma, na Europa Central e nos Países Baixos.* Emmanuel: *A caminho da luz.* Cap. 20.
>
> » *A Reforma e os movimentos que se lhe seguiram vieram ao mundo com a missão especial de exumar a "letra" dos Evangelhos [...] a fim de que, depois da sua tarefa, pudesse o Consolador prometido, pela voz do Espiritismo cristão, ensinar aos homens o "espírito divino" de todas as lições de Jesus.* Emmanuel: *O consolador.* Questão 295.

» A [...] *ideia da reforma não estava só na cabeça de Lutero, mas na de milhares de cabeças, de onde deveriam sair homens capazes de a sustentar.* Allan Kardec: Revista espírita. Jornal de estudos psicológicos. Ano de 1866, agosto, p. 321.

Subsídios

1. O contexto histórico

A Idade Média, em contraste com outros períodos da história, foi caracterizada por uma cultura religiosa que influenciava e impregnava todas atividades sociais.

> A política, a economia, as artes e a filosofia eram de competência direta da Igreja. O papado era, ao mesmo tempo, uma potência religiosa e política. Grande parte da vida econômica estava organizada ao redor das igrejas paroquiais e dominada por elas. As artes eram, por definição, religiosas: a pintura e a arquitetura refletiam a preocupação pelo transcendente, não havendo evidência mais clara disso que o impulso vertical das catedrais. Mesmo o redescobrimento e a aceitação de Aristóteles não alteraram o quadro geral. Por isso não é estranho que a civilização europeia fosse caracterizada como o *Corpus Christianum*.[3]

Nesse sentido, Emmanuel esclarece que:

> Essa renascença, iniciada do Alto, clareou a Terra em todas as direções. A invenção da imprensa facultava o mais alto progresso no mundo das ideias, criando as mais belas expressões da vida intelectual. A literatura apresenta uma vida nova e as artes atingem culminâncias que a posteridade não poderia alcançar. Numerosos artífices da Grécia antiga, reencarnados na Itália, deixam traços indeléveis da sua passagem, nos mármores preciosos. Há mesmo, em todos os departamentos das atividades artísticas, um pronunciado sabor da vida grega, anterior às disciplinas austeras do Catolicismo na idade medieval, cujas regras, aliás, atingiam rigorosamente apenas quem não fosse parte integrante do quadro das autoridades eclesiásticas.[18]

A História, destaca grandes mudanças nesse período.

O [...] século XV e o começo do XVI, em Roma, foram a idade do humanismo, uma grande era de renovado aprendizado clássico, de redescobrimento dos princípios da arte clássica, de florescimento da criatividade na pintura, na escultura e na arquitetura e de um prazer pela vida e pela beleza que representava não só uma sublime extravagância, mas um novo sentido da glória da criação. Tratava-se, em grande medida, de uma visão religiosa: para compreendê-la, precisamos levar em conta o primeiro e de certo modo o mais atraente dos papas humanistas, Nicolau V. [...] O movimento conciliar vinha perdendo a força à medida que os monarcas europeus faziam seus próprios e vantajosos arranjos com o papado, a fim de controlar as igrejas nacionais, e cessavam de apoiar as rebeliões eclesiásticas.[5]

A capital do Império Romano foi totalmente em beleza.

Nicolau inaugurou também a transformação física de Roma. Simbolizou a recuperação do controle papal da cidade ao restaurar o Castel Sant'Angelo e ao reformar o medieval palácio dos Senadores, no Capitólio. Mas as suas maiores obras estavam no Vaticano, que ele transformou na principal residência papal, abandonando o precário Latrão. [...] Porém, a sua iniciativa mais radical foi a de projetar a reconstrução da própria São Pedro.[6]

As seguintes palavras do papa Nicolau justificam a sua incansável necessidade de reformas e de embelezamentos arquitetônicos.

Para [...] criar convicções sólidas e estáveis na mente das massas incultas, deve haver um apelo aos olhos; uma fé popular baseada unicamente em doutrinas sempre há de ser débil e vacilante. Mas se a autoridade da Santa Sé estiver visualmente exposta em construções majestosas, em memoriais imperecíveis, em testemunhos como plantados pela própria mão de Deus, a fé há de crescer e fortalecer-se qual uma tradição que passa de uma geração a outra, e o mundo inteiro há de aceitá-la e reverenciá-la.[7]

Emmanuel nos esclarece, porém, que no plano espiritual medidas são tomadas para conter os desregramentos perpetratos pelos condutores do Catolicismo.

A essas atividades reformadoras não poderia escapar a Igreja, desviada do caminho cristão. O plano invisível determina, assim, a vinda ao mundo de numerosos missionários com o objetivo de levar a efeito a renascença da religião, de maneira a regenerar os seus relaxados centros de força. Assim, no século XVI, aparecem as figuras veneráveis de Lutero, Calvino, Erasmo, Melanchton e outros vultos notáveis da reforma, na Europa Central e nos Países Baixos.[19]

2. A reforma protestante

No século XVI uma grande revolução eclesiástica ocorreu na Europa Ocidental, levando a mudanças consideráveis na esfera religiosa que, durante todo o período medieval, estivera sob o domínio da Igreja Católica. Essa revolução nas mentalidades teve tanto causas políticas como religiosas. Muitos monarcas estavam insatisfeitos com o enorme poder que o papa exercia no mundo, ao mesmo tempo que muitos teólogos criticavam a doutrina e as práticas da Igreja, sua atitude para com a fé e seu feitio organizacional. Ideias e razões distintas deram origem a diversas comunidades eclesiais novas.

» Na Inglaterra, o rei Henrique VIII rompeu com o papa porque este se negou a lhe dar permissão para que se divorciasse. O rei se tornou, então, chefe da Igreja da Inglaterra (Igreja Anglicana). Não houve cisma, mas a Igreja da Inglaterra aos poucos foi adotando várias ideias da Reforma. Hoje, o anglicanismo é uma Igreja que engloba diferentes tendências e até mesmo seitas [...].

» Foi um monge alemão, Martinho Lutero, o maior responsável por esse conflito teológico. Ele deu forte destaque à fé e à palavra (a *Bíblia*), como elementos mais significativos. Diversos príncipes eleitores, nobres governantes alemães, insatisfeitos com o poder do papa, apoiaram Lutero e transformaram as igrejas de seus próprios domínios em igrejas estatais, partindo do princípio de que a religião do eleitor também era a de seus súditos.

» Os reformadores suíços Calvino e Zuínglio defendiam um rompimento mais radical com o Catolicismo. Davam menos valor ao batismo e à eucaristia do que os católicos e os luteranos, mas julgavam vital mexer na organização da Igreja. Queriam seguir aquilo que consideravam os preceitos do Novo Testamento. A Igreja é dirigida por representantes eleitos que, juntamente com os ministros, constituem a Assembleia Geral. Esta é conhecida como presbitério (da palavra grega que significa "conselho dos anciãos"), e por isso a Igreja reformada é chamada presbiteriana. Essa Igreja logo se tornou a principal seita protestante em países cujos soberanos não instituíram o Cristianismo como religião do Estado; por exemplo, Holanda, Suíça e Escócia.[8]

O Espiritismo, por meio de informações apresentadas por Emmanuel, revela:

> A Reforma e os movimentos que se lhe seguiram vieram ao mundo com a missão especial de exumar a "letra" dos Evangelhos, enterrada até então nos arquivos da intolerância clerical, nos seminários e nos conventos, a fim de que, depois da sua tarefa, pudesse o Consolador prometido, pela voz do Espiritismo cristão, ensinar aos homens o "espírito divino" de todas as lições de Jesus.[22]

A Reforma Protestante provocou profundos e irreversíveis impactos na Igreja Católica.

> Por ocasião dos primeiros protestos contra o fausto desmedido dos príncipes da Igreja, ocupava a cadeira pontifícia Leão X, cuja vida mundana impressionava desagradavelmente os espíritos sinceramente religiosos. Sob a sua direção criara-se, em 1518, o célebre "Livro das Taxas da Sagrada Chancelaria e da Sagrada Penitenciaria Apostólica", onde se encontrava estipulado o preço de absolvição para todos os pecados, para todos os adultérios, inclusive os crimes hediondos. Tais rebaixamentos da dignidade eclesiástica ambientaram as pregações de Lutero e seus companheiros de apostolado. De nada valeram as perseguições e as ameaças ao eminente frade agostiniano.[20]

O protestantismo foi um movimento que surgiu, no século XVI, para conter os abusos do clero católico, sobretudo em relação às indulgências.

> Embora rompessem com a Igreja, os reformadores não pensaram estar criando uma nova Igreja. Em vez disso, sustentavam a necessidade de recolocar a igreja cristã em suas verdadeiras bases. Levados à ação quase sempre em virtude de abusos e distorções da vida eclesiástica no período medieval, logo compreenderam, no entanto, que a sua interpretação do Evangelho era radicalmente diferente

da sustentada pela Igreja existente. Baldados seus esforços para renová-la, não tiveram outro recurso senão constituir instituição independente da que consideravam sob "o jugo romano". A história do protestantismo, portanto, deve começar com uma compreensão dessa tentativa da recuperação, segundo se entendia, da vida da Igreja à luz do Evangelho, dentro, contudo, do contexto sociocultural do período medieval.[3]

Outros fatos históricos foram decisivos para a ocorrência da Reforma Protestante.

A [...] derrocada do feudalismo e o surgimento de classes médias ocupadas com o comércio e a indústria criaram um novo setor na sociedade, independente da influência direta da Igreja. A imprensa foi inventada em meados do século XV e na última década do mesmo século Colombo descobria o Novo Mundo. Nos mesmos dias em que Magalhães circunavegava o globo (1519-1522). [...] Pequenos povoados se convertiam em centros urbanos onde os homens já não dependiam da agricultura para sua sobrevivência. Embora a Igreja ainda fosse poder dominador, muitas forças novas, além do trabalho dos reformadores, estavam operando para derrocar seu domínio sobre os homens.[4]

1. Os reformadores protestantes

1.1 Martinho Lutero

Fundador da Igreja Luterana, nasceu em Eisleben a 10 de novembro de 1483, na Turíngia, desencarnando em 1546.

Seus pais, Hans Luther e Margaret Ziegler [...] eram gente modesta do campo, embora livres, vindo de Möhra, na Turíngia. [...] Lutero nunca se envergonhou de seus antecedentes sociais; ao contrário, falava com orgulho de seus ancestrais camponeses. Gente sólida, física e moralmente, algo rude, de uma religiosidade firme, mas não especulativa.[11]

Por ser de família católica, assim que nasceu foi batizado na igreja chamada "Peter-Paulkirche", Igreja de São Pedro e São Paulo.

Durante [...] 13 anos, Martim viveu com os seus em Mansfeld, onde iniciou seus estudos ainda bem jovem. [...] A disciplina era rigorosa, mais do que o currículo, pois os mestres jamais hesitaram em usar a vara para castigar as menores faltas [...].[12] Aos 14 anos [...] foi enviado a Magdeburg, pois já havia esgotado os recursos dos currículos disponíveis em Mansfeld, e seu pai queria fazer dele um sábio. As [...] dificuldades financeiras eram muitas e o menino frequentemente ia de porta em porta, cantando em companhia de seus colegas, para ganhar um pão aqui e ali. No ano seguinte, regressou a casa. Dias depois, seguia para Eisenach, onde se matriculou na escola de São Jorge. [...] Lutero era estudioso e teve ali bons mestres.[13]

Concluídos os estudos e devido a inteligência que Lutero revelava, foi encaminhado à universidade.

De Eisenach Lutero foi enviado à Universidade de Erfurt [...]. A faculdade era das mais importantes e bem reputadas da Alemanha. [...] Estudava sem parar e só deixava as salas de aula para dirigir-se à biblioteca. Leu os clássicos, meditou e absorveu tudo quanto podia reter sua memória fabulosa. Ao cabo de um ano, em 1502, recebeu o primeiro grau acadêmico, o bacharelado em filosofia. Tinha apenas 19 anos. [...] Era, no entanto, um espírito inquieto e especulativo, que buscava a companhia de homens sérios e instruídos, dos quais pudesse absorver sempre algum conhecimento. No terceiro ano de sua vida acadêmica, o jovem [...] Martim descobriu uma velha Bíblia latina na biblioteca. O livro foi uma revelação e um impacto emocional. Lutero havia chegado, afinal, aos textos em torno dos quais toda a sua vida haveria de girar. Só então descobriu que apenas trechos diminutos e escassos eram mencionados nos púlpitos e nas cátedras, enquanto um verdadeiro manancial de ensinamentos e de História permanecia ignorado. Decidiu que haveria de ter sua própria Bíblia para estudo e meditação.[14]

Concluídos os estudos teológicos, Lutero torna-se padre, mas não exerce o ofício.

Em 2 de maio de 1507, Lutero foi ordenado sacerdote da Igreja Católica Apostólica Romana (na ordem dos agostinianos). A primeira missa foi um momento de ternura e emoção [...]. No entanto, suas dúvidas estavam longe de serem resolvidas. O próprio ritual da missa deixa-o atônito, ante a facilidade, que raia pelo desrespeito, com que Deus

Todo-Poderoso é tratado pelos sacerdotes, que recitam palavras cujo sentido parecem ignorar.[15]

A mente inquiridora de Lutero não conseguia aceitar a forma como o Catolicismo era praticado.

No auge dessa crise espiritual que ameaçava precipitá-lo no desespero total, surge o homem que lhe estenderia as mãos generosas: Johannes Von Staupitz, [...]. Ele presidiu a todas as novidades, a todos os primeiros combates da Reforma. Ele buscou Lutero na sua cela, conduziu-o passo a passo no conhecimento do Evangelho, abriu sua alma à verdade, armou-a para a luta, inspirou-lhe um espírito de resistência, contribuiu para fazer dele o homem dessa grande revolução.[16]

É importante destacar que a noção de purgatório, defendida pela Igreja Católica, somente foi admitida no ano de 593.

"O purgatório originou um comércio escandaloso das indulgências, por intermédio das quais se vende a entrada no céu. Este abuso foi a causa primária da Reforma, levando Lutero a rejeitar o purgatório."[1]

[...] Alguns historiadores enxergavam na sua missão uma simples expressão de despeito dos seus companheiros da comunidade, em face da preferência de Leão X encarregando os dominicanos da pregação das indulgências. A verdade, contudo, é que o humilde filho de Eisleben tornara-se órgão da repulsa geral aos abusos da Igreja, no capítulo da imposição dogmática e da extorsão pecuniária. Os postulados de Lutero constituíram, antes de tudo, modalidade de combate aos absurdos romanos, sem representarem o caminho ideal para as verdades religiosas. Ao extremismo do abuso, respondia com o extremismo da intolerância, prejudicando a sua própria doutrina. Mas o seu esforço se coroou de notável importância para os caminhos do porvir.[21]

A Reforma de Lutero foi um movimento de retorno às fontes primitivas do Cristianismo, cuja pureza se comprometera no cipoal da teologia meramente especulativa, perdendo-se na palavra fria e morta a luz e o calor do espírito vivo.[17]

1.2 João Calvino

Jurista e teólogo, um dos maiores vultos da Reforma, nasceu em Noyon, França, em 10 de julho de 1509, e morreu em Genebra em 27 de maio de 1564. Tendo ingressado na Universidade de Paris, estudou latim, filosofia e dialética, formando-se em Direito. Homem culto, portador de profundo sentimento moral, autor de livros, Calvino vivia cercado de humanistas e de reformadores, em Paris. A conversão de Calvino foi rápida, e se pode atribuir a três causas: o estudo das escrituras, a influência de amigos e os bons exemplos que muitos membros da reforma deram quando perseguidos. Por defender sua ideia, fugiu para Basileia, na Suíça, onde escreveu sua grande obra sobre a reforma: *Os estatutos da religião cristã*, obra que representa uma espécie de enciclopédia teológica. Passando a viver em Genebra, dedicou-se ao trabalho de explicar as escrituras, reformar o cerimonial do casamento, e de utilizar mais os Salmos nas prédicas.

Dentre os reformadores do século XVI (inclusive Lutero), foi Calvino quem mais se destacou como argumentador e conhecedor da *Bíblia*. As ideias de Calvino fizeram surgir uma reforma na Reforma, denominada presbiterianismo.

1.3 John Knox

É conhecido como o reformador da Escócia. Nascido em Haddington, em 1505, cursou universidade em Glasgow. Em 1540 foi ordenado padre. Tomou contato com a Reforma em finais de 1545. O instrumento imediato da sua conversão foi, provavelmente, o erudito reformador George Wishart. Knox seguia-o incansavelmente, levando consigo, segundo dizem, uma espada que ele estaria disposto a usar para defender Wishart. John Knox morreu em 1570, em Edimburgo.

1.4 John Wyclif ou Wycliffe

Nasceu em Hipswell, Yorkshire, possivelmente em 1328 e morreu em 31 de dezembro de 1384, perto de Leicester. Foi um teólogo inglês, considerado o precursor da Reforma Protestante no século XIV. Ele iniciou a primeira tradução da *Bíblia* para o inglês numa edição completa (a *Bíblia* tinha sido traduzida para o inglês anteriormente, mas por partes).

1.5 Jan Hus ou Huss

O famoso reformador da Boêmia (República Tcheca), nasceu em Husinec, a 75 km de Praga, possivelmente a 6 de julho de 1369. Atraído pela profissão clerical, estudou em Praga. Nos seus escritos usava frequentemente citações de Wyclif. Em 1393 fez o bacharelato em letras; em 1394 tornou-se bacharel em Teologia e, em 1396, tornou-se mestre em Teologia. Ordenou-se padre em 1400 e, no ano seguinte, foi nomeado reitor da faculdade de Filosofia de Praga. Exercia também o ofício de pregador na igreja de Belém, em Praga, proferindo sermões em língua tcheca, contrariamente ao usual, em latim. Foi queimado vivo em Constança, a 6 de junho de 1415.

2. As igrejas protestantes

2.1 Igreja Luterana

Hoje, "[...] na Alemanha, a Igreja Luterana é a mais importante, ao lado do catolicismo romano. É apenas nos países escandinavos que predomina o luteranismo (mais de 90% da população)".[9] Os principais princípios do luteranismo são os seguintes:

» Igreja é "a assembleia dos santos na qual o Evangelho é considerado de maneira pura e os sacramentos do batismo, administrados de maneira correta".

» A igreja do Cristo é invisível e pode facilmente aceitar pessoas de várias igrejas.

» Um ministro luterano não ocupa posição especial em relação à sua congregação, porque, mediante a fé e o batismo, cada cristão se torna seu próprio sacerdote.

» Algumas igrejas luteranas — da Alemanha, Suécia, Noruega, Dinamarca, entre outras — aceitam pastores do sexo feminino.

» Todas as igrejas luteranas são estatais, ou seja, a nomeação de seus funcionários é feita pelo governo.

» Os fundamentos religiosos derivam apenas da *Bíblia* ("A palavra de Deus"). As pessoas só podem justificar-se perante Deus somente pela sua fé em Cristo (princípio "sola fide").

» Existem dois sacramentos na Igreja Luterana: o batismo — que conduz o indivíduo à comunhão com Deus —, e a eucaristia: "o corpo e o sangue do Cristo estão presentes na eucaristia, mas os elementos da eucaristia são apenas pão e vinho".

» A vida é um dom de Deus, mas a vida é também um dever, isto é, valoriza-se a vida pelo trabalho e pela atividade social.

2.2 Igreja Metodista

Trata-se de uma igreja oriunda do movimento moderno dos princípios da Reforma, denominado de "reavivamento" e de "conversão individual", surgidos a partir do século XVII. Os cultos e as reuniões caracterizam-se por uma maior liberdade, isto é, não existe uma liturgia fixa, e o interior da igreja e as vestes sacerdotais são simplificadas.

A igreja Metodista foi fundada pelo pastor anglicano John Wesley (1703-1791). É um movimento religioso democrático e forte na Inglaterra, nos Estados Unidos, Canadá e Austrália.

Existe uma organização sacerdotal formada de padres e bispos, definida e eleita pela congregação. A *Bíblia*, o credo apostólico e os 35 artigos religiosos, elaborados por John Wesley, representam o credo doutrinário. A Igreja Metodista tem como artigo de fé o fato de que o Cristo morreu por todos o homens e de que Deus oferece salvação a qualquer pessoa que a aceitar. Os metodistas dão ênfase à "consciência da graça", ou seja, a capacidade da pessoa perceber a salvação por meio de uma experiência espiritual. A "santificação" é igualmente destacada no metodismo, e acontece pelo batismo e pela conversão. Ensinam que as pessoas devem crescer em amor e justiça para conseguir amar a Deus e ao próximo. O metodismo revela uma tendência puritana ao impor a seus adeptos uma vida disciplinada, com rejeição dos prazeres mundanos. Por outro lado, desenvolvem significativos serviços sociais, tais como orfanatos, asilos de idosos, ajuda aos alcoólatras. Seguem a *Bíblia*.[10]

2.3 Igreja Batista

Trata-se de um movimento radical da reforma, originário dos anabatistas (grupo de religiosos protestantes, que surgiu no século XVI, durante a Reforma. Diziam que o batismo na infância não era válido, por isso rebatizavam os crentes que se juntavam a eles). Existem várias seitas batistas difundidas na Inglaterra e nos Estados Unidos, em especial entre os negros americanos. Formam congregações independentes com pastores empregados pelos membros da congregação. A *Bíblia* é interpretada literalmente.[10]

2.4 Igreja Pentecostal

Surgiu pela primeira vez nos Estados Unidos, no século XIX, a partir de derivações das igrejas metodistas e batistas. O movimento pentecostal se difundiu pela Europa, mas é um movimento forte no Brasil, Chile e em vários paises da América latina. A organização religiosa é rígida, no estilo militar. Os pentecostais utilizam como princípios religiosos a *Bíblia* e o credo pentecostal, formado de "artigos de guerra". O primeiro passo para a pessoa ser salva é a conversão; o segundo é o batismo, de pessoas adultas, pela água (imersão total na água) e o último passo, definitivo e mais importante, é o batismo feito pelo Espírito Santo, que acontece apenas com a manifestação de um ou mais dons do espírito, tal como aconteceu com os apóstolos em Pentecostes (ATOS, 2).[10]

2.5 Igreja Adventista ou Adventista do Sétimo Dia

Foi fundada, nos Estados Unidos, pelo ex-sacerdote batista William Miller (1782-1849). O nome "adventista" está relacionado à crença na segunda vinda (ou "advento") de Jesus. O movimento difundiu-se pela Europa e há missionários em várias partes do mundo. A base da igreja está na congregação: ela elege representantes (delegados) para conferências distritais, regionais e mundiais. A *Bíblia* e o livro de Ellen White — *Passos até o Cristo* — constituem a fundamentação doutrinária dessa igreja.

Os adventistas valorizam o "dom da profecia" graças ao qual certas pessoas preveem o futuro. Preocupam-se em provar que as profecias bíblicas aconteceram, e que a nossa época está prevista nas escrituras. Acreditam que estamos vivendo os "últimos dias" do julgamento final, antes do advento do Cristo. Os adventistas condenam bebidas alcoólicas, tabaco, chá, café etc. e indicam o vegetarianismo como alimentação.[10]

Existem outros movimentos protestantes, considerados por alguns estudiosos como igrejas "paralelas à reforma": a) *Testemunhas de Jeová*, cujo nome vem de Isaías, 43:10. Difundem a sua fé de porta em porta, fazendo circular a *Bíblia* e suas revistas. Acreditam que o reino de Deus é um governo do Cristo e de 114 mil indivíduos escolhidos e, b) *Igreja de Jesus Cristo dos Santos dos Últimos Dias* ou

Mórmons: fundada pelo americano Joseph Smith (1805-1844), que, supostamente, teria recebido uma revelação de Jesus, por intermédio do anjo Moroni, cuja doutrina consta do *Livro de mórmons*.¹⁰

Os movimentos religiosos da reforma fazem parte do "Conselho Mundial de Igrejas", fundado em Amsterdam, na Holanda, em 1948. Trata-se de uma comunidade que reconhece Jesus Cristo, como Deus e Salvador, de acordo com a interpretação que fazem da *Bíblia* e das Escrituras Sagradas.

Devemos sempre ter uma atitude de respeito pelo trabalho dos reformadores, ainda que tenhamos consciência da existência de desvios ou deturpações.

> Se os reformadores só exprimissem as suas ideias pessoais, não reformariam absolutamente nada, porque não encontrariam eco. Um homem só é impotente para agitar as massas se estas forem inertes e não sentirem em si vibrar alguma fibra. É de notar que as grandes renovações sociais jamais chegam bruscamente; como as erupções vulcânicas, são precedidas por sintomas precursores. As ideias novas germinam, então em efervescência numa porção de cabeças; a sociedade é agitada por uma espécie de estremecimento, que a põe à espera de alguma coisa. É nesses movimentos que surgem os verdadeiros reformadores, que assim se veem como representantes, não de uma ideia individual, mas de uma ideia coletiva, vaga, à qual o encontra espíritos prontos a recebê-la. Tal era a posição de Lutero, mas Lutero não foi o primeiro, nem o único promotor de reforma. Antes dele houve apóstolos como Wicklef, Jan Hus, Jerônimo de Praga [...].²

Referências

1. KARDEC, Allan. *O céu e o inferno*. Tradução de Manoel Justiniano Quintão. 54. ed. Rio de Janeiro: FEB, 2004. primeira parte, cap. 5 (O purgatório), nota, p. 63.

2. _____. *Revista espírita:* jornal de estudos psicológicos. Ano 1866. Tradução de Evandro Noleto Bezerra. Poesias traduzidas por Inaldo Lacerda Lima. Rio de Janeiro: FEB, 2004. Ano 9, agosto de 1866, n.º 8, Item: os profetas do passado, p. 320-321.

3. ENCICLOPÉDIA MIRADOR INTERNACIONAL. Enccyclopaedia Britannica do Brasil Publicações Ltda. São Paulo, 1995. Vol. 17, p. 9363 (Protestantismo).

4. _____._____. p. 9364.

5. DUFY, Eamon. *Santos e pecadores; história dos papas*. Tradução de Luiz Antônio Araújo. São Paulo: Cosac e Naify, 1998. Cap. 4 (Protesto e divisão) item 1: os papas do renascimento, p.134.

6. _____._____. p. 137.

7. _____._____. p. 139.

8. HELLEN, V., NOTAKER, H. E GAARDER, J. *O livro das religiões*. Tradução de Isa Mara Lando. São Paulo: Companhia das Letras, 2000. Item: a reforma protestante, p. 194-195.

9. _____._____. p. 195.

10. _____._____. p. 200-214.

11. MIRANDA, Hermínio C. *As marcas do cristo*. 3. ed. Rio de Janeiro: FEB, 1995. Vol. 2, p. 42.

12. _____._____. p. 43-44.

13. _____._____. p. 47.

14. _____._____. p. 50.

15. _____._____. p. 59-60.

16. _____._____. p. 61-62.

17. _____. *Candeias na noite escura*. 3. ed. Rio de Janeiro: FEB, 1994. Cap. 29, p. 148.

18. XAVIER, Francisco Cândido. *A caminho da luz*. Pelo Espírito Emmanuel. 32. ed. Rio de Janeiro: FEB, 2005. Cap. 20 (Renascença do mundo) p. 174.

19. _____._____. p. 175.

20. _____._____. p. 175-176.

21. _____._____. p. 176.

22. _____. *O consolador*. Pelo Espírito Emmanuel. 25. ed. Rio de Janeiro: FEB, 2005. Questão 295, p. 173.

Orientações ao monitor

Apresentar uma síntese que proporcione uma visão geral do Roteiro. Em seguida, solicitar aos participantes que formem pequenos grupos para leitura, troca de ideias e síntese dos principais pontos dos subsídios deste Roteiro. Ao final, destacar a importância da Reforma Protestante no movimento Cristão.

EADE - LIVRO 1

EDIÇÃO	IMPRESSÃO	ANO	TIRAGEM	FORMATO
1	1	2013	5.000	18x25
1	2	2013	2.000	18x25
1	3	2014	5.000	17x25
1	4	2015	2.500	17x25
1	5	2016	6.000	17x25
1	6	2017	3.000	17x25
1	7	2018	2.000	17x25
1	8	2018	1.500	17x21
1	9	2019	1.500	17x21
1	10	2019	2.600	17x25
1	11	2022	2.000	17x25
1	12	2023	1.200	17x25
1	13	2024	1.500	17x25
1	14	2025	1.500	17x25

FEB editora
Livro espírita para um novo mundo
www.febeditora.com.br
@febeditoraoficial
@febeditora

Conselho Editorial:
Carlos Roberto Campetti
Cirne Ferreira de Araújo
Evandro Noleto Bezerra
Geraldo Campetti Sobrinho – Coord. Editorial
Jorge Godinho Barreto Nery – Presidente
Maria de Lourdes Pereira de Oliveira
Miriam Lúcia Herrera Masotti Dusi

Produção Editorial:
Elizabete de Jesus Moreira

Revisão:
Ana Luiza de Jesus Miranda
Elizabete de Jesus Moreira

Capa:
Evelyn Yuri Furuta

Projeto Gráfico:
Luciano Carneiro de Holanda

Diagramação:
Luisa Jannuzzi Fonseca

Foto de Capa:
http://www.istockphoto.com/ Jasmina007

Normalização Técnica:
Biblioteca de Obras Raras e Documentos Patrimoniais do Livro

Esta edição foi impressa pela Coronário Editora Gráfica Ltda., Brasília, DF, com tiragem de 1,5 mil exemplares, todos em formato fechado de 170x250 mm e com mancha de 140x205 mm. Os papéis utilizados foram o Offset 63 g/m² para o miolo e o Cartão 250 g/m² para a capa. O texto principal foi composto em fonte Minion Pro 11,5/14,5 e os títulos em Zurich Cn BT 14/16,8. Impresso no Brasil. *Presita en Brazilo.*